Odnajdę Cię

Anna Karpińska

KSIĘGARNIA POD FLISAKIEM

Odnajdę Cię

Prószyński i S-ka

Projekt okładki
Agencja Interaktywna Studio Kreacji
www.studio-kreacji.pl

Zdjęcie na okładce
© Kimberly Shadduc/Arcangel Images

Redaktor prowadzący
Michał Nalewski

Redakcja
Ewa Charitonow

Korekta
Sylwia Kozak-Śmiech
Marianna Chałupczak

Łamanie
Ewa Wójcik

ISBN 978-83-8097-092-2

Warszawa 2017

Wydawca
Prószyński Media Sp. z o.o.
02-697 Warszawa, ul. Rzymowskiego 28
www.proszynski.pl

Druk i oprawa
Drukarnia POZKAL Spółka z o.o.
88-100 Inowrocław, ul. Cegielna 10-12

Dla malutkiej Weroniki,
z nadzieją, że kiedyś przeczyta.

ROZDZIAŁ 1
BOŻENA

Przed wyjściem z domu po raz ostatni spojrzałam w lustro, przeczesałam dłonią włosy i upewniłam się, że niebieska teczka z umową na drugi tom powieści, której pierwszy właśnie kończyłam, zajmuje właściwe miejsce w torebce. Umówiłam się z Waldkiem, moim redaktorem w wydawnictwie. Dwudziesta któraś umowa i lata pracy pisarskiej nie powinny już budzić emocji, jednak dla mnie było to zawsze święto.

Marzec był bardzo pogodny, momentami nawet gorący. Zważywszy na wczesną porę, zamierzałam skorzystać z rześkości poranka i przejść się do redakcji spacerem.

Tatiana nie odzywała się od kilku tygodni, ale już od dawna przestałam przeżywać jej milczenie. Czasami jedynie tęskniłam za Jaśkiem. Najważniejsze, że moja niemal trzydziestoletnia córka zaczynała nareszcie układać sobie życie. A przynajmniej miałam taką nadzieję, wbrew doświadczeniu, które nauczyło mnie z dystansem podchodzić do jej wyborów i zachowań. Nigdy nie wiedziałam, gdzie poniesie ją życie, z kim się zwiąże, na co przepuści pieniądze, niekoniecznie własne. Jednak ślub, który niedawno wzięła z Pawłem, całkiem poważnie wyglądającym facetem, zapalił światełko nadziei w matczynym sercu, że Tatiana powróci do normalności. A może inaczej: że odnajdzie normalność u boku męża i synka, całkiem pokaźnego dziesięciolatka, którego kochałam i rozpieszczałam, kiedy tylko dane mi było go spotkać. Dawałam Jaśkowi tyle miłości, że wystarczyłoby jej dla kilkorga wnucząt, o których istnieniu w ostatnim czasie myślałam coraz częściej. Bo nie jest prawdą, że czas leczy rany i pozwala zapomnieć o błędach przeszłości.

– Czyżby dopadała mnie starość? Skąd te dywagacje? – wymruczałam pod nosem, zbiegając po schodach.

Pragnęłam udowodnić sobie, jaka to mimo swoich pięćdziesięciu siedmiu lat jestem sprawna i żwawa. I jak potrafię radzić sobie z nastrojami.

– Dzień dobry, pani Zawistowska!

W drzwiach wejściowych do budynku powitał mnie gospodarz odgarniający z podestu resztki śniegu. Zima wyjątkowo długo trzymała świat w swoich szponach, nie pozwalając wiośnie zagościć na stałe.

– Listonosz wrzucił dla pani jakąś przesyłkę – dodał.

– Dziękuję. Sprawdzę po powrocie – odpowiedziałam panu Stefanowi, by po chwili jednak cofnąć się do skrzynki.

Mogły nadejść wyniki badań próbki, którą jakiś czas temu pobrał mój ginekolog.

– Nie ma się czego obawiać – zapewniał. – Ale trzeba sprawdzić.

Od wizyty u lekarza minęły trzy tygodnie, a zatem należało już spodziewać się informacji ze szpitala.

Z ulgą stwierdziłam, że na dnie skrzynki leży oczekiwany list. Był cieniutki, jak gdyby pusty. Otworzyłam go szybko, drąc kopertę. A jednak muszę być zdenerwowana! – stwierdziłam.

Przeczytawszy treść, straciłam nadzieję na spokój i radość z podpisania umowy.

„Prosimy o odebranie wyników osobiście na oddziale ginekologicznym szpitala...", straszyła kartka.

Nigdy dotąd w podobnych przypadkach nie wzywano mnie do szpitala. Nie musiałam być prorokiem, by zdać sobie sprawę z powagi sytuacji. Coś poszło nie tak.

– Gabrysia? – Natychmiast połączyłam się z przyjaciółką, by podzielić się swoimi obawami.

– Nie martw się – uspokajała. – Może musisz powtórzyć badanie. Czasami próbka bywa niepełnowartościowa.

– Pobrana przez mojego lekarza?! – krzyczałam do telefonu. – Odpada! Sama wiesz, że jest wspaniałym specjalistą.

Gabrysia starała się zachować spokój.

– Nie czekaj, tylko jedź do szpitala. Im szybciej się wyjaśni, tym lepiej. Krócej będziesz się denerwować – zdecydowała za mnie, ofiarowując się jako osoba towarzysząca.

– Jadę właśnie podpisać umowę na nową książkę. Już jestem spóźniona.

– To o której spotykamy się przed izbą przyjęć? – zapytała tonem nieznoszącym sprzeciwu.

– Za półtorej godziny. – Spojrzałam na zegarek. – Powiedzmy około drugiej. Dziękuję ci.

Jechałam do wydawnictwa, tłumacząc sobie, że nie ma się czym martwić. Lawirowałam wśród sznurów samochodów, przemierzając kolejne ulice, przecinając skrzyżowania na pamięć, zaaferowana treścią listu z cienkiej koperty.

A jeżeli jestem poważnie chora? – myśl atakowała niczym natrętny komar. Trzeba to sprawdzić, jak twierdzi Gabrysia, i nie martwić się na zapas, pierwszą myśl goniła druga. Przecież nie jestem jeszcze taka stara, żeby umierać, podpowiadała kolejna. Pięćdziesiąt siedem lat to w końcu nie tak dużo. Jeszcze nie. Bzdura, nie umierasz! Nawet nie wiesz, czego od ciebie chcą!

Zaparkowałam samochód przed wydawnictwem, wyparłam lawinę obaw. I zadzwoniłam do przyjaciółki, że przesuwam wizytę w szpitalu na jutro, a nawet na dalszy termin.

Gabrysia dostała szału.

– Co? Nie zamierzasz przyjechać? – grzmiała przez telefon, gdy zaproponowałam spotkanie w kawiarni. – Natychmiast wsiadaj w samochód i jedź! Czekam! – krzyknęła i rzuciła słuchawką.

Na izbie przyjęć wyjątkowo panował spokój. Podeszłam do okienka i pokazałam pielęgniarce list z wezwaniem.

– Czy mogę odebrać wyniki? – zapytałam, licząc, że jednak wydobędzie moje nazwisko z pliku papierów, poda mi kartkę i pozwoli odejść.

Nic takiego się jednak nie stało.

– Proszę udać się na oddział ginekologiczny, windą na drugie piętro, do pokoju ordynatora. Pan doktor na panią czeka.

– Może mi pani powiedzieć, o co chodzi? – spróbowałam się dowiedzieć.

– Pan doktor wszystko pani wyjaśni.

Jechałyśmy z Gabryśką windą, nie odzywając się do siebie.

– Trzymaj się, będzie dobrze. – Mrugnęła do mnie, kiedy wchodziłam do gabinetu.

Ale gdy z niego wyszłam, musiała pomóc mi przysiąść na plastikowym krzesełku.

– Dobrze się czujesz? Może wezwę pomoc?

– Nie, nie, zaraz przejdzie. – Oparłam się o ścianę i pozwoliłam przetrzeć sobie czoło mokrą chusteczką.

– Poczekaj, pobiegnę po szklankę wody.

Gabryśka zostawiła mnie na krześle, by po chwili wrócić z pielęgniarką.

– Zrobię pani zastrzyk uspokajający. – Młoda dziewczyna w białym kitlu wbiła mi igłę w ramię. – I niech pani posiedzi tutaj co najmniej dwadzieścia minut – zdecydowała. – W razie czego proszę mnie wołać.

Kołysałam się na krześle. Gabrysia przyglądała mi się z troską, w milczeniu. W końcu kiedy dostrzegła, że wracam do żywych, zdecydowała się zadać pytanie.

– I co, Bożenko? Możesz mi powiedzieć?

– Rak trzonu macicy – wypowiedziałam to, co przed chwilą usłyszałam od lekarza. Chcą natychmiast operować.

– To wspaniała wiadomość! – Gabrysia udawała optymizm. – To znaczy, że można to wyleczyć. Kiedy operacja? – zapytała z nadmierną ekscytacją.

– Nigdy, Gabrysiu.

– Jak to?

– Po prostu. Nie ma sensu. Za daleko zaszło.

Moja przyjaciółka nie traciła nadziei, chociaż dostrzegłam wilgotne oczy.

– Trzeba próbować! Medycyna poczyniła takie postępy! Trzeba wierzyć, nie wolno ci się poddać! – Płakała, nie starając się już powstrzymywać łez.

Może to dziwne, ale jej postawa podziałała na mnie dyscyplinująco. Uspokoiłam się i zaczęłam racjonalnie myśleć. Lek uspokajający przestawał działać, mój umysł wręcz przeciwnie. Siedziałam na krześle ze wzrokiem wbitym w plakat sygnalizujący konieczność przeprowadzania cyklicznych badań szyjki macicy i pozwalałam nawałnicy myśli przetaczać się po głowie. Szukałam dla siebie przyszłości. Tej najbliższej, bo z tą dalszą zaczynałam się powoli żegnać.

Z obłoku rozważań wyrwały mnie słowa Gabrysi, która nie odpuszczała.

– Uspokój się. Pojedziemy do domu, odsapniesz, prześpisz się z tym. Umówimy się na operację.

Spojrzałam na nią bez emocji.

– Pamiętasz moją sąsiadkę i jej nowotwór? – zapytałam. – Przeprowadzono operację, choć lekarz od początku mówił, że to nie ma sensu. Tak czasami bywa, kiedy choroba jest zbyt zaawansowana. Gabrysiu, ja też nie mam szans, ale w życiu mam jeszcze coś do załatwienia. Pomożesz mi?

Byłam spokojna jak nigdy dotąd. W przeciwieństwie do przyjaciółki, która rozkleiła się całkowicie.

Doprowadziłam ją do swojego samochodu, zawiozłam do domu, napoiłam kawą, zamówiłam pizzę. Smakowała mi nadzwyczajnie. Kto wie, czy w tym innym świecie dają pizzę? – zastanawiałam się, przełykając smakowite kąski i popijając je czerwonym winem jeszcze z zapasów Artura.

Przez chwilę zastanawiałam się, czy nie zatelefonować do Tatiany, ale zrezygnowałam. Miałam inną ważną sprawę do załatwienia.

Gabrysia usnęła na kanapie w salonie, zmęczona płaczem i troską o mnie. Współczułam jej, jednak w głębi duszy płakałam nad sobą. Nie mam z kim pogadać, żeby się pożalić. Jedynie ta niezałatwiona sprawa trzymała mnie przy życiu. W sensie przenośnym, a kto wie, czy nie dosłownym. Bo gdyby nie ona…

Otworzyłam pokrywę laptopa i w wyszukiwarce wpisałam hasło „detektywi Warszawa". Pokazało się kilka adresów. Zerknęłam na zegarek, dochodziła czwarta po południu. Wyjęłam z torebki komórkę i wystukałam numer.

– Tu Bożena Zawistowska. Czy rozmawiam z biurem detektywistycznym pana Mariana Wolskiego?

Odpowiedział mi miły męski głos:

– Wolski. Czym mogę pani służyć?

– Mam dla pana zlecenie. Chodzi o to, żeby kogoś odnaleźć.

– Zapraszam jutro o jedenastej. Odpowiada pani?

– Tak. Im szybciej, tym lepiej.

ROZDZIAŁ 2
BOŻENA

Długo zastanawiałam się, czy powiedzieć o tym Ani, mojej najbliższej przyjaciółce. Z pewnością, jeżeli w ogóle komukolwiek, to tylko jej. Strach przed podzieleniem się moimi obawami w domu paraliżował.

Mimo swoich niemal siedemnastu lat czułam się jak mała dziewczynka, dla której dająca dziesiątki godzin korepetycji z francuskiego mama nigdy nie ma czasu.

Scedowała ten obowiązek na panią Krysię, naszą, jak mawiano przed wojną, „dochodzącą". Określenie jej mianem „opiekunki do dziecka z funkcją gospodyni" byłoby sporym nadużyciem, zważywszy na jej oschły sposób bycia i niechęć do mnie, wałęsającej się niepotrzebnie po domu, rozrzucającej nieliczne zabawki, kupowane zresztą głównie wbrew woli mamy przez przyszywane ciotki i wujków. Moi rodzice, do których zaliczałam również i ojczyma Brunona, lubili porządek, dlatego od najwcześniejszych lat wiedziałam, że nie mam co liczyć na kosze pełne klocków, niezliczone ilości lalek i ich strojów, pluszaków i innych fascynujących rzeczy, w które zaopatrywane były moje koleżanki. Swój świat odnajdywałam najpierw w książeczkach, potem w coraz bardziej dorosłych książkach, pełnych przedmiotów i wrażeń, których nie dostawałam na co dzień. Szukałam czarów niczym Alicja, puszczałam wodze wyobraźni, podążając za losami Ani z Zielonego Wzgórza, marzyłam o przeniesieniu się do Bullerbyn, żeby choć raz nie dostać bury za położenie się spać z brudnymi nogami. Pani Krystyna godnie bowiem zastępowała mamę w strofowaniu mnie za liczne przewinienia, jakie udawało mi się popełniać mimo ciągłego upominania. Przede wszystkim nie wolno mi było bałaganić. Kiedy wychodziłam do przedszkola, lalka Petronela musiała zająć przeznaczone dla niej miejsce na półce i czekać, aż wrócę. Do grona ciężkich przestępstw należało też hałasowanie; wszak wiecznie siedząca za zamkniętymi drzwiami pokoju mama musiała mieć spokój. Jak każda grzeczna dziewczynka powinnam mieć zawsze umyte ręce, uczesane włosy i w ogóle porządnie wyglądać, czego starannie doglądała pani Krysia, fukająca na widok rozwiązanej kokardy. Albo plamy na spódniczce, którą „oczywiście zrobiłaś, żebym musiała ją spierać, a przecież wiesz, ile mam roboty".

Trauma posiadania tak zwanej niani minęła, gdy mama uznała, że już dorosłam i można zamienić opiekunkę na klucz na szyi. Przyzwyczajona do codziennego drylu, nie potrafiłam jednak korzystać ze swobody bycia samą w domu. Grzecznie wracałam ze szkoły, by po odrobieniu lekcji zasiąść do czytania kolejnej książki. Codziennie ze świata wyobraźni wyrywał mnie głos mamy zrzucającej płaszcz w przedpokoju po przyjściu z pracy.

– To ja. Zjadłaś obiad?

– Tak.

– A co było?

– Gulasz z kaszą.

– Zaraz mam lekcję. Brunona jeszcze nie ma?

Nie zastanawiałam się nad sensem pytania, chociaż światło zapalone tylko w moim pokoju świadczyło, że jestem w domu sama.

– Nie ma.

– Odrobiłaś lekcje?

– Tak. – Nie odrywałam wzroku od książki.

– To dobrze. Zapal boczną lampkę, bo sobie oczy popsujesz. – Faktycznie, gdyby nie przypomniała, nigdy bym na to nie wpadła! – Ja położę się na kilka minut. Aha, i otwórz drzwi Bartkowi. Powinien być za kwadrans.

– Dobrze.

Długonogi Bartek z czwartej licealnej przychodził na czas, potem zjawiała się Michalina i ktoś tam jeszcze. W okolicy *Dziennika Telewizyjnego*, po wyczerpującym dniu w redakcji gazety, pojawiał się zazwyczaj zmęczony Brunon.

Rozdział kończyłam, spodziewając się kolacji, którą jedliśmy tuż przed filmem. Ponieważ filmy po dwudziestej nie nadawały się dla dzieci ani młodocianych nastolatek, musiałam iść do swojego pokoju. Tam, na szczęście, czekali na mnie znajomi z książek.

Nauczyłam się milczeć i nie wtrącać w sprawy dorosłych, by czasami nawet zasłużyć na ich uznanie, które kulminowało się w dniu zakończenia roku szkolnego i przedstawienia świadectwa z czerwonym paskiem.

Rodzice zabierali mnie wówczas do Hortexu na melbę, przy której z satysfakcją obserwowałam zadowolenie mamy z moich wyników.

Po ósmej, ostatniej klasie podstawówki „wspólnie" ustaliliśmy przy lodach, że idę do najlepszego warszawskiego liceum. Nie śmiałam nawet oponować i bez walki pogrzebałam myśl, by wybrać się do szkoły, do której składa papiery moja przyjaciółka Aśka.

Moje delikatne próby zostały zignorowane.

– Aśka może sobie iść, gdzie chce. Widać jej rodzicom nie zależy na wykształceniu córki. – Mama ucięła dyskusję. – A nam zależy! – podkreśliła, nie pozostawiając mi wyboru.

Tym sposobem znalazłam się w renomowanej szkole, by dalej pracować nad przyszłością i nie przynieść wstydu rodzicom. To znaczy, zapracowanej matce korepetytorce, która zamiast kłaść głąbom do głowy arkana języka francuskiego, chciała brylować na salonach, oraz ojczymowi, jednemu z czołowych polskich dziennikarzy.

Przez całą pierwszą licealną uczyłam się pilnie, zgłębiałam niezwykle modną w światłych kręgach literaturę iberoamerykańską, prenumerowałam „Życie Literackie" i „Kulturę", oglądałam magazyn kulturalny *Pegaz*. Nie przepuściłam żadnego poniedziałkowego *Teatru Telewizji* ani czwartkowej *Kobry*, na które rodzice wyrażali zgodę w imię mojej edukacji. Prawdę mówiąc, nie pociągały mnie imprezy. Wynagradzała mi je lektura w samotności, w cichym zakątku mojego pokoju.

Tak było do pewnego wrześniowego dnia, kiedy Aleksander zaprosił mnie na imprezę.

– Przyjdziesz? – zapytał, a ja dostrzegłam w jego oczach zachętę.

Nigdy bym się nie spodziewała, że nasz klasowy amant właśnie mnie obdarzy swoimi względami.

– Nie wiem – odparłam cicho.

– Przyjdź – szepnął, a ja w tym momencie zdałam sobie sprawę, że nie ma siły, która powstrzymałaby mnie przed przybyciem.

Sprawa okazała się prostsza, niż myślałam. Mama z Brunonem wybierali się na raut do redakcji, poprzedzony premierą w operze. W domu panowała atmosfera przygotowań.

Moja nieśmiała próba uzyskania akceptacji spotkania ze znajomymi nie spotkała się z krytyką.

– To gdzie się wybierasz? – zapytała mama, szczotkując włosy.

– Mówiłam ci. Do Aleksandra. To ten kolega z klasy…

– A! Ten, którego ojciec był na placówce?

– Tak. Chyba tak – odparłam cicho, wychodząc z pokoju.

– Tylko nie wracaj zbyt późno! – dobiegło mnie jeszcze za drzwiami.

Tego dnia po raz pierwszy wielokrotnie stawałam przed lustrem, zmieniając sukienki, testując różne sposoby upinania włosów, a nawet próbując kosmetyków mamy kupionych za ciężkie pieniądze w peweksie.

Do Aleksandra podrzucił mnie Brunon i oddał w ręce gospodarza. Kątem oka zauważyłam, że przekazuje mu pieniądze na taksówkę, która miała mnie odwieźć do domu.

– Liczę na ciebie – wyszeptał. – O dziesiątej.

– Tak jest – odparł Alek.

Obudziłam się następnego dnia we własnym łóżku. Ale wszelkie próby przypomnienia sobie, co się wydarzyło kilka godzin wcześniej, spełzły na niczym. W mojej głowie pulsowało, wstrząsały mną mdłości, a stojąca obok miska wskazywała, że wcześniej musiałam już z niej korzystać.

Próbowałam unieść głowę, ale stawiała opór. Na szczęście drzwi do pokoju pozostawały zamknięte, mogłam zatem markować sen. Zanim rodzice zaczną zadawać pytania…

O dziwo, tak się jednak nie stało. Kiedy wreszcie około południa pojawiłam się w progu, by udać się do łazienki, mama zaproponowała mi kawę. Nigdy wcześniej tego nie robiła, bo jak wiadomo, kawa szkodzi tak młodym osobom jak ja.

– Jak było? – zapytała.

– Dobrze. Pójdę się umyć. – Starałam się ukryć w łazience.

– A jaki jest Aleksander?

– W porządku – odpowiedziałam i zwymiotowałam, jednocześnie spuszczając wodę, żeby mama nie usłyszała. Miałam nadzieję, że kłopoty żołądkowe szybko się skończą.

Ustały na jakiś czas, ale wkrótce wróciły. Codzienne śniadania zwracałam w łazience na piętrze, żeby rodzice nie słyszeli. Kanapki do szkoły wyrzucałam do śmieci, odczuwałam mdłości, otwierając lodówkę. Po kilku dniach od imprezy dotarło do mnie, że skutki przepicia nie mogą utrzymywać się tak długo. Musiał być inny powód, dlatego gdy opóźniła się miesiączka, byłam niemal pewna, że stało się coś, co stać się nie powinno.

Nie, Ani nie powiem, zdecydowałam. A tym bardziej mamie. Idę do ginekologa, postanowiłam.

– To będzie najlepsze wyjście – upewniłam się szeptem. – Na pewno nie jestem w ciąży, przecież z nikim nie spałam.

Następnego dnia zaczynał się kolejny tydzień szkoły. Zapowiedziano klasówki z biologii i matmy. Trzeba będzie przysiąść. Ale dzisiaj przeczytam sobie kilka ostatnich rozdziałów Marqueza, pomyślałam.

Włączyłam Grechutę i otworzyłam książkę.

ROZDZIAŁ 3
DAGMARA

Już odbieram! Zaraz! – pomrukiwałam zniecierpliwiona, przeszukując torebkę, z której od kilku minut wydobywał się dźwięk komórki.

Ktoś usilnie próbował się połączyć, nie wiedząc, że ze stertą klasówek i siatami pełnymi zakupów właśnie dojeżdżam do domu, przed którym jak zwykle trudno było o miejsce do parkowania. Miałam nadzieję, że to nie dzieciaki.

Dzisiejszy piątkowy wieczór zaplanowaliśmy już w ubiegłym tygodniu. Zbliżający się weekend należał do Zbyszka, mojego od niedawna byłego męża, który zobowiązał się odebrać Michała z przedszkola i skontaktować się z Zośką. Nasza starsza latorośl zaczęła ostatnio przedkładać spotkania z koleżankami nad kontakty z ojcem i wymogła na mnie zgodę na wizytę u koleżanki pod pretekstem nauki do klasówki z biologii. Mogłam jedynie mieć nadzieję, że naprawdę spotka się z koleżanką, a nie z kolegą, a zgłębianie biologicznych zagadnień będzie czysto teoretyczne.

Zachowanie Zośki w ostatnim czasie pozostawiało wiele do życzenia. Kończyła drugą licealną, a wciąż nie wiedziała, jakie wybrać studia. W ostatnim czasie zaczęła nawet przebąkiwać o bezsensie dalszej nauki.

Mimo burzliwego rozwodu ze Zbyszkiem, spowodowanego jego licznymi zdradami, o których wcześniej nie miałam pojęcia, i depresją, w którą mnie wpędził, dla dobra dzieci postanowiłam utrzymać z nim poprawne stosunki. Fakt, że regularnie płacił alimenty i wywiązywał się ze swoich ojcowskich obowiązków, utwierdzał mnie w przekonaniu, że postępuję słusznie. Pięcioletni Michał potrzebował taty, siedemnastoletnia Zośka dyscypliny. A ja miałam nadzieję, że Zbyszek pomoże mi okiełznać jej młodzieńczą butę i pohamować nadmierny apetyt na nowe doświadczenia, polegające głównie na próbowaniu zakazanych owoców. Bo już nie raz i nie dwa poczułam od niej alkohol. Bo coraz częściej zdarzały się jej późne powroty do domu, kiepskie oceny i bezczelne odzywki, wobec których pozostawałam bezradna. Próby rozmowy, jakiekolwiek tłumaczenia, wbijanie do głowy życiowych rad – nie odnosiły skutku.

Moja córka uważała, że: „nie każdy musi kończyć studia", „jestem młoda, więc należy mi się trochę swobody", „czepiasz się!", „nie pamiętasz, kiedy sama byłaś młoda", „teraz są inne czasy", „może potrzeba ci mężczyzny, ponieważ zgorzkniałaś?". A nawet posunęła się do stwierdzenia: „dopadła cię menopauza" (w wieku czterdziestu lat!). Odpysknięcia i zarzuty można było mnożyć.

Myślałam o Zbyszku jak o sprzymierzeńcu w walce o przyszłość Zośki, obarczając się jednocześnie winą za rozchwianie córki. W końcu rozwód rodziców musiał odbić się na jej psychice.

Komórka nieustannie dzwoniła, aż wreszcie zlokalizowałam jej położenie w bocznej kieszonce torebki. Na ekranie ujrzałam numer mojej siostry Laury, z którą nie rozmawiałam od śmierci mamy.

Nie byłyśmy przykładem kochających się sióstr. Ona – ukochana córeczka, ja – jak gdyby mniej. Ona mieszkająca w Toruniu przy rodzicach, ja na emigracji we Wrocławiu, który wybrałam na miejsce zamieszkania. Obie mężatki z dwojgiem dzieci.

Na studia wyjeżdżałam z pretensjami, że rodzice od zawsze faworyzowali Laurę, potem jej męża i potomstwo, choć – tłumaczyłam sobie później – tak się zdarza w każdej rodzinie. Może dlatego, że jest ode mnie młodsza o cztery lata? Czy najmłodsze dziecko znaczy najukochańsze?

Łzy rodzinnej porażki otarł mi Zbyszek, w którego kochające ramiona wpadłam spragniona uczuć. I pozostawałam w nich do momentu, w którym zdałam sobie sprawę, że plotki o jego miłosnych wyczynach są prawdą.

Przez koszmar rozwodu przechodziłam sama. Tata, na którego ewentualnie mogłabym liczyć, już nie żył, zaś mama z Laurą winą za rozpad małżeństwa obarczyły wyłącznie mnie. Podobno zawsze byłam zbyt mało ekspansywna i wybrałam sobie nieodpowiedniego faceta. Pochyliłam głowę przed ich werdyktem. Może rzeczywiście miały rację? Na dodatek najwidoczniej nie zasłużyłam sobie na porządną przyjaciółkę, która wsparłaby mnie w trudnej sytuacji. Pielęgnowałam własne kompleksy, stroniłam od ludzi i zaszywałam się w domowym zaciszu.

Co mogłam poradzić na to, że nauczono mnie żyć z pochylonym czołem?

Nacisnęłam niebieski przycisk komórki, spokojna, że to nie dzieciaki. Czyli wszystko u nich w porządku, odetchnęłam.

– Halo? Jestem – odezwałam się.

– Nareszcie odebrałaś! Od wieków próbuję się z tobą połączyć! – W głosie siostry usłyszałam zniecierpliwienie.

– Przepraszam, wracam ze szkoły. Nie mogłam znaleźć miejsca do zaparkowania – zaczęłam się tłumaczyć.

Laura przystąpiła do wyjaśnień.

– Dostałaś list od pana Stanisława? – zapytała, przywołując imię notariusza, wieloletniego przyjaciela mamy. Nie czekając na odpowiedź, kontynuowała: – Mamy się zgłosić na otwarcie testamentu w przyszły wtorek. Mam nadzieję, że będziesz mogła przyjechać – dodała tonem nieznoszącym sprzeciwu.

– Jeszcze nie odebrałam listu. Ale jestem pod domem. Zaraz sprawdzę w skrzynce.

– To sprawdź i oddzwoń. I przełóż te swoje lekcje na kiedy indziej, bo są sprawy ważniejsze.

– Postaram się – odparłam, ale usłyszałam jedynie dźwięk przerwanego połączenia.

Zanim zdążyłam zapytać, co słychać u Marcina, Jarka i Aśki…

Weekend spędziłam „na klasówkach" i – korzystając z nieobecności Michasia – sprzątaniu mieszkania. Zosia wpadła na sobotni obiad i zaraz pognała na jakiś koncert, który odsypiała w niedzielę. Powzięłam stanowcze postanowienie, że porozmawiam ze Zbyszkiem o jej wypadach. Tak dalej być nie mogło. Zanim jednak przystąpiliśmy do poważnej rozmowy, poprosiłam go o opiekę nad dzieciakami na najbliższy wtorek.

– Dostałam list od pana Stasia Nowaka, notariusza mamy, i muszę jechać do Torunia na otwarcie testamentu – zawiadomiłam go, odbierając w niedzielę Michała. – Zajmiesz się dziećmi?

– Oczywiście. Jedź i niczym się nie przejmuj – zgodził się ochoczo. I przekazał mi mniej optymistyczną wiadomość: – Zanosi się, że niebawem wyjadę na kontrakt do Anglii. Na trzy lata.

– Jak to?

– Potrzebują inżynierów, złożyłem podanie. Dzięki temu będę w stanie bardziej pomagać ci finansowo.

– A dzieci?

– Zawsze mogą do mnie przyjechać. A z tym wtorkiem nie musisz się martwić – dodał, klepiąc mnie po ramieniu.

– Chodź, Michałku, do domu. – Zgarnęłam synka z nadzieją, że Zośka zaczęła się uczyć do jutrzejszej klasówki. – Musimy wracać.

– Cześć, tato. – Młody żegnał się z ojcem, nie wypuszczając z rąk kolejnego samochodu z napędem.

Spotkanie u notariusza miało odbyć się o jedenastej. Mimo oporów szefowej wzięłam zatem wolne i o piątej rano odpaliłam swoją leciwą corsę, biorąc namiar na cel.

Po drodze zerkałam na przydrożne ogołocone z liści drzewa, zrzucające po zimie ostatnie płatki śniegu. Delikatnie nabrzmiałe pączki wyczekiwały wiosny.

Jak dawno nie wyjeżdżałam z miasta! – myślałam, napawając się widokiem pozbawionym domów, supermarketów, parkingów. Tamtego razu, gdy jechałam na pogrzeb mamy, nie liczyłam.

Pamiętałam moment, kiedy siedziałam przed telewizorem i gapiłam się bezmyślnie w ekran telewizora, w którym nadawano jeden z wielu programów interwencyjnych przerywanych reklamami. Na wyświetlaczu komórki pokazał się od dawna niewidziany numer Laury.

– Dagmara? – odezwała się, kiedy tylko odebrałam połączenie. – Mama nie żyje.

Przez chwilę milczałyśmy.

– Co się stało? – przerwałam ciszę.

Zaszokowana czekałam na dalszy ciąg.

– Zawał. Dzwonię, bo chyba chciałabyś wiedzieć.

– Laura! Co to znaczy: chyba chciałabym wiedzieć?! Przecież to nasza mama! A jak ty się czujesz?

W słuchawce usłyszałam płacz.

– A jak mam się czuć? – krzyknęła, połykając łzy.

– Jutro przyjadę – zdecydowałam. – Zorganizujemy pogrzeb.

Wbrew nadziei, że się ucieszy, przyjmie pomoc, Laura zareagowała alergicznie.

– Nie! Sama wszystko zorganizuję! Z Marcinem. Dam ci znać, kiedy pogrzeb. Kiedy ostatnio byłaś u mamy? – rzuciła oskarżenie.

Musiałam przyznać, że nie widziałam mamy od ostatniego lata. Nie przyjechałam również na święta Bożego Narodzenia. Ale przecież ona wcale tego nie oczekiwała. Wystarczali jej Laura, Marcin i ich dzieci.

Kiedy zadzwoniłam w Wigilię i po krótkich życzeniach usłyszałam dźwięk dzwonka do drzwi oraz: „przepraszam, idzie Mikołaj, muszę już kończyć”, odłożyłam słuchawkę ze łzami w kącikach oczu. Otarłam je szybko, by przebrać się za Mikołaja i sprawić radość Michasiowi.

– Masz rację, Lauro. Dawno nie byłam u mamy – odparłam. – Bardzo mi przykro i żal. Jeżeli nie chcesz, żebym pomogła ci w przygotowaniach do pogrzebu, dobrze. Daj znać, kiedy mam przyjechać – zgodziłam się, nie chcąc drażnić siostry.

Miałam na uwadze jej ból po stracie.

Sama przepłakałam całą noc. Przecież była to również moja mama.

Teraz przemierzałam znajomą trasę, tym razem aby zapoznać się z testamentem, o którego istnieniu nie miałam pojęcia. I prawdę powiedziawszy, myślałam o nim niewiele.

Pięć godzin z Wrocławia do Torunia to wystarczająco długi czas, by opanować kawalkadę myśli przetaczających się po głowie.

Rodzice byli dość zamożnymi ludźmi. Dorobili się sporej przedwojennej willi przy Słowackiego, wygodnego domku letniego nad Wisłą w podtoruńskiej miejscowości i niewielkiej księgarni usytuowanej na Starówce, którą mama prowadziła przez lata. Nie śmiałam myśleć, jaka część schedy mogłaby mi przypaść, przygotowana na sytuację, w której Laura dostanie wszystko. Mama niejednokrotnie podkreślała, że na starość może liczyć wyłącznie na jedną córkę, skoro druga, ta bardziej niewdzięczna, czyli ja, wyprowadziła się „na koniec świata”.

– Nie nastawiaj się na nic, tak będzie najlepiej – powtarzałam sobie przez całą drogę, żeby uniknąć zawodu.

W głębi duszy wstydziłam się myśli o mamie jako o spadkodawcy. Powinnam wykrzesać z siebie więcej miłości i żalu po jej śmierci, ale wspomnienie licznych niesprawiedliwości, jakich doznałam za jej życia, nie dawało o sobie zapomnieć.

Na ostatnim przystanku przed celem podróży wzmocniłam się kawą i hamburgerem serwowanych na stacji benzynowej, by całkowicie nie opaść z sił. Z ulgą wysiadłam na toruńskiej Starówce, gdzie mieściła się kancelaria wieloletniego znajomego rodziców „wujka" Stasia Nowaka. To jemu mama powierzyła załatwienie swoich spraw po śmierci.

Wyglądałam Laury. Kiedy jednak nie pojawiła się w ciągu dziesięciu minut, weszłam na klatkę schodową i wspięłam się na drugie piętro po drewnianych stromych schodach. Otworzyłam okazałe drewniane drzwi.

Moja siostra siedziała w środku, ściskając w dłoniach torebkę.

– Notariusz już czeka – przywitała mnie cierpko, odsuwając od siebie, gdy próbowałam ją przytulić. – Możemy wchodzić.

ROZDZIAŁ 4
DAGMARA

Pan Stanisław był ciepłym człowiekiem, którego znałam od zawsze. Lata temu z żoną Wandzią rozegrali z moimi rodzicami niejednego brydża i wypili niejedną butelkę koniaku. Wspólne rodzinne wczasy nad morzem w wynajętych od rybaka pokojach, wspólne święta oraz traktowanie mnie i Laury jak własnych dzieci, których państwo Nowakowie nie mieli, przyczyniły się do nawiązania bliskich więzi.

Wujek Staszek od czasów młodości dodawał sobie powagi jowialną muszką i zawsze próbował zachować godność prawnika, jednak ani ja, ani Laura nie dawałyśmy się nabrać na ten jego dizajn. Tym bardziej wówczas, gdy pozbawiony zewnętrznych atrybutów zawodu ganiał z nami po plaży z piłką, przynosił wymarzone prezenty, przewiózł pierwszym w Toruniu wartburgiem, którego był dumnym właścicielem.

Mimo upływu lat nic się nie zmieniało. Po śmierci żony, cioci Wandy, wujek jak gdyby nieco się skurczył, przygarbił, a podczas wizyt u rodziców pozwalał sobie zaledwie na jeden kieliszek koniaku. Zabrakło czwartej do brydża. A niebawem i trzeciego, bo zmarł tata.

Sprawy po nim załatwialiśmy w kancelarii wujka Staszka. Z Laurą zgodnie zrzekłyśmy się spadku na rzecz mamy. Byłam nieco zdziwiona, że moja siostra tak wspaniałomyślnie przystała na to rozwiązanie, znałam bowiem jej przywiązanie do pieniędzy i życia na poziomie, którego sami z Marcinem nie byli w stanie sobie zapewnić. Niewielki sklep ze zdrową żywnością, który prowadzili, nie przynosił oczekiwanych zysków, a mieszkanie z rodzicami w ich pokaźnej willi nie do końca zaspokajało aspiracje małżonków. Marzyła im się własna. A mimo to Laura postanowiła zrzec się przypadającej jej części, namawiając mnie na podobny krok.

– To nieludzkie, żeby mama po jego śmierci nie mogła dysponować majątkiem, którego dorobili się razem – perorowała, tłumacząc mi swoją decyzję. – Co mamy teraz zrobić? Kazać jej sprzedać dom, działkę pod miastem i księgarnię i podzielić się z nami majątkiem za jej życia? Nonsens!

Zgodziłam się w całej rozciągłości. I starałam się nie wnikać, skąd moja siostra w niedługim czasie wzięła ponad pół miliona złotych, by kupić sobie dom i równie szybko go wyposażyć. Nie śmiałam pytać mamy, czy ojciec zostawił oszczędności. Niemniej jednak niesmak pozostał. Mama dała Laurze pieniądze za moimi plecami. Widać, dysponując majątkiem po ojcu, uznała, że tak będzie dobrze.

Mogłam jedynie mieć nadzieję, że i mnie uda się kiedyś spłacić kredyt za trzypokojowe mieszkanie we Wrocławiu, który zaciągnęliśmy ze Zbyszkiem. Nie zostało tego nominalnie dużo, choć i tak zbyt dużo jak na moją nauczycielską pensję i alimenty na dzieci. Cóż, musiałam sobie radzić.

Wchodząc do gabinetu wujka Staszka, odegnałam myśli o przeszłości.

– Siadajcie, dziewczynki. Dzisiaj już panie – poprawił się i złożył nam życzenia z okazji Dnia Kobiet, o którym zapomniałam. – Przepraszam, że nie mam kwiatka, ale może zadowoli was kawa z ciastkiem? – zapytał, gestem przywołując sekretarkę.

– Chętnie – odparłam z uśmiechem, widząc, że zaszkliły mu się oczy.

– Nie, dziękuję. – Laura pozostała niewzruszona. – Możemy zaczynać?

Na pierwszy rzut oka można było zauważyć, że śpieszno jej do odczytania testamentu. Nie starała się nawet powściągnąć ciekawości.

Wuj Staszek, któremu trudno było powstrzymać łzy na pogrzebie mamy, spojrzał na nią ukradkiem, ale poniechał komentarza.

Czekając na sekretarkę z kawą, spoglądałam na niego i współczułam misji odczytania ostatniej woli Tereski. Wiedziałam, choć właściwie bardziej czułam, że przywiązał się do mamy w ostatnich latach. Trudno było tego nie zauważyć, nawet podczas moich rzadkich odwiedzin.

– Trzymaj się, Dagusiu. – Przytulił mnie, kiedy kilkanaście miesięcy wcześniej żegnaliśmy się po mojej wizycie w Toruniu. – Wiesz, że Tereska nie jest mi obojętna. Tylko nie mów nic Laurze, ponieważ… – zawiesił głos. – Ona nie jest chyba z tego zadowolona.

– Wujku, a jakie to ma znaczenie? Ważne, żeby wam było dobrze.

Od kilku miesięcy nie miałam z mamą kontaktu, więc nie wiedziałam, czy ten czas spędziła u boku wuja Stasia. Mogłam jedynie mieć nadzieję, że tak się stało.

– A zatem, skoro mamy już kawę... – Głos wujka stwardniał po słowach mojej siostry. – Możemy zaczynać.

– Proszę – usłyszałam Laurę.

Przytaknęłam bezgłośnie.

– A zatem przystępuję do odczytania testamentu pani Teresy Machoń, waszej mamy... – Wuj Staszek przerwał. Usprawiedliwił się spojrzeniem, że porzucił oficjalny ton. Laura pozostawała niewzruszona, więc westchnął i dalsza część spotkania przebiegła zgodnie z przyjętym harmonogramem.

– Na postawie testamentu złożonego na moje ręce dnia... pragnę poinformować, że nieruchomość o numerze w księdze wieczystej... przypada pani Laurze Berent. Nieruchomość o numerze w księdze wieczystej... przypada pani Laurze Berent. Nieruchomość o numerze w księdze wieczystej... przypada pani Laurze Berent, nieruchomość o numerze w księdze wieczystej... wraz z ruchomościami... przypada pani Dagmarze Rudzkiej. Wszelkie inne dobra nieobjęte zapisem windykacyjnym przypadają w równych częściach córkom pani Teresy Machoń – Laurze Berent i Dagmarze Rudzkiej.

– Co to znaczy „nieobjęte zapisem windykacyjnym"? – Laura poderwała się z miejsca.

– Dotyczy to na przykład wyposażenia mieszkania, rodzinnych pamiątek, zdjęć, książek – wyjaśnił notariusz.

– Aha. – Laura nie wydawała się zadowolona z wyjaśnień. Ciężko opadła na fotel.

Wuj Staszek próbował zachować spokój, choć dostrzegłam w kącikach jego ust lekką zmarszczkę znamionującą skrywaną złość.

– Po zapoznaniu was z testamentem proszę o podpisanie protokołu otwarcia go i ogłoszenia – wycedził, podsuwając nam papier. – A potem, jeśli się okaże, że nie ma innych testamentów ani osób dziedziczących, będziemy mogli sporządzić protokół dziedziczenia.

– Pewnie, że nie ma! – wykrzyknęła Laura. – Powinieneś sam o tym wiedzieć najlepiej!

– Uspokój się, Lauro. Nie jesteśmy tutaj po to, by wszczynać kłótnie po śmierci twojej matki! – Wujek podniósł głos. – Usłyszałaś treść testamentu, Dagmara też. Pytam was obie, czy jesteście skłonne przyjąć jego zapis z dobrodziejstwem inwentarza?

Siedziałam cicho w fotelu, szczęśliwa z tego, co dostałam. Mama przeznaczyła dla mnie księgarnię. Jej ukochaną księgarnię, którą prowadziła przez kilkadziesiąt lat! Nie obchodziło mnie, że Laura dostała willę, dom na wsi i oszczędności. Tyle że jej ten podział wyraźnie nie satysfakcjonował. Fukała pod nosem, zastanawiając się, czy podpisać oświadczenie o przyjęciu spadku. Może spodziewała się, że dostanie wszystko?

– Muszę na chwilę wyjść – oświadczyła nagle, podrywając się z fotela.

Wróciła po chwili, zanim zdążyliśmy z wujem Staszkiem zamienić choć kilka zdań.

– Podpiszę! – oświadczyła.

– W takim razie sporządzę akt poświadczenia dziedziczenia i wręczę wam jego wypis. – Wujek na nowo wcielił się w urzędnika. – Dokument ten potwierdzi nabycie spadku i przedmiotów nieobjętych zapisami windykacyjnymi. Chodzi o przedmioty z domu rodzinnego. Na jego podstawie będziecie mogły przedstawiać się wszędzie jako prawowite właścicielki nabytej własności. Czy wszystko jest zrozumiałe?

– Tak – przyznałyśmy niemal jednogłośnie, składając podpisy na dokumencie.

– W takim razie pozostaje mi jedynie spełnienie ostatniej woli mojej klientki Tereski. – Odchrząknął, maskując wzruszenie. – Czyli przekazanie wam listów, które mają wam wiele wyjaśnić. Z góry mówię, że nie wiem, co stanowi ich treść, ale wiem, że nie ma to związku ze spadkiem. Dostałem je na przechowanie jako osoba zaufana. Proszę. – Podał każdej z nas po kopercie.

Wychodziłam z kancelarii bogatsza o księgarnię na Kopernika w Toruniu i list od mamy, Laura o całą resztę. Ale to mnie nie interesowało – byłam szczęśliwa z wyróżnienia. Pewnie mama życzyłaby sobie, żebym w dalszym ciągu ją prowadziła, dumałam. Po raz pierwszy w życiu poczułam się doceniona. Ściskałam list w dłoni, nie mogąc doczekać się otwarcia.

Moja siostra nie wydawała się zadowolona. Swoją kopertę włożyła do torebki i pożegnała się ze mną szybko, tłumacząc się rodzinnymi obowiązkami.

– Gdzie się zatrzymujesz? – rzuciła na odchodnym.

Nie śmiałam powiedzieć, że spodziewałam się przespać w rodzinnym domu.

– W hotelu. Może jutro się zobaczymy? – zapytałam z nadzieją.

– Jutro mam dostawę, ale zadzwoń około dziesiątej. Zobaczę, co da się zrobić.

– Laura, coś nie tak? Dlaczego tak się zachowujesz?

– Dowiesz się, kiedy przeczytasz list od mamy – warknęła. – Ja już wcześniej poznałam jego treść – dodała i odeszła, nie odwracając się za siebie.

ROZDZIAŁ 5
BOŻENA

Wpadniemy po szkole do Stołecznej? – zaproponowała Ania, kiedy po ostatniej lekcji zgarniałam zeszyty do plecaka.

Trója z biologii nie nastrajała optymistycznie, a tym bardziej trzy na szynach z matmy. Takiej porażki nie zaliczyłam od dawna, żeby nie powiedzieć nigdy, a wypowiedziane na forum całej klasy kąśliwe uwagi matematycy na długo miały pozostać w mojej pamięci.

– Doznałam zawodu z powodu twojego lekceważenia przedmiotu.

Starałam się nie myśleć, jak wytłumaczę się w domu. Wszak miałam doskonałe warunki do nauki, a w razie potrzeby pomoc korepetytorów. A ja co? Nie potrafiłam docenić tego, co dostawałam od rodziców, ciężko zarabiających na wakacje w Bułgarii, wyjazdy na Mazury, moje wyjścia do teatru, na zajęcia dodatkowe z czegokolwiek tylko chciałam. Miałam się rozwijać, a nie przynosić tróje na szynach.

Wizja powrotu do domu przeraziła mnie dostatecznie, by przystać na propozycję Ani i opóźnić czas rzezi.

Tym bardziej że w dalszym ciągu targały mną mdłości i nieuchronnie zbliżał się moment pójścia do ginekologa i stawienia czoła rzeczywistości. Nie byłam w stanie dalej zmagać się sama z problemem. Zdecydowałam się zwierzyć przyjaciółce.

– A wiesz, że chętnie napiję się herbaty – powiedziałam, kątem oka zerkając na Aleksandra, który właśnie znikał za drzwiami gabinetu matematycznego.

Po tamtej imprezie unikał mnie, stwarzając pozory normalności. Nie należałam do dziewczyn, które narzucają się chłopakom, zatem przyjęłam jego zachowanie z godnością. Udawałam, że nic się nie stało.

Stołeczna, mimo wielkomiejskiej nazwy, była niedużą knajpką w połowie drogi ze szkoły do domu, serwującą liściastą herbatę ulung, kawę parzoną w szklankach i polo cocktę, namiastkę zachodniej coca-coli, której miałam okazję posmakować po powrocie Brunona z Francji.

Prawdę powiedziawszy, kapitalistyczna wersja nie powaliła mnie na kolana, ale za to pasta do zębów Colgate biła na głowę naszą niveę, a pachnący, pieniący się szampon firmy Schwarzkopf całkowicie zdetronizował rumiankowy, którym do tej pory traktowałam swoje włosy.

Stołeczna, choć siermiężna i ciasna, wyróżniała się widokiem na aleję kasztanowców, które przy tegorocznej słonecznej jesiennej pogodzie mieniły się paletą żółtopomarańczowych liści, spod których raz po raz spadały dojrzałe kasztany. A jeśli do tego dodało się kilka stolików na tarasie i możliwość ogrzania się w październikowym słońcu, kafejka wydawała się istnym cudem świata, porażającym elegancją na tle wszechobecnych barów mlecznych z ceratami na stołach, aluminiowymi sztućcami i kuchnią śmierdzącą nieświeżą ścierką.

– Zjesz deser? – kusiła Ania, wskazując na wysokie szklanki wypełnione wielokolorową galaretką z bitą śmietaną.

Po wysondowaniu stanu własnego żołądka i zawartości kieszeni zgodziłam się na jej propozycję.

Pobiegła do lady mieszczącej się pod okazałym napisem „Samoobsługa" i po chwili dotarła do stolika, dzierżąc dwie pokaźne szklanice mieniące się barwami tęczy. Zabrałam się do swojej bez apetytu, grzebiąc w nieco mazistej śmietanie jak w talerzu flaków.

– Przejmujesz się matmą? – Anka pochłaniała zawartość swojej szklanki z dużo większym zaangażowaniem.

– Nie. Po prostu nie mam apetytu.

– Nie ściemniaj, Bożena. Przecież od jakiegoś czasu widzę, że coś się z tobą dzieje – zaatakowała. – Powiesz mi wreszcie, o co chodzi?

Przyparła mnie do muru. I dobrze. Mimo woli ułatwiła mi podzielenie się z nią kłopotem, tym bardziej że łzy zdradziły moje zdenerwowanie.

– Chyba jestem w ciąży – wypowiedziałam na głos zdanie, które od kilku tygodni pulsowało mi w głowie, nie znajdując ujścia.

I zdziwiłam się, jak gładko przeszło mi ono przez gardło.

Między nami, niczym ciężka kotara w teatrze, zawisła cisza.

– Jesteś pewna? – Przerwała ją moja przyjaciółka. Wyglądała na zaszokowaną.

– Jak nie mam być pewna? Nie mam okresu i ciągle rzygam! Mało? – wybuchłam, starając się pohamować łkanie. – Widać się zatrułam. Tyle że kilka tygodni temu.

– Poczekaj, poczekaj... – Ania zaczęła kojarzyć. – Chcesz powiedzieć, że to się mogło wydarzyć na imprezie u Aleksandra?

– Jeżeli już, to tylko tam – przyznałam, spuszczając głowę.

– A co na to Alek?

– Jak to: co? Nic o tym nie wie. Zresztą... Anka, ja w ogóle nie pamiętam, żebym z nim spała! – podniosłam głos.

Przerażona, że ktoś mógł usłyszeć, zakryłam usta dłonią.

– Matko, ale jaja! – Ania złapała się za głowę. – I co teraz?

– Nie wiem. Na myśl, żeby powiedzieć o tym starym, umieram. Chyba najpierw pójdę do ginekologa.

– Coś ty! Nie masz osiemnastu lat, bez mamy w przychodni cię nie przyjmą. Wiem, bo kiedyś musiałam skorzystać.

Tego właśnie się spodziewałam. I dlatego myślałam o znajomym ginekologu mamy. Tyle że nie miałam pewności, czy nie wygada. Wątpliwościami podzieliłam się z Anią.

– Nie masz innego wyjścia – przytaknęła. – Poza tym z arytmetyki wynika, że jesteś już w jakimś piątym, szóstym tygodniu. Czas sprawdzić.

– Boże, co to będzie, jeżeli ja naprawdę jestem w ciąży?! – Po raz kolejny zakryłam ręką usta. Tym razem, żeby powstrzymać płacz.

Nieuchronność i przewidywalność przyszłości dopadły mnie w swoje szpony. Niewielką pociechą był fakt, że mogłam się przed kimś wywnętrzyć, ale to nie zmieniało stanu faktycznego. W moim brzuchu najprawdopodobniej zamieszkało nowe życie.

Anka wpatrywała się we mnie, próbując opanować szok. Intensywnie myślała, zbierała się w sobie, by znaleźć dobre rozwiązanie. Którego nie było.

– Wiesz co? – odezwała się po dłuższej chwili. – Powinnaś chyba porozmawiać z mamą…

– Tylko nie to!

– No nie wiem, Bożenko – przemawiała Anka łagodnym tonem, a do mnie powoli docierała słuszność jej rady i przerażenie z powodu konsekwencji zastosowania się do niej. – Nie uciekniesz przed wyrokiem i nikt w takiej sytuacji nie będzie w stanie ci pomóc. Tak czy siak, starzy się dowiedzą.

– Matko, Ania, co to będzie?! – Rozkleiłam się całkowicie. – Jestem w trzeciej klasie, wyobrażasz sobie, że w czerwcu będę rodzić? Taki wstyd! Starzy mi tego nigdy nie wybaczą!

– Poczekaj jeszcze do wizyty u ginekologa. Może to nie ciąża? – próbowała pocieszać.

– Chyba sama nie wierzysz w to, co mówisz. Raz kozie śmierć, dzisiaj pogadam z mamą. W razie czego moje książki przekazuję ci w spadku.

Popukała się w czoło.

– Nie gardź! Mam ponad trzy tysiące książek. I to niezłych – poinformowałam sucho, zaskoczona, że przyszła mi do głowy myśl tak radykalnego wyjścia z trudnego położenia.

Może to wcale nie takie głupie?

– Bożena, przestań pleść androny! Dopij herbatę i wracaj do domu! Wszystko się ułoży, a ty będziesz żyła długo i szczęśliwie.

– Uhm.

– Tylko pogadaj z mamą dzisiaj, proszę. Nie odkładaj tego na później. A potem zadzwoń do mnie, dobrze?

– Okej – zapewniłam Ankę, kiedy doprowadziła mnie do bramy domu i dopilnowała, żebym przekroczyła jego próg.

Cichutko zdejmowałam kurtkę w przedpokoju, uciszając szczekającego Plejboja, by nie przeszkadzał mamie w korepetycjach. Brunona jeszcze nie było. Zerknęłam w grafik – lekcje kończyły się za półtorej godziny. Do powrotu ojczyma z pracy pozostawała nam na rozmowę niespełna godzina.

Postanowiłam wykorzystać wolny czas na krótki relaks przy *Dancing Queen* Abby, jednego z moich ostatnio ulubionych przebojów. Włączyłam magnetofon i poszukałam znajomych dźwięków. I magnetofon, i kasetę z nagraniami przywiózł mi z zagranicy oczywiście Brunon.

Pewnie ostatnią, kiedy dowie się, co się stało, pomyślałam z żalem i wstydem.

Życie nie miało sensu.

ROZDZIAŁ 6
DAGMARA

Stałam bez ruchu, spoglądając za Laurą, do chwili kiedy jej kraciasty płaszczyk znikł za rogiem Rynku Staromiejskiego i ulicy Ducha Świętego, mając nadzieję, że może jednak siostra odwróci się i zaprosi mnie do siebie. Lecz mój rodzinny – do tej pory – dom, który odziedziczyła, przed kilkoma minutami przestał być moim domem. Laura dobitnie dała mi do zrozumienia, że nie jestem w nim mile widziana. Ba, nawet nie zasługuję na przenocowanie.

Przysiadłam w pobliskiej knajpce, by zebrać myśli, zastanowić się nad wyborem hotelu, zadzwonić do rodziny i przeczytać list, który zostawiła mi mama.

Analizując reakcję Laury, spodziewałam się, że jego treść musi mieć związek z jej zachowaniem. W najśmielszych oczekiwaniach nie przypuszczałam jednak, jakie wrażenie wywrze na mnie wyznanie mamy, które miałam poznać już za kilka minut.

Stolik przy oknie pozwalał mi obserwować ruch uliczny, który nigdy nie miał końca. Ktoś zawsze gdzieś się śpieszył, czegoś szukał, biegł coś kupić, obejrzeć, podreptać po znajomym gruncie. A ja, siedząc za szybą, mogłam podglądać życie miasta. Czuć jego puls.

Zamówiłam pierogi z mięsem i kufel zimnego piwa.

– Z masłem czy ze słoninką? Z wody czy z patelni? – dopytywał kelner.

– Ze słoninką i z wody, jeśli można. I do tego zasmażana kapusta. – Zdecydowałam się na kaloryczną bombę, o którą dopominał się mój pusty od ładnych kilku godzin żołądek. Żadna sałata z sosem winegret nie byłaby w stanie go zaspokoić. – I jeszcze gdyby mógł mi pan podać śledzia po staropolsku – dodałam, przeglądając menu. – Czy on jest w oleju, z kiszonym ogórkiem?

– Oczywiście. Z kiszonym ogórkiem i z cebulką – potwierdził kelner.

– W takim razie poproszę.

Koperta parzy w kieszeni, a ja zastanawiam się, czy śledź pływa w oleju!

Czekałam na przystawkę, czując ssanie w żołądku połączone z pragnieniem. Dziwny stan fizyczny organizmu, który domagał się wzmocnienia przed otwarciem listu od mamy.

Listu z zaświatów.

Kelner przyniósł piwo w dużym kuflu i salaterkę z pokrojonym na ukos pachnącym śledziem. Nie czekając, aż odejdzie, chwyciłam kromkę chleba i zamoczyłam w oleju. Pachniał tak samo, jak wtedy, kiedy w szkolnych czasach przychodziłam do tej knajpki. Jak dobrze, że mimo upływu czasu mogłam wciąż cieszyć się tym smakiem.

– Bardzo proszę. – Kelner dotarł z talerzem pełnym gorących pierogów.

Zabrałam się do nich z wilczym apetytem, odsuwając od siebie moment otwarcia koperty. Powinnam zadzwonić do Zbyszka i zapytać o Michała, nie zawadziłoby skontaktować się z Zosią, dumałam. Ale ocierając usta po pierogach, zdecydowałam się odłożyć to na później, tym bardziej że zapewne niespecjalnie czekano na mój telefon. Gdyby Zosia była ciekawa, co dostałam w spadku, zadzwoniłaby sama.

– Życzy sobie pani czegoś jeszcze? – przerwał moje dylematy kelner.

– Kawę. Poproszę kawę. I szarlotkę.

Sama nie wiedziałam, skąd wziął mi się pomysł zamówienia deseru. Ale kiedy stanęła przede mną filiżanka z aromatyczną kawą i ciasto z bitą śmietaną, poczułam spokój i sięgnęłam do kieszeni.

Mimo że zawsze wyróżniała Laurę, mama nie jej pozostawiła swoje serce. Swoją księgarnię, oczko w głowie. To ja ją dostałam. I bez względu na to, jak potraktowała mnie dzisiaj moja siostra, byłam szczęśliwa. Nie potrzebowałam rodzinnej willi, domu na wsi ani maminych oszczędności. Nie interesowało mnie nic więcej.

Księgarnia jest dla mnie warta stukrotnie więcej, pomyślałam i poczułam wewnętrzne ciepło.

Próbowałam pogodzić się z brakiem zaproszenia do Laury. Bardzo brzydko postąpiła, ale może i ja przyczyniłam się do jej reakcji, nie bywając ostatnio zbyt często u mamy? – zarzucałam sobie, starając się usprawiedliwić jej krok.

Niemniej jednak trudno mi było siedzieć samej w knajpie z myślą, że oto kilka ulic dalej w moim rodzinnym domu Laura zasiada przy stole z Marcinem i dzieciakami. Z moją chrześnicą Aśką i Jarusiem.

Skinęłam na kelnera, zręcznie lawirującego między stolikami.

– Poproszę o jeszcze jedno piwo.

Zanim pojawił się z kolejnym kuflem, list leżał na stoliku. A ja z nabożeństwem gładziłam kopertę.

– Dziękuję, mamo! – szepnęłam cicho, spoglądając w górę.

Na dworze zaczęło się ściemniać, ratusz rozbłysnął światłami, za oknem kręcili się pojedynczy przechodnie. Zawiesiłam wzrok na sylwetce kobiety, która zatrzymała się na moment tuż obok mojego okna, by sięgnąć po coś do torebki. Wydawała się znajoma, wyczekiwałam zatem chwili, kiedy odwróci twarz w moją stronę.

Sprzyjało mi szczęście. Gdy skrzyżowały się nasze spojrzenia, przestałam mieć wątpliwości. Marlena, moja najlepsza przyjaciółka z czasów szkolnych! Nie zastanawiając się długo, gestem zachęciłam ją do wejścia do środka i po chwili witałyśmy się serdecznie, nie bacząc na lata.

– Daga, to ty? – Marlena obściskiwała mnie, raz po raz odsuwając na wyciągnięcie ramion. – Coś ty taka chuda? Jeść ci nie dają w tym Wrocławiu? – plotła jak zwykle.

Zawsze była bezpośrednia i waliła prosto z mostu. Być może dzięki temu nasza oparta na przeciwieństwach przyjaźń była swego czasu tak zażyła? Mała, cicha, wycofana Dagmara i o głowę wyższa, hałaśliwa, roześmiana Marlena uzupełniały się znakomicie.

– Ale widzę, że w Toruniu postanowiłaś trochę się podtuczyć – dodała, spoglądając na ciasto z bitą śmietaną i nieco do niego niepasujący kufel z piwem. – Co ty tu robisz? Czemu nie dałaś znać, że przyjeżdżasz? Będziesz na imprezie klasowej? – zarzuciła mnie pytaniami.

– Siadaj, jeśli masz chwilę – powiedziałam. – Ale daj mi zebrać myśli, bo nie wiem, na które pytanie mam odpowiedzieć najpierw. – Uśmiechnęłam się.

Marlena zdjęła płaszcz i rozsiadła się na krześle.

– Kelner! – Przywołała gestem „wszędobylskiego". – Dla mnie może być to samo, co dla tej pani. Szarlotka, tylko może zamiast piwa kieliszek białego wina. No, teraz mów! – Spojrzała wymownie, czekając na zwierzenia.

– Załatwiam sprawy spadkowe po mamie – zaczęłam.

– O Boże! To twoja mama nie żyje? Nie wiedziałam, przepraszam. Kiedy to się wydarzyło? – Marlena spoważniała.

– Miesiąc temu.

– Bardzo mi przykro. Nie była stara…

– Sześćdziesiąt dziewięć lat. Za szybko. Ale nic już nie da się zrobić. – Wymieniałyśmy zdania stosowne do okoliczności. – Dzisiaj notariusz odczytał nam testament.

– Witam panią spadkobierczynię! A gdzie Laura?

Machnęłam ręką na znak, że nie mam ochoty kontynuować tematu.

– Okej. – Marlena uniosła dłonie. – O nic nie pytam. Zostaniesz do jutra?

– Mam taki zamiar. Tym bardziej teraz. – Wskazałam na niemal opróżniony kufel.

– To może posiedzimy i pogadamy, zanim pójdziesz do domu? Zadzwonię do Karola, żeby zajął się dzieciakami.

Przyznam, że propozycja była nęcąca, tym bardziej że wcale nie wracałam do domu. Wprawdzie odczytanie listu od mamy odwlekało się nieco, ale nie na długo.

– Jeżeli możesz, będzie mi bardzo miło – odparłam.

Moja przyjaciółka z miejsca podjęła działania i telefonicznie ustaliła z mężem szczegóły jej powrotu.

– Załatwione, mamy czas – oświadczyła. – Karol położy bliźniaki, a dziewczyny same się sobą zajmą. Zresztą, co ja ci mówię? Twoja Zosia jest przecież w wieku mojej Kaśki.

– O, tak. Zośka potrafi się sobą zająć – przyznałam z przekąsem, próbując przewidzieć, gdzie i z kim moja córka spędzi upojny wieczór wolny od matczynego zrzędzenia.

Nie przypuszczałam, żeby Zbyszkowi udało się zwabić ją do siebie.

– Znam to – powiedziała Marlena. – Ciesz się, że masz tylko jedną nastolatkę w domu, a nie dwie. Moje córeńki też potrafią pograndzić. I to Agnicha, chociaż młodsza, lepiej sobie radzi od Kaśki. Dobrze przynajmniej, że bliźniaki jeszcze przy spódnicy mamy.

– A ile mają teraz? – zapytałam.

– Chłopcy skończyli pięć lat. Urwisy, ale kochane. Ale zostawmy to biadolenie nad dziećmi – zmieniła temat. – Będziesz na spotkaniu klasowym?

– Nie wiem…

– Jak to: nie wiesz? Dwadzieścia lat po maturze, a ty nie wiesz, czy przyjść?! Fajna sprawa! Można się przyjrzeć,

jak się ludziska postarzeli, a my ciągle młode. A niektóre z nas nawet chude. – Marlena spojrzała na mnie znacząco.
– Co jest? – zaniepokoiła się. – Chodzi o mamę?
– Pół roku temu rozeszłam się ze Zbyszkiem – zaczęłam. – Praca w szkole mnie męczy, Zośka jest nieznośna. Nie uczy się, chociaż matura za pasem, popala, imprezuje, spotyka się z nieodpowiednimi chłopakami. Mieszkanie niespłacone. Taka ze mnie przegrana niemal czterdziestolatka! Nie mam nastroju spotykać się z kolegami ze szkoły.

Marlena przyglądała mi się przenikliwie, sącząc piwo. Zmarszczyła czoło i myślała intensywnie.

– Okej, nie namawiam – odparła. – Może ten spadek choć trochę osłodzi ci życie? – szepnęła, delikatnie kładąc dłoń na mojej.

– Nie chcę o tym mówić. Nie dzisiaj. – Zamknęłam dyskusję. Decyzję dotyczącą dalszych losów księgarni musiałam podjąć samodzielnie.

Może rzeczywiście przejąć ją i przeprowadzić się do Torunia? – zaatakowała mnie myśl o zmianie.

Nie będąc jednak pewna dalszych kroków, postanowiłam zachować ją dla siebie i przerzucić ciężar rozmowy na rodzinę Marleny.

Kaśka i Agnieszka dobrze radziły sobie w liceum, Kacperek i Lesio w przedszkolu, a Karol z powodzeniem prowadził z ojcem podtoruńskie gospodarstwo ogrodnicze, uprawiając kwiaty na każdą okazję. Na wiosnę hiacynty, na jesień chryzantemy, a w międzyczasie róże, gerbery i gladiole. Moja Marlena zajmowała się w rodzinnej firmie buchalterią.

– I tyle u mnie – zakończyła krótki *speach*. – Musisz już iść? – zapytała, bo dostrzegła, że spoglądam na zegarek. – Laura czeka?

– Nie czeka. Muszę wynająć pokój w hotelu.

Nie pytając o nic więcej, Marlena zaproponowała mi nocleg.

– Prześpij się u mnie. Mamy dużo miejsca w nowym domu. Nie odmawiaj – dodała, widząc, że się waham. – To co?

Zamówiłyśmy taksówkę, by dotrzeć na osiedle domków jednorodzinnych Wrzosy, gdzie kilka lat temu rodzina państwa Szulców kupiła i rozbudowała dom. Miałam już okazję u nich gościć, choć nigdy nie zostawałam na noc.

– Może Karol będzie niezadowolony? – W taksówce podzieliłam się wątpliwościami z Marleną.

– Karol? No coś ty! Jeszcze nam piwo przyniesie!

– Marlena, przepraszam, ale jestem bardzo zmęczona i mam... Muszę jeszcze dzisiaj zrobić coś ważnego. Ale myślę, że niebawem będziemy się częściej spotykać – zakończyłam tajemniczo.

– Brzmi ciekawie.

W domu panował spokój. Bliźniaki w swoim pokoju szykowały się do snu, dziewczyny również zagnieździły się u siebie, Karol odpoczywał przed telewizorem. Rodzinna sielanka. A może normalność, której ostatnio, przy wracającej po nocach Zośce, nie było mi dane zaznać?

Po kilku słowach zamienionych z mężem Marleny, wytłumaczywszy się ciężkim dniem, udałam się na górę i ciężko opadłam na łóżko. Sięgnęłam po telefon, żeby sprawdzić wiadomości.

Zbyszek pisał, że z Michasiem wszystko w porządku, Zosia informowała o noclegu u koleżanki, pytając, czy jestem bogata. Odpisałam. Żeby choć przez chwilę nie zamartwiać się o córkę, poszłam do łazienki, zmyć z siebie trudy dnia.

Odświeżona wyłożyłam się na łóżku i otworzyłam list od mamy. Zrobiłam to delikatnie, żeby nie naruszyć jej spokoju na tym lepszym ze światów. Wyjęłam odręcznie zapisaną kartkę. Dostrzegłam krągłość liter, które wyszły spod maminej ręki.

„Kochana Córeczko!", odczytałam pierwsze słowa i zrobiło mi się ciepło na sercu.

Kolejne wzbudziły niepokój.

Chciałabym Cię bardzo przeprosić za to, że nie kochałam Cię zbyt mocno i zawiniłam wobec Ciebie.

Przed przeczytaniem następnego zdania serce zaczęło mi kołatać.

Jestem wielkim tchórzem, że przekazuję Ci tę wiadomość po swojej śmierci, kiedy już nie będę mogła spojrzeć Ci w oczy i zobaczyć w nich zawodu. Pozwól mi jednak chociaż teraz wyjaśnić, co się zdarzyło w przeszłości.

Przez długie lata nie mogliśmy z ojcem doczekać się dziecka, więc postanowiliśmy je adoptować. I właśnie wtedy trafiłaś pod nasz dach. Jako miesięczny niemowlak. Pokochaliśmy Cię całym sercem, dbaliśmy o Ciebie jak o źrenicę oka. Lecz po niespełna czterech latach okazało się, że jestem w ciąży. Urodziła się Laura. Od tej chwili mój świat przewrócił się do góry nogami. Zostałam biologiczną matką, pełnowartościową kobietą, zachłysnęłam się tym. I niestety, tak pozostało. Wiem, że nie raz i nie dwa odczułaś niesprawiedliwe traktowanie was obu, co teraz sobie wyrzucam, ale nie cofnę czasu. Zdaję sobie sprawę, że Twój wyjazd do Wrocławia był ucieczką przede mną, przed nami. A ja nie próbowałam Cię powstrzymać.

Od jakiegoś czasu nie czuję się dobrze, ale nie wspominam o tym Staszkowi. Lekarz ostrzega mnie przed zawałem, dlatego postanowiłam napisać ten list, na wypadek gdyby stało się najgorsze.

Zdecydowałam pozostawić Ci księgarnię z myślą, że może zechcesz ją poprowadzić. A jeżeli nie, to sprzedaż lokalu na Starówce pozwoli Ci zagospodarować tych kilka złotych. Weź sobie również pamiątki po mnie z domu, o ile będziesz chciała.

Laurze zostawiłam dom i oszczędności, ponieważ wiem, że z Marcinem nigdy się niczego nie dorobią.

Jest jeszcze jeden powód, dla którego piszę ten list. Może teraz, kiedy mnie już nie ma wśród żywych, odnajdziesz swoją biologiczną matkę? Mam nadzieję, że ci się to uda, i życzę, abyście nawiązały serdeczny kontakt. Żałuję, że nie stanęłam na wysokości zadania. Przepraszam. Bardzo Cię kocham. Szkoda, że tak późno to sobie uświadomiłam. Życzę Ci dobrych tytułów w księgarni i mnóstwa klientów. I szczęścia z jej prowadzenia, o ile się na to zdecydujesz. Takiego, jakie miałam z tego ja w tamtym życiu.

Twoja matka

ROZDZIAŁ 7
BOŻENA

A zatem widzimy się w najbliższy czwartek. Nie zapomnij o przerobieniu ćwiczeń od strony dziewiątej do jedenastej. – Z przedpokoju dotarł do mnie głos mamy żegnającej uczennicę. – Tylko się przyłóż, bo dzisiaj zrobiłaś sporo błędów.

Po chwili mama zajrzała do mojego pokoju, narzekając na nawał pracy.

– Jaka jestem skonana! – Przysiadła ciężko w fotelu, przykładając dłoń do czoła. – Wykończą mnie te korepetycje. Młodzież się nie uczy, byle jak odrabia zadania, a rodzice płacą. Dobrze, że przynajmniej z tobą nie ma problemu.

– Mamo... – przerwałam jej tyradę, zanim zaczęła mnie chwalić.

Strach przed wyjawieniem prawdy paraliżował, wzmagając nudności, które i bez stresu nie dawały o sobie zapomnieć.

– Możemy porozmawiać? – zapytałam nieswoim głosem.

– Teraz? Może po kolacji? Przed przyjściem Brunona chciałabym na chwilę się położyć.

Spojrzałam zdeterminowana i gotowa kroczyć drogą na szafot.

– To ważne.

– Skoro tak, to mów. Jakieś kłopoty w szkole?

– Nie o to chodzi.

– Zakochałaś się? Chcesz sobie kupić nowy łaszek? – drążyła, z trudem powstrzymując ziewanie. – Przepraszam, naprawdę jestem zmęczona. Chodź do dużego pokoju, rozprostuję kości.

Nie czekając na moją zgodę, podniosła się z fotela, by rozłożyć się na kanapie w stołowym.

– Mam do ciebie prośbę, córciu. Zrobisz mi kawy?

Nastawiłam czajnik, zmieliłam ziarnistą robustę i nasypałam do szklanki dwie kopiaste łyżeczki.

– Proszę. I cukier. – Sięgnęłam po cukiernicę.

– To teraz słucham ciebie. W czym problem?

Spięta i maksymalnie zestresowana wypowiedziałam słowa, które więzły w gardle.

– Chyba jestem w ciąży.

– Co takiego?! – Mama jak rażona prądem usiadła na kanapie. – Co ty powiedziałaś?

Powtórzyłam kwestię.

– Słyszałam! Jak to? Jakim sposobem? Chyba żartujesz!

Spuściłam oczy i niczego nie ukrywając, wyznałam prawdę o imprezie u Aleksandra, alkoholu i o tym, co było potem. Powiedziałam, że nie pamiętam stosunku, opisałam złe samopoczucie, które nie opuszcza mnie od kilku tygodni. Oznajmiłam o zaniku miesiączki.

Mamie całkowicie przeszło zmęczenie. Gwałtownie wstała, nerwowo zapaliła papierosa i zaczęła biegać po pokoju, wyrzucając z siebie strumień oskarżeń.

– Coś ty zrobiła? To niewyobrażalne! Dziewczyno, zmarnowałaś sobie życie! Taki wstyd! Wyobrażasz sobie, co będzie, kiedy prawda wyjdzie na jaw? Wyrzucą cię ze szkoły, a za dwa lata matura! A studia? Pomyślałaś o tym, idąc do łóżka z tym kimś? I jak w ogóle możesz nie pamiętać, kto ci zrobił dzieciaka? Bożena, jestem zawiedziona – zakończyła, zapalając kolejnego papierosa.

Słuchałam pokornie, ze wzrokiem wbitym w dywan. Przybita, zawstydzona, przerażona. Najgorsze w tym wszystkim było to, że mama miała rację. Nie dość, że straciłam dla siebie szacunek, to lęk przed kompromitacją porażał.

Mama nie zaprzestawała gonitwy po pokoju, głośno zastanawiając się, co ze mną począć. Przyszedł jej do głowy pewien pomysł.

– A może to nie ciąża, tylko jakieś zaburzenia hormonalne? – Z nadzieją uczepiła się genialnej myśli. – Dzwonię do doktora Myśliwieckiego!

Nie przeszkadzałam, kiedy umawiała wizytę. Przeraziłam się natomiast, kiedy zakomunikowała, że natychmiast mam się ubierać.

– Jedziemy! Doktor właśnie przyjmuje – zarządziła.

– Teraz?

– A kiedy? Idź się umyć, zaraz wychodzimy – dodała twardym, nieznoszącym sprzeciwu tonem.

Jechałyśmy osiemnastką, nie odzywając się do siebie, obie w oczekiwaniu na zbliżający się wyrok. Jeśli zaświtał mi w głowie cień nadziei, że może jednak się mylę, po badaniu doktor Myśliwiecki rozwiał go całkowicie.

– Nie ulega wątpliwości, że jesteś w ciąży – odezwał się tonem sędziego skazującego oskarżonego na śmierć. – Może pani do nas dołączyć? – zaprosił do środka siedzącą na korytarzu mamę i przekazał jej wiadomość.

– Piąty, szósty tydzień. Ginekologicznie wszystko w porządku. Córka urodzi w połowie czerwca.

– Poczekaj na mnie na zewnątrz – poleciła mama, kiedy ubrałam się po badaniu. – Muszę porozmawiać z panem doktorem.

Wyszłam na korytarz, chowając się przed spojrzeniami kobiet w poczekalni. Miałam wrażenie, że domyślają się, co mi się przytrafiło.

Mama nie wychodziła przez dłuższą chwilę, a kiedy się pojawiła, miała zaróżowione policzki i rzucała w moją stronę gniewne spojrzenia.

– Włóż kurtkę, poczekam na ciebie na dole – wydała polecenie, by po szybkim „do widzenia" rzuconym w kierunku pacjentek zniknąć za drzwiami, popędzić na ulicę i zapalić papierosa.

– Idziemy na postój taksówek, nie mam siły wracać autobusem – zdecydowała, kiedy do niej dołączyłam. – Pięknie. Bardzo pięknie! – złorzeczyła pod nosem, dodając, że czeka ją teraz rozmowa z Brunonem. – Kiedy dojedziemy, idź do swojego pokoju i nie wychodź, zanim cię nie zawołamy. Musimy zastanowić się, jak rozwiązać ten problem.

Skinęłam głową na znak zgody.

Cisza w taksówce mówiła sama za siebie. Mama trawiła rewelacje, jadąc, płacąc za przejazd, a potem pokonując schody do mieszkania.

– To wy? – Z pokoju dobiegł głos Brunona, nieprzyzwyczajonego do sytuacji, że po powrocie z redakcji zastaje pusty dom. – Gdzie byłyście? Od rana czekam na obiecaną wątróbkę, a tu ani wątróbki, ani moich pań. Stało się coś? Macie niewyraźne miny.

Skarcona wzrokiem mamy zdjęłam płaszcz i pobiegłam do swojego pokoju. Nie włączyłam magnetofonu, żeby móc podsłuchiwać rozmowę mamy z ojczymem, ale mimo wytężania słuchu, wyławiałam jedynie pojedyncze słowa. Siedziałam, nie zapaliwszy światła, w oczekiwaniu na wezwanie na dywanik. Na dworze zmierzch przybrał barwy nocy rozświetlonej jedynie blaskiem ulicznych latarni. Powoli zaczęło ogarniać mnie znużenie i przemożna chęć przyłożenia głowy do poduszki, gdy nagle w drzwiach stanęła mama.

– Chodź do nas, porozmawiamy – poleciła, a ja posłusznie wstałam i udałam się na rzeź.

ROZDZIAŁ 8
DAGMARA

Poranek u Marleny przywitał mnie obfitym śniadaniem. Od niepamiętnych czasów nie zaznałam takiej gościnności. Gospodyni obsługiwała obecnych przy stole bez słowa skargi, nie oczekując rewanżu.

– Dzień dobry wszystkim! – przywitałam się z rodziną Szulców, krzątającą się wokół stołu zajmującego centralne miejsce w przestronnej kuchni.

– Dobrze spałaś? – Ubrana w fartuszek Marlena machnęła ręką na powitanie, jednocześnie zapinając szelki jednemu z bliźniaków. – Siadaj do stołu, już niosę kawę – dodała i nie czekając na odpowiedź, poleciła: – Kasiu! Możesz smażyć jajecznicę. Na boczku czy na maśle? – zapytała, spoglądając w moim kierunku. – Pijesz kawę z mlekiem czy ze śmietanką?

Odchrząknęłam, zażenowana.

– Wszystko jedno, Marlenko. Nie kłopoczcie się mną. Zjem i wypiję to, co wszyscy. W czym mogę pomóc?

– Siadaj i nie gadaj! – poleciła mi moja przyjaciółka tonem nieznoszącym sprzeciwu. – U nas goście nie muszą się udzielać. Dość mamy własnej siły roboczej. Agnicha, śniadanie! – zawołała młodszą córkę. – Spóźnisz się do szkoły! Kacper, biegnij po Leszka na górę, bo tato się śpieszy do firmy i będziecie biec smrodem za samochodem, żeby zdążyć do przedszkola! No dobrze, jeżeli koniecznie chcesz pomóc, to zanieś chleb na stół. – Zdecydowała się wręczyć mi wiklinowy koszyk z pieczywem, dodając, że kiedy tylko rodzina się wyniesie, będziemy miały chwilę dla siebie.

– To ty nie jedziesz z Karolem do firmy? – zdziwiłam się.

– Dojadę później. Do rozliczania VAT-u mam jeszcze trochę czasu, mogę więc skorzystać z możliwości poplotkowania.

Po chwili siedziałam z rodziną przyjaciółki przy stole, delektując się jajecznicą, dżemem własnej roboty, twarożkiem, przywożonym z pobliskiej wsi, szynką wędzoną z domowej wędzarni, żeby nie wspomnieć o miodzie z pasieki za miedzą. Jeżeli do tego dołączyć aromatyczną kawę z ekspresu i własnoręcznie wyciskany sok z pomarańczy, poczułam się jak na wczasach w ekskluzywnej agroturystyce. Na których, nawiasem mówiąc, nigdy nie byłam, choć znałam z opowiadań.

Zajadając się ciepłymi bułkami, obserwowałam ruch przy stole i ciepło emanujące od moich gospodarzy. Zanurzałam się w nim z rozkoszą.

– Kacper, dojedz bułkę! Czy ja powiedziałam, że możesz już odejść od stołu? – grzmiała Marlena, zatrzymując bardziej ruchliwego z bliźniaków, kręciołę, niepotrafiącego zagrzać miejsca przy stole.

– Lechu, płatki mają być zjedzone! – nakazywała temu bardziej powolnemu w posługiwaniu się łyżką.

– Śmietanka? – zaproponowała, spojrzawszy w moją stronę.

Skinęłam głową, uśmiechając się pod nosem.

Marlena zupełnie nie zmieniła się od czasów szkolnych – wulkan energii, obecnie organizatorka rodzinnego życia, której tyranii próbowały się nie poddawać wyłącznie córki. Kaśka zadowoliła się sokiem pomarańczowym, a Agnieszka po przełknięciu kilku kęsów jajecznicy uciekła do siebie. Karol przykładnie odsiedział swoje przy stole, dyskretnie przerzucając przy śniadaniu zawartość świeżej gazety. Wstał, gnany koniecznością odwiezienia bliźniaków do przedszkola.

– Podjedziesz do firmy? – zapytał żonę przed wyjściem.

– Po dwunastej. A gdyby nie, odbiorę chłopców – zakomunikowała, całując go w policzek.

Dopijałam kawę, gdy za piątką Marleny zamknęły się drzwi.

– Może jeszcze jedną? – zapytała gospodyni, zbierając ze stołu talerze.

– Chyba będę się zbierać.

– Żartujesz? Sprzątnę i pogadamy. Siedź i się nie ruszaj! – poleciła. – Niosę drugą kawę.

Nie oponowałam. Wyszłam na taras, by odetchnąć świeżym powietrzem i rozejrzeć się wokół.

Ogród budził się do życia po wyjątkowo długiej i uciążliwej zimie, która wprawdzie nie zasypała świata śniegiem, ale dręczyła zimnem długo, trzymając rośliny w przedpokoju wiosny. Brzozy powiewały gałązkami pozbawionymi liści, trawa nie mogła przebić się spod ziemi, gdzieniegdzie z gruntu nieśmiało wyłaniały się pierwsze przebiśniegi i krokusy.

– W ubiegłym roku o tej porze miałam dywan tulipanów. – Za moimi plecami pojawiła się Marlena. – A teraz krzewy straszą plątaniną gałęzi. Nawet pąków nie mają. Czy ta cholerna zima nigdy się nie skończy?

Chłód sprawił, że się wzdrygnęłam.

– Wchodź od środka! Jakaś zmarznięta jesteś. – Przyjaciółka zagarnęła mnie do pokoju. – Tak szybko nas wczoraj opuściłaś...

– Przepraszam, musiałam przeczytać list od mamy – zaczęłam, niespodziewanie decydując się na zwierzenia. – Bo oprócz spadku przekazała mi list – wyjaśniłam.

– To miłe.

– Dowiedziałam się, że jestem adoptowana – wyrzuciłam z siebie prawdę, która męczyła mnie od wczoraj.

Starając się nie analizować zaskoczonej miny Marleny, opowiedziałam jej o treści listu i zawartości testamentu.

– To wspaniale, że dostałaś księgarnię, Daga! Często kupowałam u twojej mamy. – Moja przyjaciółka skoncentrowała się na schedzie, nie dotykając sprawy adopcji. – Co zamierzasz z nią zrobić?

– Nie wiem. Może powinnam ją poprowadzić?

– Byłoby super! Ale co na to Laura? – zapytała z niepokojem.

– Możemy o tym nie mówić?

– Okej. Pogadamy, kiedy będziesz chciała, moja ty pani delikatna. Ale ja na twoim miejscu bym się z Laurą nie cyckała. Przepraszam, że to powiem, ale ona nie osiągnęła mistrzostwa świata w siostrzanej miłości. Dostała dom, wieś, kasę i jeszcze jej mało? Pewnie uważa, że księgarnia też jej się należy. I wszystkie pamiątki po matce.

– Marlena…

– Daga, ogarnij się i leć do domu, podzielić się z Laurą rzeczami mamy. Zanim twoja siostra skrzętnie uprzątnie biżuterię, porcelanę i inne wartościowe przedmioty. A ty pozostaniesz z kilkoma zdjęciami rodziców.

Czułam, że ma rację, ale jej plan nie wydawał się możliwy do realizacji. Nigdy nie byłam zbyt przebojowa, a tym bardziej w chwili, kiedy dowiedziałam się, że jestem osobą, która wtargnęła do rodziny kuchennym wejściem. Być może nawet nie miałam prawa do rodzinnych pamiątek. Podzieliłam się wątpliwościami.

– No i co z tego, że cię adoptowali? – zapytała Marlena retorycznie. – Miałaś wtedy miesiąc, dziewczyno! Nie napraszałaś się. Nie rozumiem, w jakim celu twoja matka ujawniła, że po urodzeniu biologicznej córki przerzuciła uczucia na Laurę. To cios poniżej pasa – zakończyła. Patrzyła na mnie w taki sposób, jakby żałowała wypowiedzianych słów. – Przepraszam, zdenerwowałam się.

– Ale jednak zostawiła mi księgarnię.

– Najwyraźniej została jej resztka przyzwoitości – ucięła moja przyjaciółka ze złością. – A teraz dzwoń! – poleciła, podając mi komórkę.

Sama wyniosła się do kuchni.

O dziwo, wsparta przez Marlenę podjęłam wyzwanie i wystukałam numer, a gdy Laura odebrała, nie poprosiłam o spotkanie. Zapowiedziałam się z wizytą w domu rodziców przy Słowackiego.

– Wyjeżdżam dzisiaj do Wrocławia, więc będę u ciebie za godzinę, dwie – zakomunikowałam. – Chciałabym podziału pamiątek po mamie.

Laura była zaskoczona, czego nie omieszkała dać mi do zrozumienia.

– Jestem w sklepie i nie wiem, kiedy wrócę. Możesz dzwonić na bieżąco.

– A może lepiej, jeżeli wpadnę z wujem Staszkiem? – zablefowałam. – Podobno też ma klucz?

– Chyba nie potrzebujemy prawnika, żeby załatwić nasze sprawy. – Laura spuściła z tonu. – Przyjedź, będę czekała – zakończyła rozmowę.

– I jak? – zapytała Marlena.

– Zbieram się, koleżanko. I dziękuję. Za wszystko. – Przytuliłam ją, wdzięczna za radę.

– Nie daj się oszkapić! Nic złego nie zrobiłaś. I bierz tę księgarnię bez skrupułów. Mam nadzieję, że niebawem zawitasz do Torunia! – powiedziała, obejmując mnie serdecznie.

– No, nie wiem…

– Ale ja wiem. Nikt poza tobą nie poprowadzi jej lepiej. A my z Karolem pomożemy ci załatwić sprawy formalne.

Pożegnałam się z Marleną i skierowałam kroki do wydziału ksiąg wieczystych w sądzie na Piekarach, który musiałam poinformować o zmianie właściciela księgarni, nie bacząc na to, czy adoptowanej córce należy się przejęcie schedy po adopcyjnych rodzicach. Mimo że prawda, którą ujawniła mama, bardzo mnie ubodła, dzięki

Marlenie nie poddałam się wątpliwościom. Złożyłam w sądzie stosowne dokumenty, a przed wizytą u Laury postanowiłam pospacerować po Starówce.

Nogi same poniosły mnie na Kopernika.

Stanęłam przed schodkami.

Skromna witryna z napisem „Księgarnia pod Flisakiem" zapraszała wizerunkiem kilku książek, wśród których dostrzegłam te same, które zamówiłam na ostatnie święta Bożego Narodzenia. A zatem od tamtego czasu mama nie zmieniła wystawy, pomyślałam. Trzeba to będzie skorygować, westchnęłam i przyłapałam się na tym, że zamierzam tchnąć w to miejsce nowe życie.

Weszłam do środka.

W niewielkim pomieszczeniu kręciły się dwie sprzedawczynie i kilku klientów. Zaczęłam przeglądać półki, bezskutecznie oczekując, że ktokolwiek do mnie podejdzie i zaproponuje pomoc. Spytałam o pierwszą lepszą książkę, która przyszła mi na myśl. Ekspedientka sprawdziła na półce, a kiedy jej nie znalazła, zaczęła szukać informacji w komputerze.

– Nie mamy tej pozycji. Ale jeżeli pani sobie życzy, to możemy zamówić – odparła.

– Dziękuję. Jeszcze się zastanowię – odpowiedziałam i ogarnąwszy wzrokiem księgarnię po raz ostatni, wyszłam na zewnątrz.

Nabrałam pewności, że nad przejęciem nie ma się co zastanawiać. Znałam księgarnię przed laty, a teraz, kiedy weszłam do niej i omiotłam wzrokiem regały, zdałam sobie sprawę, że tu jest moje miejsce.

I mimo wszystko poczułam do mamy wdzięczność.

ROZDZIAŁ 9
BOŻENA

Stanęłam w drzwiach pokoju telewizyjnego, jak go wszyscy nazywaliśmy, niepewna, czy mam usiąść, czy też może powinnam wysłuchać wyroku na stojąco. Brunon tkwił na kanapie z nieodłącznym papierosem w ustach. Przyglądał mi się bez słowa. Mama zajęła miejsce obok niego i wskazała mi fotel naprzeciwko. Mimo pory nadawania *Dziennika Telewizyjnego*, świętości nie do pominięcia w domowym harmonogramie codziennych rytuałów, telewizor milczał. Słychać było jedynie dochodzące z zewnątrz dźwięki ruchu ulicznego.

Zajmowaliśmy M-5 w czteropiętrowym bloku, załatwione przez Brunona, człowieka, który dzięki pozycji znanego dziennikarza cieszył się rozlicznymi koneksjami wśród wszechmogących urzędników zawiadujących rozdzielaniem narodowych dóbr, do których zaliczały się mieszkania. Trzyosobowa rodzina po latach oczekiwania w kolejce mogła liczyć na dwa pokoje lub trzy, o ile jedno z małżonków było nauczycielem lub twórcą.

Brunon natomiast wywalczył czteropokojowe lokum na pierwszym piętrze, z widokiem na park, oddalone od najbliższego supersamu o niecałe dwieście metrów. Trzeba przyznać, że mój ojczym był człowiekiem nie tylko wpływowym, ale i zapobiegliwym, dzięki czemu w domu nie brakowało niczego. Mogliśmy cieszyć oczy meblami prosto z fabryki, które jako „odrzuty z eksportu” nigdy nie trafiały do sklepów, i jeździć jednym z pierwszych wypuszczonych na rynek fiatów 125p w przepięknym żółtym kolorze zwanym „yellow bahama”. Został nabyty za talon przyznany Brunonowi za zasługi dla polskiego dziennikarstwa. Do tego dochodziły dywany z hurtowni, do których dostęp mieli krewni i znajomi królika, oraz inne gadżety, o których nie śniło się przeciętnemu śmiertelnikowi w PRL-u.

– Doceń to, co masz dzięki Brunonowi – podkreślała mama nieraz, kiedy jej zdaniem krzywym okiem patrzyłam na ojczyma. – Gdyby nie on, biegałabyś w szmacianych spodniach, a nie obnosiła się w dżinsach z peweksu, kupowanych za dolary będące równowartością przeciętnej pensji!

Jako grzeczna dziewczynka spuszczałam z tonu, rezygnując z planów wyjazdu na szkolny obóz, by w zamian udać się z rodzicami na wczasy w Bułgarii, których zresztą zazdrościły mi wszystkie koleżanki. Mama przywoziła z nich ceramikę i różane olejki, ja kolorowe fatałaszki i piękną opaleniznę. Trzeba przyznać, że Brunon nie był złym ojczymem.

Teraz siedział zaskoczony, z ogromnym zawodem w oczach, i czekał, aż mama zabierze głos.

Przysiadłam na skraju fotela. Mama oparła łokcie o stół, splotła dłonie i głęboko wzdychając, wyraziła wielkie niezadowolenie z powodu mojego zachowania.

– Jesteśmy oboje wstrząśnięci i zażenowani sytuacją, w jakiej nas postawiłaś – zaczęła. – Nigdy byśmy się tego po tobie nie spodziewali. Zaczniemy od tego, że wyjaśnisz nam, jak to się mogło stać! – podniosła głos.

A kiedy bąknęłam, że poza tym, co już zeznałam, nie mam nic więcej do dodania, stanowczym głosem nakazała mi powtórzyć relację z feralnego wieczoru u Aleksandra.

– Chcę, żeby Brunon usłyszał to od ciebie – poleciła. – I nie wstydź się! Wstydzić powinnaś się wtedy, kiedy to zrobiłaś.

Z trudem podjęłam wyzwanie. Z równym trudem mamrotałam po nosem urywane zdania.

– To wszystko – zakończyłam, żałując upojenia alkoholowego i tego, że nie pamiętałam, że z kimkolwiek poszłam do łóżka.

– Albo nie chcesz pamiętać! – Mama po raz kolejny podniosła głos.

Wstała z kanapy i wyszła do kuchni opróżnić popielniczkę.

Brunon sięgnął do barku po ararat i nalał sobie sporą porcję do szklanki.

– Chcesz? – zaproponował mamie.

Zdecydowała się na kieliszek bułgarskiego wina.

Skorzystałam z niewielkiego zamieszania i odetchnęłam, zbierając siły przed dalszym ciągiem posiedzenia.

– Wzdychaj, wzdychaj! Masz powody. – Mama nie zamierzała użalać się nade mną.

– I co teraz planujesz? – Ojczym, po przełknięciu solidnego łyku armeńskiego koniaku, postanowił się odezwać.

– Nie wiem – odparłam zgodnie z prawdą.

– Masz urodzić po zakończeniu trzeciej licealnej, za kolejny rok matura, potem studia... Pomyślałaś o konsekwencjach posiadania dziecka w tym wieku? Bo wybacz, nie bardzo wierzę, że nie pamiętasz, z kim wylądowałaś w łóżku. Z Aleksandrem? A może z kimś innym?

– Ale ja naprawdę nie pamiętam...

– Niech i tak będzie. Chociaż za dużo w życiu widziałem, żeby uwierzyć w podobne bajki. Wiesz, co się stanie, kiedy dowie się dyrekcja szkoły?

Skinęłam głową.

– Właśnie. Wydalą cię ze szkoły i o ile wrócisz do nauki, to jedynie zaocznie, w jakiejś zawodówce. Mamy w redakcji absolwentki tego typu uczelni – oznajmił z przekąsem Brunon. – Sprzątają i noszą korespondencję pomiędzy działami. A, i parzą herbatę.

Niestety, miałam świadomość, że mój ojczym ma rację. Rok temu wyrzucono ze szkoły Jolkę z czwartej b. Z tego, co zdążyłam się zorientować, do dzisiaj nie podjęła nauki.

Brunon przerwał dyskusję i znacząco spojrzał na mamę. Widać to właśnie ona miała przedstawić mi plan działań naprawczych.

– A teraz posłuchaj, co mamy ci do powiedzenia – zaczęła. – Myśleliśmy o usunięciu ciąży, ale to może zaowocować w przyszłości kłopotami z posiadaniem dziecka. W szkole nie zostaniesz, bo nawet jeżeli jakimś cudem udałoby się nam ubłagać dyrekcję, nie miałabyś życia wśród rówieśników. Dlatego załatwimy sprawę inaczej.

Cała zamieniłam się w słuch. Pośpiesznie poszukiwałam w głowie rozwiązania, na które wpadli rodzice, a nawet powoli zaczęłam się na nie cieszyć. Przynajmniej nie kazali mi usuwać ciąży, pomyślałam.

Kiedy mama zaczęła zapoznawać mnie z planem, nastrój radości rozkwitał we mnie z minuty na minutę.

– Najważniejsze dla nas wszystkich jest, żeby wiadomość się nie rozniosła. Zwierzałaś się komuś? – zapytała, a ja energicznie zaprzeczyłam, ukrywając rozmowę z Anką. – To dobrze – podsumowała. – Brunon załatwi ci miejsce w katolickiej szkole dla dziewcząt, w Krakowie lub Poznaniu. Pojedziesz tam bezzwłocznie i zamieszkasz w internacie. Pretekst się znajdzie. Nie ujawnisz żadnemu ze swoich znajomych, że jesteś w ciąży. Skończysz liceum i przystąpisz do matury. A potem droga wolna na studia. Wtedy będziesz mogła wrócić do Warszawy.

– Przyjmą mnie w ciąży do takiej szkoły? – zapytałam już pewniejszym głosem.

– Nie twoja w tym głowa. Ale jest jeden warunek.

Słowa mamy podały w wątpliwość sens przedwczesnej radości i podważyły nadzieję, że rodzice rzeczywiście chcą mi pomóc.

Spojrzałam wyczekująco.

– Po urodzeniu oddasz dziecko do adopcji.

– Jak to? Dlaczego?

– Mam ci tłumaczyć, że nie jestem wielbłądem?! – uniosła się mama. – To chyba oczywiste? Żebyś nie zmarnowała sobie życia. Musisz się wykształcić i żyć jak człowiek wolny, a nie napiętnowany błędem przeszłości. Bez szkoły, środowiska i źródła utrzymania. Siostry zakonne pomogą w adopcji – kontynuowała, porzucając tłumaczenie. – Dziecko prosto ze szpitala zostanie przekazane do zakładu opiekuńczego, który prowadzą. Podpiszesz odpowiednie dokumenty i będziesz wolna. A siostry zajmą się resztą i przekażą noworodka w dobre ręce.

Nie byłam w stanie się odezwać. Nie takiego rozwiązania się spodziewałam. Myślałam, że rodzice przełkną gorzką pigułkę wstydu, jaki im zafundowałam, zaakceptują mój rosnący brzuch i przygarną dziecko. A może nawet kiedyś je pokochają. Gdy jednak spojrzałam obojgu prosto w oczy, zdałam sobie sprawę, jak naiwne były moje wyobrażenia.

– Mamuś, ja nie wiem, czy chcę oddawać dziecko do adopcji – powiedziałam nieśmiało. – Ty byś oddała?

– Przede wszystkim ja zaszłam w ciążę w odpowiednim momencie. I nie musiałam zmagać się z dylematem.

– Miałaś zaledwie trzy lata więcej ode mnie...

– Owszem. Ale byłam już na studiach i miałam Bogdana, twojego ojca. A oboje mieliśmy mieszkanie po babci Rozalii. Mała różnica, prawda?

– Tak. Ale gdybym jednak mogła je zachować...?

Mama spojrzała na Brunona, który z miejsca przybył jej z pomocą.

– Kochanie, jest wiele rodzin, które nie mogą mieć własnych dzieci i czekają na takie, jak twoje. Otoczą je wspaniałą opieką – zaczął tym swoim kojącym głosem, który nieraz słyszałam w radiu. – Nie musisz się martwić o przyszłość maleństwa. Z czasem, kiedy nadejdzie odpowiedni moment, urodzisz dziecko i będziesz się nim cieszyć. Rozumiesz? – zapytał, podchodząc, i otoczył mnie ramieniem. – Ale teraz zdaj się na nas. Sama rozumiesz, Bożenko. Co to za życie z dzieckiem na ręku?

Zaczynało do mnie docierać, że w tym, co słyszę, tkwi ziarno prawdy. Licealistka z brzuchem, panna, ojciec dziecka nieznany. Brzmiało źle. Bez rodziców nie znaczyłam nic. Nie miałam niczego, co należałoby do mnie, nie miałam nawet siły walczyć. Może rzeczywiście mają rację, upierając się przy swoim rozwiązaniu, dzięki któremu mogłabym uciec od szkoły? – dumałam. W końcu coraz trudniej jest mi ukrywać mój stan. Nieustanne wycieczki do łazienki i tłumaczenie nauczycielom ciągłego rozkojarzenia zaczynały ciążyć.

– Bożenko, to jest naprawdę dobre wyjście. – Mama przemawiała łagodnie. – Nikomu z nas nie jest potrzebny skandal. Zobaczysz, wszystko się ułoży. Zrobimy kolację? – zmieniła temat.

– Pójdę do siebie, mamo – powiedziałam. – Nie jestem głodna.

– Niczym się nie martw. Załatwimy wszystko.

W to akurat nie wątpiłam. Znałam możliwości Brunona.

Pokój, który miałam niebawem opuścić, mój azyl, który tak skrzętnie urządzałam przez ostatnie lata, nagle stał się obcy.

Sięgnęłam po książkę do fizyki, żeby przejrzeć materiał z kilku ostatnich lekcji, bo fizyca zapowiedziała klasówkę. Treści nie chciały jednak wchodzić do głowy. Zgasiłam lampkę nocną i po ciemku oddałam się rozmyślaniom o rzeczywistości, która całkowicie wymknęła się spod mojej kontroli.

ROZDZIAŁ 10
DAGMARA

Z księgarni do domu rodziców miałam dosłownie kilka kroków, więc mimo podręcznego bagażu, który nieco mi ciążył, postanowiłam pokonać ten dystans na piechotę. Pomaszerowałam przez Rynek Staromiejski, by pod arkadami wzdłuż ulicy Różanej dojść do Łuku Cezara dzielącego Stare Miasto od placu Rapackiego, przeciąć niewielki park i znaleźć się w pobliżu akademików usytuowanych przy Słowackiego. Nasz dom, a właściwie pokaźna przedwojenna willa, mieścił się kilkaset metrów dalej.

Niedaleko Książnicy Miejskiej, miejsca, które często odwiedzałam, przygotowując się do matury, postanowiłam przysiąść w niewielkiej knajpce, zachęcającej reklamą sandwiczy, kawy i świeżo wyciśniętego soku z pomarańczy. Po śniadaniu u Marleny nie miałam ochoty na włoskie kanapki, jednak łyk kawy uznałam za bardzo wskazany.

– Życzy sobie pani coś jeszcze? – zapytała kelnerka, stawiając na stoliku zieloną filiżankę.

– Dziękuję, to wszystko – odparłam.

Na ekranie komórki zamigotał esemes od Zbyszka z zapytaniem, kiedy wracam.

Szczerze powiedziawszy, najchętniej nie wracałabym wcale. Nawet zachowanie Laury nie nastroiło mnie źle do świata, a widok dawno nieodwiedzanej księgarni – mojej księgarni! – przyśpieszył akcję serca. Od pierwszego wejrzenia zakochałam się w wizji przeniesienia do Torunia i poprowadzenia interesu, koncentrując myśli nie na tym, czy to zrobić, tylko jak i kiedy. Starałam się nie myśleć o przeszkodach, jakie spotkam na swojej drodze.

Największym problemem wydawała się Zośka. Od chwili kiedy moja siedemnastoletnia córka zaczęła spotykać się z Kamilem, nasze kontakty gwałtownie się pogorszyły. Składałam to na karb osobowości chłopaka i jego złego prowadzenia się. Zośka zawsze lubiła dobiegaczy bujających w obłokach, ten jednak bił na głowę poprzedników. Wyglądał jak pospolity obwieś, miał skłonności do imprez i niepoważne podejście do życia. Mówiąc wprost, moja córka zaczęła się przy nim staczać, a wszelkie próby rozmów na ten temat określała mianem „wtrącania się w nie swoje sprawy" i „taniego moralizatorstwa".

Czekała mnie trudna przeprawa.

Przerwałam te rozmyślania i połączyłam się ze Zbyszkiem.

– Co tam u was? Michaś w przedszkolu? – Od razu przeszłam do rzeczy.

– Jest w przedszkolu. Ale co robi Zośka, nie wiem. Po nocy u tej swojej koleżanki miała iść do szkoły. Kiedy wracasz?

– Wyruszam po trzeciej, więc we Wrocławiu będę o wpół do ósmej. Przyjechać po Michałka?

– Będzie szybciej, kiedy ci go przywiozę. Obiecałem Sarze kino – dodał ciszej.

Mimo że od naszego rozwodu minęło już trochę czasu, na dźwięk imienia nowej kobiety Zbyszka ściskało mi się serce. W końcu był moim pierwszym chłopakiem, ojcem dzieci i facetem, z którym spędziłam dwadzieścia pięć lat. Bez względu zatem na to, że nasze uczucia nieco ostygły, oddanie go w ręce innej, na widok której w jego oczach pojawiały się ogniki, nie przyszło mi łatwo.

– Jesteś zadowolona z testamentu? – Dyplomatycznie zmienił temat.

– Chodzi ci o to, czy będę teraz w stanie spłacić kredyt? – zareagowałam nerwowo.

– Przecież wiesz, że nie o to chodzi. Zapytałem kurtuazyjnie.

– Mama zostawiła mi księgarnię – wypaliłam.

– To spory majątek.

– Tyle że nie chcę się go pozbywać.

Telefon przez chwilę milczał.

– Zatrudnisz ludzi do jej prowadzenia? – podjął Zbyszek.

– Poprowadzę ją sama – stwierdziłam dobitnie.

– Porozmawiamy o tym, jak wrócisz – odparł.

A ja w tej samej chwili zdecydowałam, że nie zamierzam z nim na ten temat dyskutować. W końcu on też mnie nie pytał, czy może spotykać się z Sarą! – pomyślałam buńczucznie.

– W takim razie do zobaczenia – chciałam zakończyć rozmowę, ale dodałam jeszcze: – Aha, gdyby udało ci się połączyć z Zosią, poproś, żeby była w domu, kiedy przyjadę. Teraz muszę kończyć. Idę do Laury.

– Pozdrów ją ode mnie. – Zbyszek był jak zwykle wzorem uprzejmości.

Wstałam od stolika, ruszyłam w kierunku domu i po chwili znalazłam się przed kutą w metalu furtką łączącą dwa kamienne słupy zwieńczone figurkami lwów opartych na przednich łapach. Była otwarta. Stanęłam na ścieżce, z obu stron obsadzonej dzikim winem, o tej porze roku jeszcze pozbawionym liści. Pięłam się po schodkach, spoglądając na potężną posturę rozłożystego budynku, którego niewątpliwą dekoracją był półokrągły taras na pierwszym piętrze, zdobiony płaskorzeźbą przedstawiającą sploty owoców i kwiatów. Kiedy Laura otworzyła mi drzwi, weszłam do holu, z którego prowadziły na piętro szerokie mahoniowe schody. W środku panował charakterystyczny o każdej porze roku chłód i lekki półmrok.

– Wejdź dalej. – Siostra wskazała tak dobrze mi znaną drogę do salonu. Odłożyłam torbę do kąta i zawiesiłam kurtkę na wieszaku, obok płaszcza mamy, którego Laura, jak widać, nie zdążyła jeszcze uprzątnąć. – Napijesz się czegoś? – zaproponowała.

Ubodło mnie, że jest taka oficjalna, nie śmiałam jednak przypominać jej, że znam drogę do kuchni i mogę wstawić wodę.

– Chętnie. Herbaty, jeśli to nie problem.

Wkurzyłam się na siebie za to wycofanie i nieśmiałość. W mojej głowie dudniły słowa Marleny, żebym się „nie cyckała” z Laurą, która „nie osiągnęła mistrzostwa świata w siostrzanej miłości”. Teraz jednak, bez względu na przeszłość, to ona była gospodynią, a ja gościem. Powinnam zatem zachowywać się stosownie do okoliczności.

– To powiedz, co byś chciała z domu? – zapytała obcesowo moja siostrzyczka, stawiając na dębowym stole dwie porcelanowe filiżanki.

– Nie zastanawiałam się. Myślę, że to nie takie proste wybrać to czy tamto. Rodzice pozostawili dużo rzeczy...

– Tak. Dużo rodzinnych pamiątek – podkreśliła Laura.

Wyczułam, do czego zmierza, zdecydowałam jednak, że nie pozwolę na konfrontację.

– Zaraz jadę – oznajmiłam. – Więc myślę, że dzisiaj nie damy rady podzielić się pamiątkami po rodzicach. Może umówimy się na przykład w weekend? Wrócę i spokojnie przegadamy sprawę – zaproponowałam rozwiązanie.

Zdenerwowana Laura aż podskoczyła na krześle.

– Mam czekać, aż łaskawie znajdziesz na to czas? Zamierzamy z Marcinem przenieść się do mojego domu jak najszybciej. Chciałabym, żebyś z niego zabrała swoje rzeczy, jakieś stare książki i meble, których mama nie wyrzuciła. Zagracają pokój na górze. A ja chcę ulokować tam Aśkę.

– Oczywiście. Nie wiedziałam, że cokolwiek tu po mnie pozostało...

– Widać, że często przyjeżdżałaś – skomentowała z sarkazmem.

Musiałam się bronić.

– Nie przesadzaj, proszę. A poza wszystkim, było ci to chyba na rękę?

– Nie zamierzam dalej prowadzić tej dyskusji. – Laura przeszła do ofensywy. – Mamy podzielić się wszystkim, co jest w domu, więc zróbmy to jak najszybciej. Chcę to mieć za sobą.

Moja siostra postawiła na sprawność w działaniu, założywszy, że czas gra na jej korzyść, a ja w pośpiechu wskażę na pierwszy lepszy wazon czy ręcznie wyszywaną serwetę, wetknę dobra pod pachę i wyniosę się z jej domu. A przecież starych mebli, sztućców, porcelany, obrazów wystarczyłoby dla kilkorga spadkobierców... Ponaddwustumetrowa willa aż pękała od przedmiotów mogących wypełnić niejedną muzealną salę.

– Laura, nie dzisiaj – tłumaczyłam spokojnie. – Pozwólmy sobie ochłonąć. Przyjadę, zajrzymy do kredensów, do szuflad i każda z nas wybierze coś dla siebie. Nie martw się, nie chcę cię ogołocić, ale pragnęłabym zabrać kilka rzeczy ważnych dla wspomnień. A nie łapać na chybił trafił.

Zmarszczyła czoło, rozważając propozycję. Nie przerywałam jej, czekałam na konkluzję. I doczekałam się – ciosu prosto w serce.

– Dobrze, możemy podzielić pamiątki w najbliższym czasie. Wytrzymamy z Marcinem tydzień lub dwa. Ale nie wyobrażaj sobie, że dostaniesz rodzinne zdjęcia, meble czy obrazy po dziadkach. Wybij sobie też z głowy porcelanę i biżuterię mamy.

– Dlaczego o tym wspominasz? – zapytałam, mimo że znałam odpowiedź.

– Czytałaś list? – odpowiedziała pytaniem.

– Tak.

– W takim razie powinnaś wszystko rozumieć. Pamiątki po Machoniach muszą pozostać w rodzinie. W mojej rodzinie, bo to ja jestem córką.

– A ja nie?

– Nie biologiczną.

Trafiła w czuły punkt, wypisała z rodziny, pozbawiła przeszłości. Przed oczami stanął mi obraz dwóch małych dziewczynek pluskających się w morzu, w głowie przewijał się film, w którym szukałyśmy w ogrodzie wielkanocnych jajek. Jednakowo bałyśmy się Mikołaja, przebierałyśmy na szkolne bale, szeptałyśmy po nocach, przekazując sobie największe sekrety, rysowałyśmy laurki na Dzień Matki.

A teraz okazało się, że nie mam prawa do schedy po rodzinie Machoniów, której strzeże córka z krwi i kości, Laura właśnie. Być może nie mam nawet prawa do wspomnień.

– Lauro, ja wiem, że to dla ciebie cios. Dla mnie zresztą też – odparłam, z trudem powstrzymując łzy. – Myślę nawet, że dla mnie większy, z wiadomej przyczyny. Ale musimy sobie z tym poradzić.

– Chyba ty musisz, bo ze mną wszystko w porządku! – krzyknęła. – I wiedz, jakoś nie dziwi mnie, że starasz się być miła – dodała jadowicie. – W końcu dostałaś księgarnię!

Że też nie domyśliłam się wcześniej, co stanęło mojej siostrze ością w gardle! Nie przypadł jej w udziale sporo warty lokal na Starówce!

Nie chciałam o tym rozmawiać w obawie, że siostrzyczka pokrzyżuje moje plany. A księgarni nie zamierzałam oddawać, nawet kosztem wszystkich innych pamiątek po rodzinie Machoniów. Po rodzinie Laury, nie mojej.

– Będę się zbierać. – Podniosłam się, podejmując decyzję o ewakuacji ze Słowackiego. Z domu, w którym się wychowałam.

Wyszłam szybko, by na ulicy odnaleźć powietrze, którym mogłam odetchnąć swobodnie. Wyobrażałam sobie, że po raz ostatni, zanim Laura urządzi mieszkanie po swojemu, zobaczę stare kąty, przypomnę sobie rodziców krzątających się po pokojach, odnajdę atmosferę rodzinnego domu. Ale wypiłam tylko filiżankę herbaty i zrozumiałam, jak niewiele znaczę.

Uciekając, nie zwróciłam uwagi, czy moja siostra macha mi na pożegnanie. Było gorzej, niż przypuszczałam. Nie zasługiwałam nawet na fotografie.

Do parkingu dotarłam niemal biegiem, wsiadłam do corsy. Czekała mnie długa droga, więc wypadało opanować nerwy. Przekierowałam dręczące myśli na dzieciaki.

„Synusiu, już wracam. Spotkamy się wieczorem", napisałam do Michasia na numer Zbyszka.

W międzyczasie nadeszła wiadomość od Zośki.

„Miałaś rację, Kamil to piramidalny dupek. Rozstaliśmy się. Zostaję na noc u Matyldy, bo muszę odreagować. Całuseczki, dziedziczko!"

Znałam swoje dziecko. Moja córka nie napisała tego trzeźwa.

ROZDZIAŁ 11
BOŻENA

Od ostatniej rozmowy z rodzicami żyłam jak w malignie, czekając na moment rozstania z domem, Warszawą i dotychczasowym życiem. Chodziłam do szkoły, codziennie zastanawiając się, czy jestem w niej po raz ostatni. W biegu zaliczałam kolejne klasówki, stawałam do odpowiedzi przed tablicą, rozmawiałam z koleżankami, jak gdyby nic się nie zmieniło. Unikałam jedynie Aleksandra, który szybko znalazł sobie nowy obiekt adoracji. Starałam się trzymać w pionie i nie okazywać targających mną uczuć.

Na szczęście mdłości nie były już tak intensywne; mogłam nawet, bez konieczności natychmiastowej wizyty w toalecie, zjeść drugie śniadanie. Zgodnie z zaleceniami rodziców musiałam przetrwać kilka kolejnych dni, do czasu, aż załatwią przeniesienie do prowadzonej przez siostry szkoły z internatem. I oczywiście nic nikomu nie mówić.

Jak wyszło w praniu, realizacja ich oczekiwań okazała się niemożliwa. Nie potrafiłam udźwignąć tajemnicy i po raz kolejny zwierzyłam się Ani. W tej samej knajpce, w której powiedziałam jej o ciąży.

– Niedługo się rozstaniemy – zaczęłam ze łzami w oczach. – Muszę odejść ze szkoły.

Przez niemal dwa tygodnie zwodziłam przyjaciółkę, dopytującą, czy powiedziałam rodzicom, licząc, że może jednak zmienią zdanie. Ale kiedy wczoraj zapowiedzieli wyjazd w najbliższą sobotę, musiałam z Anią szczerze porozmawiać.

– To straszne. Gdzie cię przenoszą? – zapytała.

– Do katolickiej szkoły z internatem. Nie wyjdę stamtąd przez dwa lata. A na pewno nie przed porodem.

– No coś ty? To jakieś więzienie?

– Nie. Ale dzięki siostrom nikt się nie dowie, że byłam w ciąży.

– Jak może się nie dowiedzieć, skoro wrócisz z dzieckiem?

– Nie wrócę z dzieckiem.

– A co z nim zrobisz?

– Mam je oddać do adopcji – powiedziałam cicho.

– Chcesz oddać własne dziecko?

– Nie chcę, ale nie mam wyboru.

– Nie rozumiem.

– Nie dołuj mnie, Anka, tylko pomyśl, co sama byś zrobiła na moim miejscu. Wyrzuciliby cię ze szkoły, a naukę mogłabyś kontynuować tylko w byle jakiej zawodówce. Nie mówiąc już o wstydzie dla całej rodziny – przytaczałam argumenty Brunona, uświadamiając sobie, że przejęłam jego punkt widzenia.

– Kurczę, ale wymyślili! A nie mogliby przygarnąć tego dzieciaka?

– Widać nie chcą. A ja sama… Co mogę poradzić? – Rozpłakałam się.

– Może powinnaś zgłosić się do Aleksandra? – Ania szukała jakiegoś rozwiązania.

– Wiesz, że to niemożliwe. Przecież nawet nie mam pewności, czy to on jest ojcem. A tak w ogóle, to zdecydowałam się przenieść do tej szkoły i tyle – ucięłam dyskusję. – Szkoda mi tylko ciebie. I kilku innych rzeczy…

– Będziemy się spotykać. – Ania uśmiechnęła się, starając się podnieść mnie na duchu.

– Tak. A za rok, kiedy będę wolna… – Rozżalona planowałam czas po adopcji. – Wszystko się ułoży. Wyjeżdżam za dwa dni – dodałam mimochodem. – Proszę cię tylko o jedno. O całkowitą dyskrecję. Nikt nie może się dowiedzieć, gdzie jestem i dlaczego wyjechałam. Mogę na ciebie liczyć?

Ania objęła mnie ramieniem. Wtuliłam się w nią całym swoim udręczonym ciałem.

– Nie wyobrażam sobie szkoły bez ciebie – powiedziała ze łzami w oczach. – Nikomu nie powiem. A ty pisz i nie zapominaj o mnie – poryczała się.

A ja do niej dołączyłam.

Nie wspomniałam, że jutro nie będzie mnie w szkole. Rodzice kazali mi zostać i przygotować się do wyjazdu.

Wyruszyliśmy z Warszawy w piękny sobotni, październikowy poranek, by po kilku godzinach zaparkować przed bramą internatu, mojego nowego domu. Kiedy stanęłam w progu czteroosobowego pokoju, a później przysiadłam na wolnym łóżku, ogarnęły mnie strach i niemoc.

W głowie dudniły mi słowa Brunona, informującego, pod jakim pretekstem musiałam zmienić szkołę.

– Oficjalna wersja brzmi tak – zaczął bez zbędnych wstępów. – Znaleźliśmy dla ciebie miejsce, które da ci możliwość zdawania międzynarodowej matury, może nawet za granicą. Nikt z dyrekcji nie pytał o szczegóły, a my nie czuliśmy się w obowiązku składania wyjaśnień. Prawda jest taka, że szkoła, którą dla ciebie wybraliśmy, cieszy się renomą, a nauczyciele zachowują dyskrecję. Mamy nadzieję, że będziesz się w niej dobrze czuła.

– Ale ja nawet nie bardzo potrafię się modlić… – bąknęłam z tylnego siedzenia.

– Nauczysz się – skwitowała mama. – To bardzo porządne miejsce. Poznasz nowe koleżanki. No i przecież będziemy w kontakcie. Nie jedziesz na koniec świata.

Dlaczego zatem miałam takie wrażenie?

Moje łóżko stało w rogu, blisko drzwi i umywalki. Pokój przypominał szpitalną salę, w której jedno posłanie jest podobne do drugiego. Żadnych prywatnych akcentów, kwiatów na oknie, kolorowych poduszek, dywaników, bibelotów. Trafiłam do zakonu.

Zaraz przebiorą mnie w habit! – myślałam przerażona.

Siostra Klara, która oprowadzała nas po internacie, wydawała się sympatyczna.

– Za rok, jak każda maturzystka, będziesz mogła urządzić swój kącik po swojemu – zadeklarowała, widząc zawód w moich oczach na widok siermiężnych warunków. – A teraz chodźmy. Pokażę państwu refektarz i kaplicę. – Wskazała kierunek i poszła przodem.

Nie wiedziałam, co to takiego ten refektarz. Nie przypominałam sobie również, żebym kiedykolwiek była w kaplicy w celu innym niż turystyczny, jeśli nie liczyć Pierwszej Komunii Świętej, do której dla niepoznaki przystąpiłam w innym mieście. Delikatnie rzecz biorąc, moja rodzina nie należała do religijnych, a Brunonowi, z racji przynależności do partii, nie wypadało pokazywać się w kościele. Nie miałam pojęcia, jakim cudem udało mu się umieścić mnie w katolickiej szkole.

Jak miałam się wkrótce dowiedzieć, przyjmowano tu nie tylko takie dewiantki, jak ja, i podopieczne nie takich ojczymów, jak mój. Pod dach liceum trafiały dziewczyny z tak zwanych dobrych rodzin, które w pewnych okolicznościach należało wziąć na krótszą smycz.

Zanim jednak poznałam szkolne koleżanki, podążałam za siostrą Klarą, oglądając jadalnię, która, jak się okazało, nosiła nazwę „refektarza", kaplicę z dużym krucyfiksem. I ogród okalający internat, pokój do nauki w stylu angielskiej biblioteki, pełen książek w nobliwych oprawach, widok na płynącą w oddali Wisłę.

Rozstawałam się z rodzicami pełna sprzecznych odczuć. Tęskniłam za dawnym życiem, lecz jednocześnie błogosławiłam sytuację, w której nie będę musiała obnosić przed koleżankami i kolegami z mojej szkoły rosnącego brzucha. Tutaj było mi wszystko jedno.

– Musimy już jechać, córciu – żegnała się ze mną mama. – Dzwoń do nas często. I nie martw się, wszystko się ułoży. – Po raz kolejny powtórzyła dobrze mi znaną kwestię.

Potaknęłam, uroniwszy łzę, skupiona raczej na powrocie do pokoju i przeżyciu pierwszej nocy z trzema innymi dziewczynami.

– Jeślibyś czegoś potrzebowała… – zagaił Brunon, niezgrabnie przyciągając mnie do siebie.

Oczywiście! – pomyślałam, pozwalając się przytulić. Zawsze mogę liczyć na załatwienie adopcji!

– Wiem, dziękuję – odparłam i odsunęłam się.

Na horyzoncie znów pojawiła się siostra Klara.

– Czas się pożegnać. Pora kolacji – zakomunikowała. – Bożenko, proszę za mną.

Z korytarza zerknęłam jeszcze przez okno. Światła odjeżdżającego fiata rodziców nikły w mroku.

ROZDZIAŁ 12
BOŻENA

Zostałam sama jak palec, jeżeli nie liczyć gromady pensjonariuszek internatu, których ciekawe spojrzenia łowiłam na każdym kroku. Dziewczyny z pokoju na pierwszy rzut oka wydawały się sympatyczne i zupełnie normalne, choć spodziewałam się nastoletnich kandydatek na zakonnice, paradujących w habitach do ziemi i płóciennych czepcach na głowach. Honorata spod jednego okna, Hania spod drugiego i Wiktoria, której łóżko stało naprzeciwko mojego, z miejsca poddały mnie lokalnej inicjacji, zasypując informacjami na temat panujących tutaj zwyczajów. Od razu polubiłam najcichszą z nich, lekko zacinającą się Hanię, której ekspansywna Honorata i krzykliwa Wiktoria nie pozwalały dojść do głosu.

– Dostaniesz granatowy mundurek z białym kołnierzykiem, ale po lekcjach wolno nosić normalne ciuchy. – Honorka zaczęła od szczegółów dotyczących ubioru. – O malowaniu się możesz zapomnieć. No ale wiesz, kiedy mamy wychodne i nikt nie patrzy… – Puściła oko.

– Dużo mamy tego wychodnego! – wtrąciła z sarkazmem Wiktoria. – Parami za rączki do teatru albo do opery.

– Fajki odpadają. Że nie wspomnę o innych używkach – edukowała mnie Honorata.

– Starzy wiedzieli, co robią, umieszczając cię tutaj – skomentowała Wiktoria, spoglądając na koleżankę.

– Święta się odezwała! – nie pozostała jej dłużna Honorata. – À propos świętej. Codziennie przed lekcjami na apelu mamy modlitwę, a dla chętnych jest kaplica, w której możesz uzupełnić modlitewne potrzeby. Znasz „Dziękujemy ci, Boże, za światłość tej nauki?" – zapytała, a zobaczywszy przeczący ruch głowy, dodała: – Tak myślałam. Żadna z nas tego nie znała. Masz! – Rzuciła w moją stronę książeczkę z listą przydatnych modlitw. – Radzę nauczyć się ich do poniedziałkowego apelu.

Kolejne informacje przyprawiły mnie o zawrót głowy. Czekały mnie: zakaz jedzenia poza refektarzem, przestrzeganie planu dnia, niemożność wyjścia poza obręb klasztornego muru, sprzątanie toalet, porządki po posiłkach, praca w ogrodzie i sporadyczne wyjazdy do domu. Na wieść o rygorach zrobiło mi się słabo, choć dziewczyny nie wyglądały na udręczone. Postanowiłam spytać, jak udało im się zaaklimatyzować w tym więzieniu.

– Nie jest aż tak źle. – Po raz pierwszy odezwała się Hania. – Wyjeżdżamy do teatru, mamy dodatkowe zajęcia z historii sztuki, prowadzimy szkolny teatrzyk. Po dwóch latach przywykniesz.

Po dwóch latach już mnie tu nie będzie, pomyślałam, ale zachowałam tę uwagę dla siebie. Może nawet uda mi się przekonać rodziców, żeby mnie stąd zabrali zaraz po urodzeniu dziecka?

Do tego czasu jednak musiałam przełknąć gorycz banicji, którą sama sobie zafundowałam.

Nieprzyjemne myśli przerwała mi Honorata pytaniem, którego się spodziewałam.

– Dlaczego starzy cię tu zesłali? Bo nie sądzę, żebyś w trzeciej licealnej trafiła tu z dobrej woli.

– Jestem w ciąży – szepnęłam nieswoim głosem i zakryłam twarz dłońmi.

Z trudem powstrzymywałam łzy.

W pokoju zaległa cisza. Podniosłam oczy, zobaczyłam zdziwione miny dziewczyn i nagle zdałam sobie sprawę, jak odosobnionym jestem przypadkiem. Poczułam się jak dwugłowe cielę, pokazywane w cyrku dziwo.

– Nie widać. – Po dłuższej chwili odezwała się Wiktoria.

– To szósty tydzień. Mam rodzić w czerwcu.

– Cholera! Ale jaja! – Honorata nie mogła powstrzymać emocji. – Co zrobisz z dzieckiem? – zapytała.

– Jeszcze nie wiem – skłamałam.

– Przestań ją dręczyć, Honorka. – Hania przyszła mi z pomocą. – Damy radę, znam się na dzieciach. Mam szóstkę młodszego rodzeństwa.

Uśmiechnęłam się na taką deklarację, wiedząc, że los mojego dziecka jest już przesądzony. Mimo wszystko podziękowałam.

– Nie ma za co. Będziemy miały dziecko! – entuzjazmowała się Hania. – Siostrzyczki nie pozwolą ci zginąć!

– A już zwłaszcza Hildegarda – z przekąsem wtrąciła Wiktoria. – To nasza matematyca – wyjaśniła. – Okropna!

Dziewczyny przeszły do tematu nauczycielek, przestrzegając mnie przed „siekierami" i chwaląc te przyzwoite. Po kilku godzinach prania mózgu miałam dosyć, tymczasem czekało mnie jeszcze spotkanie z siostrą przełożoną. Wezwała mnie, żeby oficjalnie zapoznać z regulaminem szkoły.

Siostra krawcowa przy okazji wzięła miarę na mundurek, który niebawem i tak miał stać się za ciasny, dostałam książkę z modlitwami (przełożona dyskretnie nie zapytała, czy znam którąkolwiek) i zapoznano mnie z planem zajęć szkolnych i prac w internacie. Przeczytałam przysługujące mi prawa i obowiązki, podpisałam, podziękowałam i wstałam bez słowa, przytłoczona ogromem nowości.

– Jak odnajdujesz koleżanki z pokoju? – zapytała siostra Serafina, zanim zdążyłam odejść.

– Są bardzo miłe.

– Cieszę się. Mam nadzieję, że wszystkie będziecie się wspierać. Jak w rodzinie. Bo jesteśmy tutaj jak jedna wielka rodzina, która daje sobie siłę, ale nie pobłaża. Rozumiesz, o co mi chodzi?

– Nie bardzo.

– Twoi rodzice powierzyli nam ciebie z nadzieją, że skończysz szkołę i zdasz maturę. Postaraj się nie zaniedbywać w nauce i modlitwie, a wszystko dobrze się ułoży. Problemy możesz zgłaszać siostrze Anieli, również te ze zdrowiem. I oczywiście mnie. Jakieś pytania?

– Nie. Rozumiem – bąknęłam.

– W takim razie idź z Bogiem.

Ukłoniłam się skromnie, nie wiedząc, co odpowiedzieć. „Do widzenia", „z Bogiem" czy jeszcze inaczej?

Kolejne dni nie były łatwe. W niedzielę po raz pierwszy uczestniczyłam we mszy. W poniedziałek siostra przełożona na apelu przed lekcjami oficjalnie przedstawiła mnie wszystkim, informując o moim stanie błogosławionym, i poprosiła o ciepłe przyjęcie. W modlitwach, których zdążyłam się nauczyć, nie ustępowałam starym wyjadaczkom, nie wyróżniałam się, ale kiedy musiałam wytrzymać ich spojrzenia po ogłoszeniu ciąży, krew odpłynęła mi z twarzy. W mojej głowie huczał szmer szeptów, który przetoczył się przez gromadę koleżanek.

Lecz po jakimś czasie odczułam wdzięczność dla sióstr, że nie robiły tajemnicy z mojego stanu. Dziewczyny oswoiły się z obecnością kogoś takiego, a ja ze swoim wstydem. Zwłaszcza że rosnącego brzucha nie dawało się nie zauważyć. Zaprzyjaźniłam się z koleżankami z pokoju; wolny czas spędzałam na ogół z Hanią, z którą stanowiłyśmy zżyty tandem klasowych milczków, zaczytanych i próbujących sił w pisaniu.

– Co byś powiedziała, gdybyśmy wspólnie popełniły książkę? – zaproponowałam któregoś dnia.

– Jak to sobie wyobrażasz? – Wydawała się zainteresowana.

– Ja jeden rozdział, ty drugi. Co ty na to?

Wystartowałyśmy już następnego dnia, tworząc opowieść o dziewczynie, która jako siedemnastolatka zaszła w ciążę, została wydalona ze szkoły i urodziła. Przeszła trudną drogę, do chwili kiedy życie z dzieckiem nareszcie zaczęło jej się układać.

Pisanie wciągnęło mnie do tego stopnia, że przestałam tęsknić za domem i rodzicami. Znacznie lepiej czułam się w bezpiecznym azylu naszego internatu, z Hanią u boku i uporządkowanym planem dnia, choć czułam lęk przed wychodzeniem na ulicę, nawet w szeregu identycznie ubranych uczennic. Moja ciąża nie dodawała mi pewności siebie.

Płakałam, kiedy pod tekstem wpisałyśmy słowo „koniec". Nie dlatego, że oto zakończyła się wspaniała przygoda literacka – mogłyśmy przecież zacząć kolejną – ale dlatego, że pojawiające się skurcze sygnalizowały chęć poznania przez dziecko tego gorszego ze światów. Płakałam również nad sobą, zdając sobie sprawę, że nie jestem w stanie zrobić nic, co powstrzyma nieuchronne. Czyli adopcję.

– Mamy rodzinę – oznajmiła pewnego dnia siostra Brygida z ośrodka opiekuńczego, przedstawiona mi przez siostrę przełożoną kilka dni przed porodem. – To porządni ludzie. Wezmą dziecko prosto ze szpitala.

– Czy mogłabym ich poznać? – zapytałam nieśmiało.

Bohaterka mojej książki aż krzyczała o inne zachowanie.

– Niestety nie, Bożenko – usłyszałam kategoryczną odmowę. – Będzie lepiej dla wszystkich, jeżeli zachowamy status quo. Otoczymy cię opieką po porodzie, niczym się nie martw. Rodzicami adopcyjnymi też. To naprawdę prawi i bogobojni ludzie. I bardzo chcą mieć dziecko – dodała, głaszcząc moją dłoń. – Będzie mu u nich dobrze.

A co ze mną?! – chciałam wykrzyknąć, ale słowa uwięzły mi w gardle.

Następnego dnia przyjechała mama, która szczęśliwie zakończyła rok szkolny, więc mogła opuścić Warszawę.

Prawdę powiedziawszy, nie byłam zadowolona z jej przyjazdu, jak również z krótkich odwiedzin Brunona. Odnosiłam wrażenie, że pojawili się wyłącznie po to, by sprawdzić, czy nie wykręcę jakiegoś numeru i nie zmienię zdania w sprawie adopcji.

Mama zatrzymała się w pobliskim hotelu i starała się spędzać ze mną jak najwięcej czasu, podnosząc na duchu i dodając otuchy przed porodem.

Nie potrzebowałam tego, więc kiedy złapały mnie bóle nie do wytrzymania, o pomoc poprosiłam Hanię, która nie wyjechała do domu po zakończeniu roku. Kochana, wspierała mnie do końca.

– To chyba już. – Obudziłam ją około piątej nad ranem. – Bardzo mnie boli. – Przerażona złapałam się za brzuch.

– Lecę po siostrę!

Po chwili przybiegła siostra Aniela. Zobaczyła mnie skręcającą się z bólu, więc nakazała Hani przygotować torbę z rzeczami i zamówić karetkę. Sama przysiadła obok.

– Zaraz znajdziesz się w szpitalu i szczęśliwie urodzisz – uspokajała. – Będę się za ciebie modlić.

Wiedziałam, że nie są to puste słowa. Oczami wyobraźni widziałam ją w kaplicy, do której czasami również zachodziłam i ja, proszącą Boga o moje szczęśliwe rozwiązanie.

– Powiadomić mamę? – zapytała.

– Nie. Proszę.

– Czy chcesz mi jeszcze coś wyznać? – usłyszałam słowa, których nie potrafiłam zapomnieć przez całe życie.

Może gdybym wtedy była z nią szczera, wszystko potoczyłoby się inaczej?

– Gdzie rodząca? – przerwał nam głos lekarza.

Siostra Aniela wstała z mojego łóżka, a doktor sprawdził, czy dojadę do szpitala.

Odjeżdżałam karetką, modląc się z lęku przed bólem. I przed tym, co miało nastąpić, jeśli uda mi się szczęśliwie urodzić.

ROZDZIAŁ 13
DAGMARA

Dojechałam do Wrocławia zgodnie z założeniami, doceniając kilkugodzinną podróż, czas darowany mi na przemyślenie sytuacji, w jakiej się znalazłam. Byłam przekonana, że chcę osiedlić się w Toruniu z dziećmi i poprowadzić księgarnię. Choć ogarniało mnie przerażenie na myśl o przekonaniu do pomysłu Zosi i dogadaniu się ze Zbyszkiem, postanowiłam zawalczyć o swoją przyszłość. Kiedyś trzeba zacząć.

Batalia miała rozpocząć się od rozmowy z córką, bo pięcioletni Michaś nie stanowił większego problemu; mały łatwo przystosowywał się do nowych warunków. Liczyłam również, że Zbyszek zrozumie konieczność przeprowadzki i nie będzie stawiał przeszkód, gdy jego dzieci znajdą się trzysta kilometrów od niego. Miał przecież Sarę.

Ułożyłam sobie w głowie plan, zmotywowałam się do działania i zebrałam siły, lecz wszelkie próby nawiązania kontaktu z Zośką spełzły na niczym. Telefon nieustannie informował o nieosiągalnym abonencie, który jest poza zasięgiem. Postanowiłam wysłać esemesa.

„Córciu, będę w domu po dwudziestej. Proszę, nie wychodź dziś do Matyldy, chcę porozmawiać. To ważne. Mama”.

Zośka nie dała znaku życia, dlatego w domu spodziewałam się zastać wyłącznie Zbyszka z Michasiem. Tymczasem zobaczyłam synka, który słysząc mnie w przedpokoju, przybiegł się przywitać, i obrażoną córkę, pełną pretensji do całego świata.

– Nareszcie jesteś! – zawołała ze swojego pokoju. – Ojciec kazał mi siedzieć w domu i pilnować małego, bo z tą swoją lafiryndą idzie na kolację! Miałaś wrócić wczoraj!

– Dobry wieczór, córeczko – przywitałam się, dusząc w sobie złość, o jaką przyprawiały mnie jej odzywki.

Ucieszyłam się jednak, że jest w domu. Nie chciałam przed rozmową generować kłótni, więc pojednawczo zaproponowałam kolację.

– Kupiłam świeżą bazylię i parmezan. Przygotuję pesto – powiedziałam.

– Nie jestem głodna!

– A ty, Michałku? – zwróciłam się do skaczącego wokół mnie synka.

– Chodź, zobacz, zbudowałem wieżę! Tata mi kupił nowe klocki!

– Jaka piękna! – wpadłam w dobrze udawany podziw. – Dobuduj jeszcze jedną basztę, a mama zajmie się jedzeniem.

Skierowałam się w stronę kuchni z myślą, by jak najszybciej położyć małego i usiąść z Zośką.

Michał, na szczęście, wyjątkowo nie sprawiał problemów. Zmiótł makaron z pesto, pozwolił się położyć i zasnął przed zakończeniem trzeciej bajki z listy swoich ulubionych do snu.

Wróciłam do pokoju i opadłam na kanapę. Zośka siedziała w fotelu, bezmyślnie przerzucając pilotem stacje telewizyjne.

– Zasnął. Nareszcie spokój – zaczęłam. – Rozstaliście się z Kamilem? Pisałaś…

Przerwała mi gwałtownie.

– Nic. Pisałam w chwili słabości. Nie musisz się tym interesować.

W jednej chwili wezbrała we mnie złość. Przed południem przeczołgała mnie siostra, wieczorem przyszło mi odebrać cięgi od córki. Spróbowałam się opanować, jak zawsze, ale słowa wypłynęły ze mnie jak rwąca rzeka. Nurt pokonał tamę.

– Wyłącz telewizor! – poleciłam tonem nieznoszącym sprzeciwu.

O dziwo, moje dziecko wykonało polecenie. Patrzyło zaszokowane moją determinacją.

– Jeżeli nie chcesz, to nie musimy rozmawiać o Kamilu. Ale proszę, żebyś mnie wysłuchała – powiedziałam.

– O co chodzi? – zapytała przestraszona Zośka. – Źle się czujesz? Jesteś chora?

– Babcia zapisała mi swoją księgarnię.

– To świetnie!

– A ja chcę ją poprowadzić.

– Ale jak? Z Wrocławia?

Musiałam przystąpić do meritum planu, który przemyślałam w podróży. Być może moment nie był najlepszy, nie mogłam jednak czekać wiecznie na dobry humor córki.

– Zamierzam przeprowadzić się do Torunia. Z tobą i Michałkiem – wypaliłam.

Spodziewając się gwałtownego „nie!", dałam znak ręką, że chcę uzasadnić decyzję.

Zaszokowana Zośka odłożyła pilota na stół.

– Od dawna myślę o konieczności zmian w moim życiu. Chyba nie muszę ci tłumaczyć, jaką traumą był dla mnie rozwód z ojcem, a na kontakt z nim jestem narażona nieustannie ze względu na Michała. Mówiąc szczerze, praca w szkole też przestała mnie ostatnio satysfakcjonować. A i ty nie wydajesz się specjalnie zadowolona ze swojej szkoły. Gdyby nie spadek, prawdopodobnie nie odważyłabym się zacząć od nowa, ale jak widać, los dał mi szansę, a ja pragnę z niej skorzystać. Wiem, że to dla ciebie duża wolta. Zmiana miasta, szkoły i otoczenia, które znasz od urodzenia, to nie bułka z masłem. Ale może przynajmniej nie odrzucisz propozycji od razu? Pogadamy o tym? – zakończyłam pytaniem najdłuższą przemowę, jaką kiedykolwiek zaserwowałam własnej córce.

O dziwo, nie wyszła z pokoju, co zazwyczaj praktykowała, kiedy temat przestawał być dla niej wygodny. Spoglądała na mnie z zaciekawieniem, ale bez wrogości. Na szczęście.

– Okej. Załóżmy, że się zgodzę – powiedziała po chwili, wprawiając mnie w osłupienie. – Gdzie będziemy mieszkać? W babcinej willi? Chata jest super!

Nieoczekiwanie weszła na grząski grunt dotyczący podziału spadku. Ale czułam, że aby namówić ją do przeprowadzki, muszę być absolutnie szczera. Mimo zbuntowanej natury nastolatki, Zośka nieuchronnie zbliżała się do dorosłości. Wiedziałam, że funduję jej szok, jaki przedwczoraj stał się również moim udziałem. Bez tego jednak nie da się zaplanować przyszłości.

Przeszłam do sedna.

– Dom po babci odziedziczyła ciotka Laura – oznajmiłam. – Jak również chatę na wsi, samochód i oszczędności – relacjonowałam niczym notariusz na otwarciu testamentu. – Ja otrzymałam księgarnię.

– Chyba jest sporo warta? – zainteresowała się Zośka.

– Myślę, że lokal tak. W końcu mieści się na Starówce.

– Tyle co dom? – zapytała.

– Nie wiem, Zosiu. Myślę, że mniej. To mały lokal, a willa jest, jak wiesz, spora. Ale nie chodzi przecież o równy podział.

– Jak to nie?

– Ja jestem zadowolona z tego, co dostałam – odparłam pewnym tonem. – Babcia nie żyje, należy uszanować jej wolę.

– Ale o chatę powinnaś zawalczyć! – Zośka ze stanowiska „nie interesuje mnie spadek" przeszła na pozycję „nie daj się walić w rogi". – Mogłybyście sprzedać i willę, i księgarnię, i podzielić się kasą. Myślę, że lepiej byś na tym wyszła.

– Nie wyjdę, Zosiu. Ponieważ nie zamierzam podważać testamentu.

– No to sprzedaj księgarnię. Przynajmniej będziemy miały kasę na spłatę mieszkania – powiedziała. – A może nawet na zakup jakiejś skromnej kawalerki dla mnie. Mogłabym po maturze wyprowadzić się z domu. Za rok miałabyś mnie z głowy.

Sięgnęłam myślą do czasów własnej matury i mojej równie przemożnej chęci wyrwania się z rodzinnego miasta. Siadywaliśmy z moim ówczesnym chłopakiem Zbyszkiem na wiślanym bulwarze, w knajpie Flisaczej, przechadzaliśmy się obsadzoną kasztanowcami ulicą Bydgoską, w przypływie gotówki sączyliśmy wino Pod Kurantami i wybieraliśmy kierunek wyjazdu. Padło na Wrocław.

Nie chciałam zawadzać w domu. Nie czułam się na siłach nieustannie mierzyć z Laurą.

Kiedy zakomunikowałam rodzicom wolę studiowania poza Toruniem, mama nie zgłaszała sprzeciwu. Nie spytała, dlaczego wybieram wydział, na którym mogłabym studiować w rodzinnym mieście, i zgodziła się na finansowanie nauki.

Po wszystkim usłyszałam głos ojca.

– Teresa, nie rozumiem, dlaczego zgodziłaś się na wyjazd Dagmary – zgłaszał obiekcje. – W domu byłoby jej wygodniej i taniej.

– A pomyślałeś o Laurze? Nie bardzo dogadują się z Dagmarą, więc jeśli Daga chce jechać, to może jest to jakieś wyjście? Chyba stać nas na jej utrzymanie, Wojciechu?

Mama zwracała się do taty w ten sposób w momentach silnego wzburzenia.

– Nie podoba mi się to, ale rób, jak chcesz.

Szelest gazety był dowodem, że ojciec nie ma nic do dodania.

Po maturze złożyłam papiery na Uniwersytet Wrocławski, podobnie jak Zbyszek. A w październiku odetchnęłam z ulgą, lokując się w akademiku. Niespecjalnie miałam ochotę na wypady do domu. Najważniejsze, że ze Zbyszkiem mieliśmy siebie nawzajem, a przed sobą studia, nowe miasto i nowe wyzwania. Miałam łóżko w czteroosobowym pokoju w akademiku, miałam miesięczny budżet. Poczułam wolność i niezależność. Oto decydowałam o sobie! Chociaż świadomość, że moja nieobecność jest komukolwiek na rękę, tkwiła zadrą w sercu.

– Nie chcę mieć cię z głowy, Zosiu! – zareagowałam, może nieco zbyt impulsywnie, odsuwając od siebie wspomnienia. – A poza wszystkim jesteś dopiero w drugiej licealnej i do matury pozostał ci rok. Zresztą nawet gdy ją zdasz, nie musisz wyprowadzać się z domu.

– A ty jak zrobiłaś? – Dziecko wypomniało mi przeszłość. – Wyniosłaś się na studia jak najdalej i nie wróciłaś! A mnie nie chcesz wypuścić z domu po maturze? Przecież chyba wystarczy ci na kawalerkę?

A zatem rozmawiamy o sprzedaniu księgarni i zakupie lokum dla Zośki, która nagle poczuła chęć wyprowadzenia się z domu! Nie ten kierunek. Nie o to mi chodziło.

Zebrałam się w sobie i powróciłam do meritum.

– Zosiu, nie zamierzam sprzedawać księgarni. Chcę ją prowadzić – zakomunikowałam. – Babcia przekazała ją w moje ręce wraz z tym. – Sięgnęłam po list

– Nie wierzę! To jakaś ściema! – wykrzyknęła Zosia po przeczytaniu. – Byłaś adoptowana?

– To prawda – szepnęłam. – Dla mnie to również zaskoczenie.

– I ty w takiej sytuacji jeszcze chcesz prowadzić tę księgarnię? – zawołała. – Sprzedaj ją i tyle! Matka oszukiwała cię przez całe życie, a po śmierci wpuszcza cię w kontynuację jej dzieła? Bo ciotka Laura, jak wiadomo, się nie nadaje?

– Mimo wszystko chcę zająć się tą księgarnią – odparłam powoli i dobitnie. – Czy wyjedziesz ze mną do Torunia? – zapytałam.

I natychmiast przestraszyłam się odmowy.

Na chwilę zapadła cisza.

– Dobra – usłyszałam odpowiedź, której nie śmiałam oczekiwać. – Możemy spróbować.

– Naprawdę?!

– Tak. Kamil to dupek, ojciec też nie jest lepszy. A ciotce trzeba dać nauczkę! Kiedy wyjeżdżamy?

ROZDZIAŁ 14
BOŻENA

– Możesz wstać i przejść na salę porodową – odezwał się lekarz po przeprowadzeniu badania. – Pani Basiu, proszę pokierować pacjentkę – polecił pielęgniarce, zdejmując lateksowe rękawiczki.

Skurcze utrudniały mi opuszczenie fotela. Podpierana przez położną, wreszcie zsunęłam nogi i poczułam pod nimi bezpieczny grunt.

– Boli – wyszeptałam, łapiąc się za brzuch. – Nie mogę się ruszyć.

– Bolało to będzie za kilka godzin – usłyszałam. – Poród jeszcze nie zaczął się na dobre. Gdyby dzisiaj było więcej pacjentek, wylądowałabyś na przedporodówce.

– Jak to? Przecież mam skurcze co kilka minut.

– No właśnie. Zanim zaczną cię łapać częściej, może minąć sporo czasu. Cierpliwości.

Perspektywa wielu godzin oczekiwania na poród wprawiła mnie w przerażenie. Dałam się poprowadzić na porodówkę, dużą salę obłożoną niebieskimi kafelkami, które lata świetności miały dawno za sobą. Poczułam się jak w sklepie mięsnym – jasno, zimno i pusto. Wspięłam się na wskazane łóżko przy umywalce, oddzielone od pięciu pozostałych parawanem z ceraty.

– Za pół godziny będzie obchód – poinformowała mnie pielęgniarka. – Gdyby się coś działo, naciskamy przycisk. Nie jemy śniadania, możemy pić. Łazienka jest na końcu korytarza, na lewo od pokoju lekarzy. Jakieś pytania? – rzuciła lakonicznie, kończąc wydawanie instrukcji.

– Czy może odwiedzić mnie koleżanka?

– Nie ma mowy! Nikt poza pacjentką i personelem nie ma prawa przebywać na porodówce.

Zostałam sama.

Z korytarza dobiegał dźwięk metalowego wózka, którym rozwożono posiłki, a ja żałowałam, że nie zaopatrzyłam się choćby w kromkę chleba. Obiadowe zapachy przyprawiały mnie o silny skręt żołądka. Byłam głodna. Poranne bóle straciły na intensywności, a czas oczekiwania na kolejne starałam się wypełniać drzemką. Na szczęście pielęgniarka nie odmawiała mi szklanki wody z czajnika, która smakowała jak ambrozja.

Po piętnastej, kiedy większość personelu zakończyła pracę, pozostawiając pole do popisu dyżurującym, w szpitalu zrobiło się cicho. Umilkł stukot lekarskich drewniaków, krzątanina pielęgniarek. Od czasu do czasu dochodził mnie dźwięk umieszczonego na korytarzu telefonu, zapewniającego bliskim jedyną łączność z leżącymi na oddziale pacjentkami.

– Pani Kowalska z siódemki? Nie może teraz podejść, karmi. Proszę zadzwonić później – usłyszałam.

Telefon odezwał się ponownie.

– Rozmawiał pan z żoną dwie godziny temu, a od tego czasu nic się nie zmieniło. Dziecko jest w inkubatorze pod dobrą opieką. Więcej dowie się pan po jutrzejszym obchodzie. – Pielęgniarka uspokajała kolejnego tatusia.

W pewnym momencie usłyszałam nazwisko mamy.

– Pani Waleria Wodzińska? Do córki Bożeny? Zaraz ją zawołam.

– Mama czeka przy telefonie – zakomunikowała pielęgniarka, wyrastając znienacka przy moim łóżku. – Możesz podejść?

Korzystając z przerwy w skurczach, zsunęłam nogi z łóżka i doczłapałam się do telefonu.

– Jak tam, córuś? – spytała zatroskana mama. – Co mówi lekarz? Długo to jeszcze potrwa?

– Nie wiem. Ale coraz bardziej mnie boli…

– Jeszcze trochę. Bądź dzielna. Niebawem się skończy. Myślimy o tobie oboje. A Brunon załatwił nam wyjazd do Jugosławii. Odpoczniesz.

– Mamo, ja muszę wracać do łóżka – odparłam.

Odłożyłam słuchawkę i oparłam się o ścianę.

W mojej głowie zapanowała ciemność, podbrzusze ścisnął potężny ból. Osunęłam się na podłogę, czując pod nogami kałużę, oznaczającą odejście wód płodowych. Musiałam na chwilę stracić kontakt z rzeczywistością, bo kiedy się ocknęłam, leżałam w łóżku, z nogami do góry. Dostrzegłam nad sobą oczy lekarza. Jego słowa, początkowo dochodzące jak z zaświatów, stawały się coraz bardziej realne.

– Niedługo będziemy rodzić, pani Basiu – zwrócił się do położnej.

Przeraziłam się nie na żarty.

– To już?! A nie można by jeszcze chwilę poczekać?

Moją nieśmiałą próbę negocjacji przerwał ból. Zaczęłam głęboko oddychać, starając się przetrwać i nie umrzeć. Później nastała chwila spokoju, nie na tyle jednak długa, abym całkowicie zapomniała o cierpieniu. Boże, Boże, uwolnij mnie od niego! – zaczęłam modlić się w myślach. Zrobię wszystko, żeby tylko pozbyć się bólu!

Pan doktor zbadał mnie po raz kolejny.

– No to rodzimy! – usłyszałam i wpadłam w kompletną panikę.

– Nie chcę! Ja nie chcę rodzić! Boli mnie!

– Spokojnie, zaraz będzie po wszystkim. Jesteś młoda, zdrowa, wszystko pójdzie dobrze. Tylko skoncentruj się i nie panikuj – przemawiał spokojnie. – Wystarczy, że będziesz wykonywać moje polecenia. Przyj, mocno przyj. Nie tak rachitycznie! Postaraj się! – krzyknął.

Zaparłam się ze wszystkich sił, zaciskając ręce na metalowych poręczach przy łóżku.

– Dobrze! – pochwalił mnie doktor. – Za moment nadejdzie kolejny skurcz i wtedy musisz mu pomóc. Jeszcze mocniej niż poprzednio. Dwa, trzy razy i urodzimy! – sekundował mi skupiony i gotów do działania.

Przestałam myśleć i skoncentrowałam się na wykonywaniu rozkazów. Jak w wojsku.

Zaraz się to skończy i przestanie boleć! – dodawałam sobie otuchy.

– Widzę główkę – usłyszałam głos lekarza. – Jeszcze raz, Bożenko! Dobrze!

Niespodziewana ulga, która nagle ogarnęła moje ciało, była sygnałem, że się udało. A słowa doktora Rafała, którego imię przeczytałam na identyfikatorze, tylko to potwierdziły.

– Urodziłaś córkę – poinformował mnie.

Opadłam ciężko na łóżko i odprowadziłam wzrokiem różowe ciałko. Pielęgniarka natychmiast zgarnęła je do mycia, ważenia i mierzenia.

– Noworodek płci żeńskiej, zdrowy, waga trzy osiemset, długość pięćdziesiąt osiem centymetrów. – Przekazywała koleżance dane mojej córki.

Bezosobowo.

Po wszystkim zostałam położona na sali poporodowej, wśród pięciu innych matek, które spoglądały na mnie ze współczuciem w oczach – a może z niesmakiem? – że jestem taka młoda.

O północy pielęgniarka przywiozła dzieci do karmienia. Pięcioro. Nie było wśród nich mojej córeczki. Podobnie jak rankiem i w południe następnego dnia.

Za to odwiedzili mnie mama z Brunonem, który przyniósł worek niedostępnych na rynku pomarańczy. Rozdałam je innym matkom. Nie byłam głodna.

– Chciałabym zobaczyć moją córkę – poprosiłam mamę.

– To niemożliwe, kochanie. Dziecko zostało już przewiezione do sióstr.

– Ale nie rozumiesz…

– Tak będzie lepiej, Bożenko. Czy naprawdę musimy do tego wracać? No właśnie – powiedziała na widok mojej opuszczonej głowy.

Może rzeczywiście ma rację? – pomyślałam. A cała reszta to wyłącznie moje nierealne marzenia?

Mama idealnie odczytała mój nastrój i podsunęła mi do podpisania jakiś druk.

– To zgoda na adopcję, Bożenko. Podpisz, a mała trafi do dobrej rodziny.

Zawahałam się, ale podpisałam. Mrzonki koleżanek, że będziemy miały dziecko i wspólnie je wychowamy, okazały się równie sympatyczne, co nieprawdziwe.

Podpisałam, czując, że będę kiedyś żałować. Lecz swój krok tłumaczyłam sobie tym, że nie mam wyjścia. Bo tak właśnie myślałam. Żałowałam tylko, że nie pokazano mi małej. No i tego, że nigdy nie dowiem się, do jakiej rodziny trafiła ani jak będzie miała na imię.

ROZDZIAŁ 15
DAGMARA

Zośka zgadza się na przeprowadzkę do Torunia! – zakomunikowałam Marlenie po rozmowie z córką. – Nie wiesz nawet, jak się cieszę!

– Teraz tylko musisz wziąć się w garść i działać! – Przyjaciółka podzielała mój entuzjazm. – Kiedy przyjedziesz?

Ogrom spraw, jaki miałam do załatwienia, nie pozwalał określić terminu. Winiłam się za to, że podczas ostatniej wizyty w księgarni zdezerterowałam i nie znalazłam odwagi, żeby przedstawić się pracowniczkom jako nowa właścicielka. Męczyła mnie myśl, że nie kontroluję interesu. Marlena rozumiała to doskonale i zmobilizowała mnie w krótkich słowach.

– Radzę ci, wpadaj jak najprędzej, bo księgarnia od śmierci twojej mamy działa nielegalnie. Jesteś wprawdzie właścicielką lokalu i wszystkiego, co się w nim znajduje, ale nie weszłaś w posiadanie firmy. Żeby księgarnia mogła funkcjonować, musisz założyć działalność gospodarczą, wystąpić o NIP, Regon, zarejestrować się w ZUS-ie i w urzędzie skarbowym. A poza tym podpisać nowe umowy z pracownikami i wszystkimi innymi, na przykład z dostawcami.

– To znaczy?

– No wiesz, z dostarczycielami mediów, hurtowniami i firmami, z którymi współpracowała twoja mama. Z tym nie można czekać. Każdy dzień jest ważny. Mówię ci o tym, żebyś sobie nie nagrabiła.

Postanowiłam wyjechać niezwłocznie, natychmiast po rozmowie ze Zbyszkiem. Następnego dnia zaprosiłam go na kolację.

– Czemu zawdzięczam to miłe spotkanie?

Mój były, jak zawsze grzeczny, pojawił się o umówionej godzinie w naszym do niedawna wspólnym mieszkaniu.

Specjalnie zaprosiłam go, gdy Michał już spał, chcąc zapobiec sytuacji, w której w razie różnicy zdań Zbyszek próbowałby wykorzystać młodego do jakichś rozgrywek. Nie musiałam wypychać Zosi do koleżanki. Niebiosa mi sprzyjały – moja córka niezwykle zapaliła się do pomysłu. Znalazła nawet w internecie szereg atrakcji, które czekają na nią w Toruniu. Słowem, nie stanowiła zagrożenia podczas rozmowy z jej ojcem. Nie byłam jednak naiwna i zdawałam sobie sprawę, że chce uwolnić się od Kamila i jego towarzystwa, w którym ostatnio się kręciła. Moja propozycja trafiła na podatny grunt.

– W związku ze spadkiem po mamie chcę porozmawiać z tobą o przyszłości – zaczęłam bez zbędnych wstępów, stawiając na stole półmisek z ulubionym przez Zbyszka carpaccio z łososia.

Ta prosta potrawa, składająca się z płatów wędzonej ryby polanych oliwą wymieszaną z sokiem z cytryny i udekorowanych marynowanym pieprzem, listkami rukoli i posypana wiórkami parmezanu, nie byłaby może niczym specjalnym, gdyby nie fakt, że wiedziałam, gdzie kupić odpowiednio uwędzonego łososia i dodatki najwyższej jakości. Czyli takie, jakie akceptował mój były.

– Jak zwykle carpaccio jest bezbłędne – pochwalił, zagryzając kęsami bagietki, którą nurzał w oliwie.

Nie pożałowałam czasu na zdobycie pieczywa, nabywając je w piekarni prowadzonej przez rodowitego Francuza, znacznie oddalonej od mojego domu.

Zbyszek cenił sobie dobrą kuchnię.

– Może sałatki? – Podsunęłam mu salaterkę sałaty z pomidorkami cherry, ogórkiem, papryką i czerwoną cebulą, posypaną pachnącą bazylią i prażonymi piniolami.

Skrzętnie skorzystał z propozycji. Wymiótł zawartość obu naczyń, dolewając sobie białego wina, które przyniósł, spodziewając się, że będzie pasowało do menu. Kiedy jako danie główne podałam risotto z owocami morza, roześmiał się i zapytał o cel tych zabiegów.

– Daga, wszystko jest przepyszne, ale aż się boję myśleć, o co chodzi z tym spadkiem. Gdybyś mogła już dłużej nie trzymać mnie w niepewności… – poprosił, wycierając usta serwetką. – Nie spodziewam się, że gościsz mnie tak wykwintnie bez powodu.

Przełknęłam uwagę i przedstawiłam mu plan przenosin do Torunia. Nie ukrywałam treści listu od mamy. Dodałam, że Zosia zgadza się na zmiany w naszym życiu. Zbyszek słuchał uważnie, nie przerywając, a ja próbowałam w jego oczach odczytać reakcję, przygotowana na szczerość do bólu.

– Przykro mi – usłyszałam po zakończeniu swojej kwestii.

A więc jednak problemy. Carpaccio nie pomogło.

– Przykro mi z powodu tego, czego dowiedziałaś się od mamy – uściślił. – Szkoda, że chcesz wyjechać z Wrocławia. Będzie mi was brakowało.

Na te słowa moja dusza odfrunęła. Odetchnęłam z ulgą. Czekałam na dalszy ciąg, choć wciąż niepewna, czy w tej łatwej zgodzie nie ma drugiego dna. Obawiałam się, że Zbyszek zaraz się wycofa, każe mi oddać mieszkanie, postawi wymagania nie do spełnienia. Że rozniecona w jednej chwili nadzieja pryśnie jak bańka mydlana.

Jednak tak się nie stało. Mój były nie zamierzał podcinać mi skrzydeł.

– Gdzie będziesz mieszkać? – zapytał z troską w głosie.

– Jeszcze nie wiem. Będę musiała kupić coś w Toruniu.

– Ile pozostało ci kredytu do spłacenia?

– Ty swoją część spłaciłeś – odparłam.

– Ile? – ponowił pytanie.

– Trzydzieści tysięcy.

– Zapłacę.

– Jak to? Nie musisz.

– Ale chcę, Dagmara. Sprzedasz mieszkanie we Wrocławiu i będziesz miała na trzypokojowe w Toruniu. Nie martw się. Jeżeli kiedyś dorobisz się majątku na księgarni, to mi oddasz. Dobrze? – powiedział miękko i położył dłoń na mojej.

Z trudem opanowałam łzy wzruszenia, zastanawiając się, dlaczego niedobre wiatry rzuciły go w ramiona Sary.

Przecież choćby dzisiaj moglibyśmy razem zaczynać życie od nowa.

– Dziękuję ci – odparłam, zbierając się w sobie. – Oddam, kiedy tylko będę miała. Naprawdę ci dziękuję. Napijesz się kawy? – zaproponowałam, żeby nie rozkleić się na dobre.

Zbyszek wstał z kanapy, podziękował za kolację i skierował się do przedpokoju.

– Powinienem już iść – powiedział. – Będziemy w kontakcie. W sprawie mieszkania i innych rzeczy, w których będę mógł ci pomóc. Jedzenie było wspaniałe, Daga. Życzę ci powodzenia.

– Mam jeszcze jedną sprawę… – zdobyłam się na odwagę.

– Mów.

– Powinnam niezwłocznie pojechać do Torunia i przejąć księgarnię. Marlena wspominała coś o konieczności założenia działalności gospodarczej i załatwieniu innych formalności. Poza tym chciałabym zobaczyć się z kierowniczką i pracowniczkami, żeby przekazać im zarządzanie interesem do mojego przyjazdu na stałe. Marlena mówi, że to pilne.

– Kiedy mam się zaopiekować Michałem? – zapytał.

– No, nie wiem… Ale skoro sprawa jest pilna, to może w piątek? Wiem, że nadużywam twojej uprzejmości…

– Nie ma sprawy. Jedź. Poradzisz sobie z urzędami?

– Marlena mi pomoże.

Żegnaliśmy się w przedpokoju, nie wiedząc, czy wypada się pocałować, przytulić czy tylko podać sobie ręce.

Krępującą sytuację przerwał telefon od Sary.

– Już wracam, kochanie. – Zbyszek poinformował ją o zakończeniu naszego spotkania. – Będę za pół godziny. Przepraszam – zwrócił się do mnie. – Ona na mnie czeka.

– Jasne. Dziękuję ci za wszystko.

– Twoje umiejętności kulinarne są nie do przecenienia – dodał, całując moją dłoń. – Jesteśmy w kontakcie. Cześć, Zosiu! – zawołał jeszcze, ale nie doczekał się odpowiedzi.

Zamknęłam za nim drzwi z ciężkim sercem i oparłam się o framugę. Przecież to niemożliwe, że wciąż go kocham! – pomyślałam. Och, po prostu ujął mnie obietnicą spłaty kredytu i wsparciem dla przeprowadzki.

Odsunęłam od siebie ckliwe myśli. Zbyszek był z Sarą, a ja miałam przed sobą wyzwania. I tego trzeba było się trzymać.

– Zośka! – Wsadziłam głowę do dekującej się w swoim pokoju córki. – Jedziemy! Ojciec nie ma nic przeciwko!

– Wiem. Wszystko słyszałam – odparła. – Przynajmniej raz się dobrze zachował.

ROZDZIAŁ 16
DAGMARA

Czwartek poświęciłam na załatwienie najpilniejszych spraw, z których najważniejszą było wyproszenie u dyrektorki wolnego piątku. Postanowiłam nie ukrywać swoich planów i wyłożyć kawę na ławę.

– Pani dyrektor, powiem wprost. Mama zostawiła mi w spadku księgarnię w Toruniu, moim rodzinnym mieście, a ja postanowiłam ją poprowadzić. Zamierzam zrezygnować z pracy w szkole.

Szefowa nie wydawała się specjalnie zmartwiona.

– Gratuluję. To duże wyzwanie – stwierdziła. – Ale przecież jako polonistka zna się pani na książkach. A i biznesu też można się nauczyć.

– Mam taką nadzieję – przytaknęłam ochoczo, zadowolona z przebiegu rozmowy. – Chyba nie przysporzę pani kłopotów swoją decyzją?

– Nie ma obawy. Zastępstwo się znajdzie. Chociaż nie ukrywam, że jest pani silnym ogniwem naszej kadry.

– Dziękuję. Wiem, że wczoraj byłam nieobecna, ale muszę prosić o kolejny wolny dzień.

– Kiedy?

– Jutro – wydałam z siebie cichy dźwięk. – Przepraszam, wiem, że nadużywam… Dałoby się załatwić zastępstwo? Obiecuję, że po raz ostatni.

– Pani Dagmaro… I co ja mam z panią zrobić? Ile ma pani godzin?

– Tylko cztery.

– Zgoda. Postaram się kogoś załatwić.

Po lekcjach zrobiłam zakupy na następny dzień i zajęłam się małym.

Zosia wróciła wieczorem.

– Córeczko, jutro pilnie wybieram się do Torunia – zakomunikowałam jej przy kolacji i pokrótce nakreśliłam plan działania. – Wyruszę o piątej rano, około jedenastej spotkam się z Marleną, a potem wybiorę do księgarni. Obiecuję wrócić wieczorem. Ciebie proszę o odprowadzenie Michasia do przedszkola. Tato go odbierze.

– Okej. A co z twoją szkołą?

– Byłam u dyrektorki, zorganizują zastępstwo. Zapowiedziałam, że od przyszłego roku rezygnuję z pracy, ale na szczęście zrozumiała. Chętni na moje miejsce się znajdą. Z tego, co wiem, szefowa ma na oku jakiegoś protegowanego…

Wyruszyłam bladym świtem, podekscytowana podróżą i przytłoczona ogromem spraw do załatwienia, o których dotąd nie miałam pojęcia. Po tylu latach pracy w szkole, rzucona na głęboką wodę, miałam stać się przedsiębiorcą, zatrudniać ludzi, zarabiać na ich pensje, zusy i inne opłaty. I jeszcze się utrzymać. Obleciał mnie strach. Udręczona wątpliwościami i poczuciem stąpania po nieznanym grząskim gruncie zatrzymałam się na stacji benzynowej, by zjeść hot doga i napić się kawy.

– Gdzie jesteś? – Kontemplacje nad kubeczkiem życiodajnego płynu przerwał mi telefon od Marleny.

– Jakąś godzinę od Torunia. Zaraz będę – odparłam szczęśliwa, że słyszę jej głos. – Gdzie się spotkamy?

– U mnie w domu. Rodzinę wyprawiłam do pracy, szkoły i przedszkola, a zatem będziemy miały spokój. Komputer czeka.

– Komputer?

– No przecież masz się zarejestrować jako przedsiębiorca. Zrobimy to od ręki, tylko przyjedź – powiedziała. – Kawa też czeka – dodała.

Gdyby nie moja koleżanka z ADHD, zapewne próbowałabym chwilę odsapnąć po podróży. Jednak nic z tego. Marlena po krótkim powitaniu usadziła mnie przed ekranem, postawiła na stole talerz kanapek i zaczęła wprowadzać w temat.

– Tu masz wniosek o rejestrację firmy, który ma oznaczenie CEIDG-1. Od chwili gdy go wypełnisz i wyślesz do Centralnej Ewidencji i Informacji o Działalności Gospodarczej, formalnie staniesz się przedsiębiorcą i będziesz mogła zarządzać księgarnią. A potem załatwimy ci Regon, NIP i inne rzeczy. Przygotuj swoje dane. Wiesz, pesel, miejsce zameldowania, zamieszkania, serię i numer dowodu osobistego i takie tam.

Wypełniałam CEIDG pod dyktando Marleny, która poruszała się po rubryczkach, tak jak gdyby nic innego nie robiła przez całe życie. Na koniec sprawdziłyśmy dane. Pozostało już tylko kliknąć „wyślij".

– Możesz nacisnąć – zaproponowała Marlena, pochwyciwszy moje niepewne spojrzenie.

– Poszło! – Nacisnęłam klawisz, wysyłając wniosek w wirtualną przestrzeń.

– Gratuluję! Od teraz jesteś bizneswoman.

– Jak to?

– Normalnie. Możesz podpisywać umowy w imieniu księgarni, kupować książki w hurtowni albo brać w konsygnację, podpisywać się pod fakturami, wynajmować biuro rachunkowe, brać samochody w leasing i robić masę innych rzeczy. A wszystko w imieniu twojej firmy Księgarnia pod Flisakiem.

Słuchałam wywodu przyjaciółki jak zaczarowana. To bardzo miłe z jej strony, że uczyniła mnie przedsiębiorcą, ale co dalej? Mówiła o Regonie, ZUS-ie i czymś tam jeszcze. Złapałam się za głowę i wyraziłam obawę przed biurokracją, o której działaniu nie miałam pojęcia.

– Tym się nie martw – uspokoiła mnie Marlena. – Możesz wynająć człowieka, żeby załatwiał ci w urzędach sprawy związane z funkcjonowaniem firmy. Na przykład mnie. Najważniejsze jest jednak, o ile oczywiście chcesz, podpisanie owych umów z pracownikami księgarni. Bo od śmierci mamy pracują w firmie, która nie istnieje.

Miała rację. Powinnam niezwłocznie udać się na Kopernika. Zmobilizowana nagłą koniecznością zerwałam się z krzesła, jednocześnie dziękując Marlenie za pomoc.

– Jadę! – obwieściłam.

– Może chcesz, żebym ci towarzyszyła? – zapytała, odprowadzając mnie do drzwi.

– Nie ma potrzeby, Marlenko. Myślę, że z panią Grażyną się dogadamy. Poproszę ją, żeby dopełniła brakujących formalności. I tak dużo mi pomogłaś. – Uśmiechnęłam się z wdzięcznością, całując przyjaciółkę na pożegnanie.

Odmówiłam zaproszenia na obiad, wymawiając się wyjazdem.

– Niebawem nie opędzisz się ode mnie! – zażartowałam na koniec. Zatrzasnęłam drzwiczki i pokiwałam przez szybę na do widzenia. – Dziękuję!

Zegarek wskazywał pierwszą, a zatem uprzedzona o mojej wizycie pani Grażyna powinna już czekać. Nie znałam jej bliżej, wiedziałam jednak, że mama darzyła ją zaufaniem.

Ostatni raz mignęła mi na pogrzebie, jednak nie podeszła, by złożyć kondolencje.

Zbliżając się do Starówki, myślałam ciepło o osobie, która tyle lat przepracowała u mamy, a teraz będzie pracować w mojej księgarni. A przynajmniej taką miałam nadzieję. Kiedy dotarłam na miejsce, w środku kręciło się kilku klientów przeglądających zawartość regałów. Rozejrzałam się dokoła, szukając znajomej sylwetki, ale ponieważ jej nie dostrzegłam, zaczepiłam ekspedientkę.

– Dagmara Rudzka, córka Teresy Machoń. Szukam pani Michalskiej.

– Jest na zapleczu. – Kobieta machnęła ręką we właściwym kierunku. – Szefowo, ktoś do pani! – zawołała w stronę uchylonych drzwi.

Pani Grażyna wyciągnęła rękę na powitanie.

– Witam. Zapraszam. – Wskazała mi krzesło w niewielkim pomieszczeniu przeznaczonym na biuro. – Przepraszam za bałagan, nie mamy gdzie trzymać towaru – usprawiedliwiła obecność stert książek piętrzących się pod ścianami. – Napije się pani kawy?

Grzeczność nie pozwoliła mi odmówić.

– Justyna, możesz nam zrobić kawy? – zawołała pani Grażyna do jednej z pracowniczek. – To jest Justyna, a to córka pani Teresy. Nowa właścicielka księgarni – dokonała prezentacji.

– Poznałyśmy się kilka dni temu. – Przypomniałam Justynie swoją wizytę po odczytaniu testamentu.

– Pamiętam – odparła młoda kobieta.

– A ta przy kasie to Lidka – poinformowała mnie kierowniczka, przyzywając kasjerkę gestem.

– Miło mi. – Wymieniłyśmy uścisk dłoni.

Na zapleczu przez chwilę zapanowała krępująca cisza, którą zrzuciłam na karb nowej sytuacji, w której znalazłyśmy się obie. Postanowiłam przełamać lody.

– Pani Grażyno… Czy mogę się tak do pani zwracać?

– Oczywiście.

– A więc formalnie jestem już przedsiębiorcą i przejmuję księgarnię. Ale faktycznie pojawię się w Toruniu na stałe dopiero pod koniec czerwca – zaczęłam wyjaśnienia.

– Rozumiem.

– Muszę załatwić jeszcze szereg spraw urzędowych, na których, przyznaję, niespecjalnie się znam. Koleżanka, która prowadzi firmę, uświadomiła mi, że powinnam postarać się o Regon, NIP, zgłosić się do urzędów. I podpisać z paniami nowe umowy o pracę. I umowy z dostawcami.

– Orientuję się.

– Mam zatem pytanie. Czy podjęłaby się pani dopilnowania wynikających z tego wszystkiego obowiązków do mojego przyjazdu?

Pani Grażyna zlustrowała mnie przenikliwym spojrzeniem i po dłuższej chwili skinęła głową.

– Dobrze. Ale powinnam mieć notarialne upoważnienie – zastrzegła się. – W końcu skoro mam załatwiać sprawy finansowe, wypłacać pensje, płacić za książki, zamawiać nowe…

– Oczywiście. Zadzwonię do znajomego notariusza. Może uda mi się go ściągnąć.

– Nie ma potrzeby. Znam kogoś w pobliżu. Jeżeli pani chce, możemy to załatwić od ręki.

– W porządku. Pozostały umowy z paniami.

Pani Grażyna okazała się bardzo sprawna. Włączyła komputer i weszła do pliku z treścią umów.

– Mam je już na pulpicie – oznajmiła. – Wpiszemy tylko pani dane, wydrukuję i będą gotowe do podpisu.

– A jak w ogóle idzie interes? – zaciekawiłam się wreszcie. – Mogłaby mnie pani pokrótce zapoznać z księgowością?

– Teraz to niemożliwe, bo obsługuje nas biuro rachunkowe. Musiałybyśmy się tam udać po zakończeniu pracy.

– To może kiedy przyjadę następnym razem – zdecydowałam. – Jeszcze dziś wracam do Wrocławia. Do tego czasu Księgarnią pod Flisakiem rządzi pani. Obiecuję, że rozliczymy się dodatkowo – zadeklarowałam.

Pani Grażyna nie okazywała entuzjastycznej radości, ale trudno było się jej dziwić. Przez tyle lat pracowała z mamą, miała prawo obawiać się nowej właścicielki.

Po podpisaniu nowych umów o pracę podeszłyśmy do notariusza, u którego złożyłam podpis pod upoważnieniem.

– Mam nadzieję, że będzie nam się dobrze razem pracowało – pożegnałam moją zastępczynię. – Skoro mama miała do pani zaufanie, nie widzę powodu, żebym ja go nie miała – dodałam. – Proszę informować mnie o wszystkich problemach na bieżąco – poprosiłam i zostawiłam swój numer telefonu. – Niezwłocznie przyjadę.

– Oczywiście. Będę dzwonić – zapewniła mnie solennie.

Zostawiłam księgarnię w dobrych rękach. Mogłam spokojnie wracać do domu.

ROZDZIAŁ 17
BOŻENA

Stałam na rufie promu płynącego z Drvenika do miejscowości Sucuraj, znajdującej się we wschodniej części jugosłowiańskiej wyspy Hvar. Lipcowe słońce grzało niemiłosiernie, mimo późnych popołudniowych godzin. Prom zbliżał się do wyspy, na której miałam spędzić z rodzicami najbliższe dwa tygodnie, pozostawiając za sobą smugę białych bałwanków fal przecinających szmaragdową toń Adriatyku. Zbliżałam się do miejsca, które miało dać mi ukojenie po porodzie i dobrze nastroić na przyszłość.

Krótko mówiąc, rodzice drogim wyjazdem do Jugosławii pragnęli mi zrekompensować rozstanie z dzieckiem.

Obserwowałam oddalający się od brzegu masyw skalistych, sięgających ponad tysiąc siedemset metrów Gór Dynarskich, napawając oczy bajecznym widokiem, który rozpościerał się wokół. Drvenik ze swoimi kamiennymi domami i czerwonymi dachami powoli zaczynał przypominać rozmazaną pastelową plamę. Na horyzoncie pojawił się Hvar i położona na niewielkim wzniesieniu biała kamienna kapliczka. Łapałam wiatr we włosy, zastanawiając się, czy dobrze zrobiłam, przehandlowując córkę za dwa tygodnie w Jugosławii i życie pod dyktando rodziców.

– Jesteśmy na miejscu! – Rozmyślania przerwała mi mama, pojawiając się na górnym pokładzie. – Prawda, że tu pięknie?

– Bardzo – przyznałam z przekonaniem i skierowałam się do trapu.

Prom przybił do portu.

Kiedy Brunon sprowadzał auto na ląd, przeliczyłam w myślach, ile była warta transakcja sprzedaży mojej córki. Opłata paszportowa za jedną osobę wyniosła trzysta złotych. Za trzy osoby dziewięćset. Dewizy na nas troje to dwa tysiące czterysta dolarów. A zatem rodzice musieli wysupłać na wyjazd ze trzy pensje mojego ojczyma.

Zakwaterowaliśmy się w dwóch pokojach niewielkiego pensjonatu na wyspie. Bliskość plaży i egzotyka krajobrazu działały kojąco. Błękitna laguna za oknem korciła ciepłą wodą. Masyw gór na lądzie o różnych porach dnia przybierał różne odcienie szarości. Palmy zapewniały cień, krzewy kwitnącego czosnku i łąki mięty i bazylii pachniały jak nigdzie. Z dnia na dzień czułam się coraz lepiej. Zapomniałam o bólu i wyrzutach sumienia. Długie spacery wzdłuż brzegu, kolacje w portowych knajpkach, plażowanie, opieka rodziców pomogły mi wolno powrócić do normalności.

Któregoś wieczoru, przy kolacji z owocami morza, o których w kraju można było tylko pomarzyć, mama zapytała, czy miałabym ochotę wrócić do swojej dawnej szkoły.

– Nie, chyba nie – odparłam, przypomniawszy sobie Hanię i pozostałe dziewczyny z pokoju, siostrę Anielę, a nawet dość oschłą siostrę przełożoną.

Nie czułam się na siłach, by znaleźć się w gronie rówieśników z problemami podrastających nastolatków. Powrót do dawnego życia nie wydawał mi się realny.

– Jak chcesz, córciu – odparła mama, spoglądając znacząco na Brunona.

– Oczywiście – odparł. – Zrób maturę u sióstr. Do Warszawy wrócisz na studia.

Aprobata obojga uspokoiła mnie i pozwoliła zaakceptować sytuację, w jakiej się znalazłam. Po wakacjach czekała na mnie bezpieczna szkoła, Hania, Honorata i Wiktoria, i pokój, który będę mogła urządzić zgodnie z własnym gustem.

W końcu mała trafiła w dobre ręce…

„W Jugosławii jest pięknie", napisałam do Hani pod koniec pobytu, na pocztówce z widokiem zielonych wysp rozsianych po Adriatyku. „Przywiozę ci torebkę z lawendą", dodałam, zaopatrzona w miejscowe dobra.

Po dwóch tygodniach na powrotnym promie z Sucuraju do Drvenika czułam tęsknotę za tym, co mijało.

Resztę wakacji spędziłam w Warszawie, czytając, czytając, czytając. Z ulgą powitałam koniec sierpnia, a kiedy rodzice odwieźli mnie do internatu, byłam szczęśliwa. Do czasu gdy dowiedziałam się, że nie spotkam w nim Hani.

„Zmarł mój tato", pisała w liście. „Muszę pomóc mamie w opiece nad rodzeństwem. Mam nadzieję, że jeszcze kiedyś się zobaczymy. Napisz, co u ciebie".

Dotrwałam bez niej do matury, zadowalając się wymianą listów i pisaniem kolejnej książki, którą ciągnęłam już sama. Nie było źle. A kiedy dopadała mnie depresja, tłumaczyłam ją sobie bożym wyrokiem. Ponosiłam karę za oddanie dziecka do adopcji.

Przestałam jeździć do domu, wolny czas spędzałam w bibliotece, nie angażowałam się w działalność szkolnego teatru. Nie przyjmowałam wyciągniętej dłoni siostry Anieli, która usiłowała przywrócić mnie do życia.

– Bożenko, może mogłabym ci jakoś pomóc? – oferowała, widząc mnie w kaplicy lub nad książkami.

– Nie trzeba – odpowiadałam za każdym razem.

Wynalazłam sobie ważny cel: koncertowo zdać maturę i dostać się na wymarzone studia, które z pewnością zmienią moje życie i pozwolą zapomnieć o dawnym. Oddałam się zatem nauce i całkowicie przepadłam w książkach, z których nie wychodziłam aż do czwartego maja. Do dnia matury z polskiego, która mimo wielkich obaw zakończyła się sukcesem.

„Życie jest kwestią wyborów, tych wielkich i tych małych. Uzasadnij myśl przykładami z literatury".

Kiedy przeczytałam temat na tablicy, nie musiałam długo zastanawiać się, o czym będę pisać.

Dałam upust własnym przeżyciom, wprawiwszy w ruch długopis. Zatrzymałam go równo z końcem wyznaczonego czasu. Pracę oddałam z wypiekami na twarzy.

„Haniu, już po polskim", niemal natychmiast zasiadłam do listu. „Nie wiem, jak mi poszło, ale przynajmniej napisałam szczerze. Szkoda, że nie mogłaś przystąpić do matury. W następnym roku uda się na pewno".

Potem nastąpiły matematyka, angielski, historia.

Przed ogłoszeniem wyników matur miałyśmy mszę. Być może po raz ostatni w szkole odmawiałam modlitwę „Dziękujemy Ci, Boże, za światłość tej nauki", tym razem błagając żarliwie o dobre wyniki. Kiedy dowiedziałam się, że poszło mi najlepiej ze wszystkich uczennic, byłam szczęśliwa.

– Praca z polskiego Bożeny Wodzińskiej okazała się najlepsza – ogłosiła siostra przełożona na oficjalnym apelu. – Gratuluję ci szczerości i dojrzałych poglądów. – Podeszła i podała mi dłoń.

Uścisnęłam ją, zadowolona i skrępowana jednocześnie tym, co zawarłam w pracy. Na szczęście znałam siostrę przełożoną, więc nie spodziewałam się, że ujawni intymne szczegóły. Bo napisałam o dziecku i o tym, jak radzę sobie z zapominaniem.

– Bożenko, czy możesz podejść do mnie na podium? – usłyszałam.

Kiedy skrępowana stanęłam obok niej, zobaczyłam kilka rzędów koleżanek w granatowych garniturkach z białymi kołnierzykami, abiturientek naszej szkoły, którą miałam opuścić w najbliższych dniach. I nagle poczułam się naprawdę dobrze.

A gdy z magnetofonu popłynęły rytmy piosenki Queen *We Are the Champions*, zrozumiałam, że najwyższy czas zapomnieć o przeszłości.

Jeszcze ostatnia wspólna kolacja w refektarzu i musiałam się zbierać. Rodzice oczekiwali już w pobliskim hotelu.

Pożegnałam się z Honoratą i Wiktorią. Wymieniłyśmy się adresami i uściskami.

– Do widzenia, siostro Anielo. – Ze łzami w oczach dziękowałam tej, na której dobre słowo zawsze mogłam liczyć.

– Gdybyś kiedykolwiek czegoś potrzebowała… – Przygarnęła mnie do siebie. – Wiesz, gdzie mnie szukać. A teraz z Bogiem. – Odchrząknęła.

Odeszła, nie oglądając się za siebie.

Rzeczy nie miałam wiele. Wszystkie zmieściły się w jednej walizce.

– To chyba wszystko, dziewczyny – powiedziałam, ogarniając wzrokiem pokój. – Muszę jechać.

– Moi starzy też za chwilę będą – odezwała się Wiktoria.

– A ja jadę jutro rano – dodała Honorata.

– To co? Odezwiecie się? – zapytałam, z trudem powstrzymując łzy.

– No pewnie! – Padłyśmy sobie w objęcia. – Pisz! I w ogóle. Ja nie mogę! – poryczała się Wiktoria.

– Ja też. – Łzy popłynęły ciurkiem. – Szkoda, że Hania nie mogła…

– No… – przytaknęła Honorata.

Scenę pożegnania przerwała mama.

– Czas na mnie – powiedziałam.

Czekały mnie kawiarniane słodkości od rodziców z okazji fantastycznie zdanej matury i powrót do Warszawy.

Tymczasem najchętniej pozostałabym sama ze swoimi myślami.

ROZDZIAŁ 18
DAGMARA

Mamy dom! Mamy dom! – emocjonował się Michaś w samochodzie, który zaparkowałam przy jednej z odchodzących od Świętego Antoniego uliczek na toruńskim osiedlu Wrzosy.

Przywiozłam dzieciaki z Wrocławia corsą, obładowaną do granic możliwości.

Rzeczy, które postanowiłam zabrać ze starego mieszkania do wynajętego domku gospodarczego na tyłach posesji, wyjechały transportem pół godziny po nas. Zbyszek miał dopilnować, by wszystko zostało załadowane, opróżnić mieszkanie ze śmieci i niepotrzebnych szpargałów, a potem wystawić lokal na sprzedaż. Zgodnie z obietnicą spłacił do końca kredyt i zobowiązał się oprowadzać potencjalnych kupców.

Postanowiłam zwrócić mu jego trzydzieści tysięcy zaraz po udanej transakcji. I tak w ostatnim czasie zrobił dla nas bardzo dużo, poświęcając swój czas i uwagę mimo niezadowolenia Sary.

– Zobaczcie, jest huśtawka i trampolina! Będę miał trampolinę! – Mój synek podskakiwał z radości na widok spełnionego marzenia o własnym placu zabaw.

Musiałam nieco utemperować jego entuzjazm.

– Poczekaj, Michałku. Musimy zapytać pana, czy będziesz mógł korzystać z trampoliny.

– Będzie, będzie – wszedł mi w słowo pan Antoni Kotański, z którym dobiłam targu w sprawie wynajmu domku na najbliższe pół roku.

Typowy klocek z lat siedemdziesiątych stał frontem do ulicy Świętego Antoniego. Na zapleczu miał spory ogródek z domkiem gospodarczym składającym się z trzech pokojów, łazienki i niewielkiej kuchni. Mimo dość siermiężnego dizajnu, pamiętającego czasy epoki PRL-u, oba domy wydawały się zadbane. Trawa była starannie przycięta, gdzieniegdzie widniały wypielęgnowane klomby. Całość świadczyła o umiłowaniu porządku przez właścicieli.

– Przede wszystkim witam. – Pan Kotański wyciągnął rękę na powitanie. – Ty pewnie masz na imię Michaś, a ta pani to Zosia. Mam rację? – zwrócił się do mojej córki, całując ją w rękę.

– Po prostu Zosia. – Młodą speszyła ta galanteria.

– Przyjechaliście! – Z domu wybiegła żona właściciela, pani Gabrysia, pulchna, życzliwa i pogodna osoba, którą miałam okazję poznać już wcześniej. – Mam takiego wnuka, jak ty – zwróciła się do Michasia. – Dzień dobry. – Wyciągnęła rękę do mnie i do Zośki. – Co tak stoicie? Idziemy zobaczyć wasz dom – zdecydowała, wskazując kierunek.

Michał zatrzymał się przy trampolinie. Rzucił pytające spojrzenie, czy może ją jednak wypróbować.

– Baw się, ile chcesz – pozwoliła mu pani Kotańska, dodając, że jej wnuk Iwo korzysta z trampoliny bardzo rzadko. – Będzie mi niezwykle miło popatrzeć na dziecięce igraszki. Zaczęliśmy budować ten drugi dom dla córki z rodziną, ale niestety, młodzi postanowili wyjechać do Anglii. – Posmutniała. – Najpierw mieli pozostać tam rok, potem wyjazd wydłużył się do dwóch lat, a niebawem miną cztery, jak ich nie ma w kraju. Los… Dobrze przynajmniej, że teraz ten plac komuś się przyda.

Pozostawione przez gospodarzy, obeszłyśmy z Zośką wnętrze domu. Każda urządzała w myślach własny kąt, przyzwyczajając się do nowego miejsca.

– Ja biorę ten! – Moja córka zaanektowała pokój z oknem na zachód, ulokowany na końcu korytarza, najbardziej oddalony od kuchni.

– Będziesz miała daleko do lodówki. – Starałam się ją zniechęcić, upatrzywszy to pomieszczenie dla Michała.

– I dobrze! Nawet nie wymaga malowania – zauważyła.

Żaden z pokojów nie wymagał remontu, co między innymi było powodem mojej decyzji o wynajmie. Świeże, jasne i puste zachęcały do wstawienia mebli i osobistych dodatków. A z okien rozciągał się widok na ogród, w którym Michał akurat ujeżdżał huśtawkę na sprężynie, trzymając w ręce kawałek ciasta wetknięty mu przez panią Gabrysię.

Sama gospodyni niebawem stanęła w drzwiach, zapraszając nas na kawę i coś słodkiego.

– Może na chwilę usiądziemy przy stole? – zapytała. – Odpoczniecie po drodze.

Z ciężkim sercem spojrzałam na auto przypominające dwugarbnego wielbłąda, czekające na rozpakowanie.

– Myślę, że kilka minut nas nie zbawi. Zosiu? – Zerknęłam błagalnie na córkę. – Jestem trochę znużona.

Kawa była wyśmienita, podobnie jak karpatka domowej roboty. Rozmawiając z gospodarzami i doświadczając ich niewątpliwej życzliwości, zaczęłam się jednak zastanawiać, czy oto nie znaleźliśmy się w potrzasku ich niezaspokojonej miłości do córki i jej rodziny.

Miał to pokazać czas. A teraz pozostawało już tylko wziąć się do roboty i rozpakować graty, a później zebrać siły do jeszcze większego wysiłku rozplantowania rzeczy, które miały nadjechać wynajętym transportem. Właśnie dziękowałyśmy za przyjęcie, przygotowując się do tachania bagaży, kiedy nieoczekiwanie zadzwonił telefon.

– Gdzie jesteś? – usłyszałam zdecydowany głos Marleny. – Na miejscu? Dlaczego nie dzwonisz? Czekamy z Karolem na wieści!

Zanim zdążyłam wyjaśnić cokolwiek, moja przyjaciółka poinformowała mnie, że siła robocza już jedzie.

– Tak się cieszę, Daga! – Uściskała mnie na powitanie, zjawiwszy się wraz z mężem po dziesięciu minutach.

Nasze domy dzieliło zaledwie kilka ulic.

– Meble jeszcze nie dotarły? O, chyba jadą! – Marlena dostrzegła manewrujący opodal samochód z napisem „Przeprowadzki". – Karol, dzwoń do Marcina! – poleciła mężowi.

Marcinowi przybycie na miejsce zajęło kwadrans.

Przez moment stałam jak urzeczona, patrząc na akcję pomocy dla samotnej matki z dziećmi, lecz niebawem dyrygowałam już męską ekipą wstawiającą meble na miejsce, nosiłam co lżejsze bagaże, zerkałam na Michasia, nieustannie zajętego odkrywaniem nowych atrakcji w ogródku. Kiedy nagle zniknął mi z pola widzenia, domyśliłam się, że pani Gabrysia zabrała go do domu, żeby nie kręcił się pod nogami.

Z taką ekipą poradziliśmy sobie koncertowo. Po upływie niecałej godziny zapomniałam o samochodzie dostawczym, a swój, wypakowany, wprowadziłam do garażu. Krążąc po zagraconej kuchni, próbowałam znaleźć kupione po drodze produkty na kolację.

– Gdzieś tu miałam chleb i wędlinę… – postękiwałam, grzebiąc w rozstawionych po kątach pękatych torbach. – Zosiu, nie wiesz, gdzie sałata i pomidory? – Zrozpaczona bałaganem szukałam pomocy u córki.

– Nie wiem! – zawołała ze swojego pokoju, w którym właśnie zabrała się do rozstawiania książek na regale.

Wybaczyłam jej, zadziwiona tą nagłą aktywnością w zakresie prac domowych. Nie pamiętałam już, kiedy widziałam ją w domu w innej pozycji niż horyzontalna.

Z kłopotu wybawiła mnie Marlena.

– Po co ci chleb? Zabieramy was na kolację do nas – zarządziła. – Przyrządzimy grilla. Dziewczyny czekają z sałatką.

Stwierdziłam, że chyba znalazłam się w raju. Zaprzestałam koczowania w kuchni, zawołałam dzieciaki. Zmęczenie po całym dniu sprawiło, że z radością oddałam się w ręce przyjaciółki.

W ogrodzie Marleny poczuliśmy się jak na wakacjach, które nawiasem mówiąc, rozpoczęły się przed kilkoma dniami. Z ulgą i niekłamaną przyjemnością pozwoliłam się zwolnić z obowiązku pomagania gospodarzom w noszeniu do stołu i rozsiadłam się w wygodnym fotelu w ogrodowej altance.

Trzeba przyznać, że sześcioosobowa rodzina Marleny była doskonale przygotowana do przyjmowania gości. Drewniana altana w ogrodzie mogła pomieścić ich pokaźną gromadkę. Stacjonarny grill zajmował miejsce pod zadaszeniem; teraz, rozpalony przez Karola, przyciągał zapachem smakowitej karkówki i przypiekającej się kiełbasy. Na swoją kolej czekały kaszanka i kiszka ziemniaczana.

Kaśka z Agnieszką zastawiły pokaźny stół salaterkami z kilkoma rodzajami sałatek. W tych mniejszych dostrzegłam oliwki, korniszony i marynowane grzybki.

O dziwo, moja Zośka szybko nawiązała kontakt z córkami Marleny, a Michał z jej bliźniakami. Byli w tym samym wieku. Poważnie rozważałam propozycję przyjaciółki, żeby posłać dzieciaki do tego samego przedszkola.

Siedząc w wiklinowym fotelu, przyglądałam się korowodom przemieszczających się wokół bliskich mi ludzi, bojąc się, że to tylko sen, z którego za chwilę przyjdzie mi się obudzić. Zrzucałam z siebie trudy ostatnich kilku miesięcy po śmierci mamy: smutek, że już jej nie ma, niemiłe zaskoczenie wywołane listem, odcięcie mnie przez Laurę od rodzinnego dziedzictwa, zwolnienie się ze szkoły, niepokój o przyszłość.

Jednak przy okazji zmian poznałam również ludzi, którzy zechcieli mi pomóc. Jak choćby kręcąca się jak małe tornado Marlena ze swoją czeredą...

W ferworze zamętu nawet nie napisałam esemesa do Zbyszka! – zorientowałam się poniewczasie. Sięgnęłam po komórkę.

„Jesteśmy rozpakowani i siedzimy na grillu u Marleny. Dziękuję ci za wszystko. Byłeś nieoceniony. Bądźmy w kontakcie w sprawie mieszkania. Dagmara".

Odpisał niezwłocznie.

„Dbajcie o siebie. Pusto tu bez was. Z.".

– Co się tak zasępiłaś, koleżanko? – Marlena wyrwała mnie z zadumy nad wyświetlaczem. – Karkówka wjeżdża na stół! A tu jest twoje piwo. – Podała mi kufel z bursztynowym zimnym płynem.

– Ja nie wiem, czy powinnam – bąknęłam. – Jestem trochę zmęczona. Jak wrócę...?

– Taksówka was odwiezie. A jeżeli nie, to przecież możecie się przejść. Dziesięć minut drogi – przekonywała. – Widziałaś się ostatnio z Laurą? – zapytała, kiedy usiadłyśmy na uboczu, po zaspokojeniu pierwszego głodu pokaźną porcją wieprzowiny.

Przed nią nie musiałam ukrywać niczego.

– Unika mnie. Od tamtej pory, mam na myśli odczytanie testamentu, jak wiesz, byłam kilkakrotnie w Toruniu, lecz ani razu nie znalazła dla mnie czasu. Nawet nie wiem, czy wprowadziła się z rodziną do willi po rodzicach.

– Błąd, Daga. Błąd! – utyskiwała Marlena. – Nie potrafisz walczyć o swoje.

– Ale ja nie wiem, czy to jest moje. W tym rzecz.

– Głupia jesteś, tyle ci powiem. Nie masz niczego po rodzicach.

– Mam księgarnię – zaoponowałam.

– A jak idzie Michalskiej jej prowadzenie? Wychodzicie na swoje?

– Kiedy kontaktowałyśmy się ostatnio, mówiła, że wszystko jest w najlepszym porządku. Załatwiła sprawy w urzędach, przepisała na mnie umowy z mediami, płaci na bieżąco pensje, składki do ZUS-u, sprzedaje…

– A ty jej wierzysz?

– Wydaje się godna zaufania.

– A mnie się wydaje, że to rozwiązanie nieco ryzykowne. Dzisiaj ani jutro nic już nie zdziałamy – westchnęła. – Ale w poniedziałek lecisz do księgarni, do biura rachunkowego i siadasz nad papierami. Wiem, co mówię.

– Masz rację.

– Jeżeli chcesz, pojadę z tobą.

– Dzięki! Jeśli znajdziesz czas – zgodziłam się, czując, jak ogarnia mnie zmęczenie.

– Dobra, dzisiaj dam ci spokój – powiedziała Marlena. – Ale w poniedziałek się nie wymigasz.

Ciepły czerwcowy wieczór pieścił aksamitnym powietrzem. Zapach kwitnących jaśminów mieszał się z wonią kwiecia potężnej lipy stojącej w centralnej części ogrodu. Mimo lekkiego niepokoju, który wywołała we mnie Marlena pytaniami o księgarnię, czułam, że wszystko, co przede mną, musi się udać. Wystarczy jedynie wyspać się i zabrać do rzeźbienia nowego życia. Trzeba do końca rozpakować bambetle, zapisać Zośkę do nowej szkoły, znaleźć opiekę dla Michasia, kiedy będę zajęta pracą.

A w wolnym czasie, o ile znajdę środki, wyjechać na kilka dni z dzieciakami na wakacje.

To wszystko musiałam jednak odłożyć na później, ponieważ dzisiejszy aktywny dzień zbliżał się do końca.

– Jednak wezwę taksówkę – zdecydowałam, porzucając myśl o przechadzce do domu. – Było bardzo miło i serdecznie. Dzięki za wszystko! – Pożegnaliśmy rodzinę Marleny, by po raz pierwszy przespać się w nowym miejscu we własnych łóżkach.

ROZDZIAŁ 19
BOŻENA

Kiedy wspomniałam rodzicom, że wybieram się na dziennikarstwo, byli zachwyceni. Jak zwykle stanęłam na wysokości zadania, pomijając przejściowe nieprzyjemności, jakie zafundowałam im, zachodząc w niechcianą ciążę. Najważniejsze jednak, że zrealizowałam ich plan: przekazałam dziecko do adopcji, wspaniale zdałam maturę i wybrałam kierunek preferowany przez ojczyma.

Udało się im naprowadzić mnie na właściwą drogę edukacji, chroniącą przed pochylnią społecznego wykluczenia. Nie groziła mi już kontynuacja nauki w zawodówce i wychowywanie dziecka w stanie panieńskim, z adnotacją w dowodzie „ojciec nieznany". Krótko mówiąc, mimo przejściowych trudności, rodzice uchronili mnie przed towarzyskim stoczeniem się na dno, a posyłając do szkoły katolickiej, ustawili mi życiowe priorytety. Brunon był zachwycony, a matka odetchnęła z ulgą, widząc, że moje życie wraca na właściwe tory.

Był tylko jeden drobiazg, o którym nie mieli pojęcia. Na studia wybierałam się do Wrocławia…

Podczas wakacji zamieszkałam w rodzinnym domu, zajmując swój pokój na końcu korytarza, po dwuletniej przerwie zapoznając się z nim od nowa. Nie wydawał mi się już tak przyjazny, jak dawniej, kiedy jako nastolatka spędzałam w nim większość czasu.

Półki z ulubionymi przyjaciółkami-książkami okazały się zwyczajnymi regałami z rzędami martwych woluminów, a widok na podwórze z okazałym kasztanowcem przestał zachwycać. Pokryte kurzem, zwożone z wakacji bibeloty raziły dziecięcą naiwnością. Mimo że formalnie byłam jeszcze nastolatką, drażniły mnie porozstawiane wokół atrybuty licealistki, na siłę pragnącej zatrzymać dzieciństwo, które odeszło w cień wraz z urodzeniem małej.

Pchana przemożną siłą porządkowania życia, wyrzuciłam ulubione pluszaki, wkładając do wora ze śmieciami również ulubionego misia Tolka, którego dostałam pod pierwszą choinkę w życiu.

Moja córka nigdy nie dostanie podobnego ode mnie, myślałam przytłoczona wyrzutami sumienia, wyobrażając sobie ponadroczną dziewczynkę, jaką była w tej chwili.

Nie wiem, dlaczego właśnie teraz powróciło jej wspomnienie, bo w trakcie roku szkolnego poprzedzającego maturę niemal udało mi się o niej zapomnieć. Prawdopodobnie w bezpiecznych murach szkoły, w zaciszu pokoju do nauki, a w czasie wolnym w towarzystwie dobrze mi znanych koleżanek, znajdowałam azyl. Odcięłam się od zewnętrznego świata z ulicami pełnymi matek z wózkami, dzieci bawiących się na placach zabaw, szczęśliwych rodzin, które dostrzegałam na każdym kroku podczas nielicznych wyjazdów do domu. Powoli dochodziłam do wniosku, że jedynym sposobem na wyparcie dręczących mnie wspomnień będzie pożegnanie z własnym dzieciństwem.

Nawet Tolek nie miał prawa mi go przypominać.

Nadszedł upalny lipiec, rodzice zaczęli przymierzać się do wakacyjnych wyjazdów. Sobotni obiad z rosołem z prawdziwej wiejskiej kury, makaronem domowej roboty i drobiową potrawką miał stać się okazją do ich skonkretyzowania.

– Bożenko, zapraszam na obiad! – usłyszałam dochodzący z pokoju głos mamy. – Pani Wiesia zdobyła kurę prosto ze wsi! – poinformowała mnie, kiedy zasiadłam do stołu. – I zrobiła makaron!

Przepadałam za kuchnią w wydaniu pani Wiesi, nowej zdobyczy rodziców, która od jakiegoś czasu prowadziła im dom. Nie dość, że potrafiła z mąki, jajek i ziemniaków wyczarowywać najlepsze kopytka i kluski ziemniaczane, smażyć naleśniki, placki i robić pączki, to jeszcze umiała upolować na targu prawdziwą wiejską kurę, wiejski twaróg i mleko prosto od krowy, które po odstaniu swojego na okiennym parapecie można było kroić nożem. Albo wyjadać łyżką prosto z kamionkowego naczynia.

Wiesia w wolnych chwilach przygotowywała zapasy na zimę: gotowała kompoty, smażyła wiśniowe konfitury, agrestowe dżemy i śliwkowe powidła, wekowała ogórki, kładła do słoików pomidory na zupę.

Problem stanowił jedynie cukier niezbędny do zapraw, reglamentowany od dwóch lat. Dwa kilogramy przypadające na głowę na miesiąc, które mogliśmy nabyć na kartki, nie wystarczyłyby na dziesiątki słoików. Czoło temu problemowi stawił oczywiście Brunon, przywożąc pewnego dnia cudem zdobyty dwudziestokilogramowy worek pełen deficytowego towaru. Produkcja zapraw przebiegała zatem bez przestojów, a zapełniana spiżarnia zabezpieczała nas na zimę. Zwłaszcza że sklepowe półki zaczęły świecić pustkami.

Nie był to jednak mój problem. Jak do tej pory nie brakowało mi niczego.

Ugotowany na świeżej włoszczyźnie, posypany zieloną pietruszką rosół z kury z makaronem pachniał znakomicie. Kopytka w drobiowej potrawce nie miały sobie równych. Przy deserze mama zaproponowała wspólny wyjazd.

– Kochanie, mamy dwie propozycje – zaczęła, spojrzawszy znacząco na Brunona. – Co wolisz: Mazury czy Bułgarię?

– Nie wiem, czy w ogóle chcę z wami jechać – bąknęłam, zapatrzona w niemal pustą salaterkę po kisielu.

– Bo?

– Nie jestem już dzieckiem, żeby jeździć z rodzicami.

– A kto mówi, że jesteś? – odparła zaskoczona mama. – Świetnie zdałaś maturę, należy ci się wypoczynek przed studiami. Źle nam bywało razem na wakacjach?

Oczywiście, że bardzo dobrze. Zazdrościły mi wszystkie koleżanki, pomyślałam.

– Jestem zaskoczona! Co zatem postanowiłaś robić? – Mama nie zamierzała odpuścić.

Odniosłam nawet dziwne wrażenie, że chce mnie zatrzymać przy sobie.

Czyżby się obawiała, że oddalając się, popełnię jakiś błąd? Albo nie daj Boże, zechcę powrócić do przeszłości?

– Nie martw się – odparłam, starając się uspokoić jej obawy. – Nie będę szukała swojej córki.

– A czy ja coś takiego zasugerowałam? – Mama zareagowała alergicznie.

Wstała od stołu i sięgnęła po papierosa, co świadczyło, że właśnie to miała na myśli.

Brunon gwałtownie przerwał naszą utarczkę.

– Daj jej spokój, Walerio! Nie chce, nie musi z nami jechać. Jest dorosła. A tobie przypominam, że mieliśmy już nigdy nie rozmawiać o tamtych sprawach – zwrócił się do mnie kategorycznie. – Stało się, ale zapomnijmy o wszystkim. Nie po to wszyscy… – podkreślił ostatnie słowo – …przez to przechodziliśmy, żeby rozdrapywać rany. No więc, jakie masz plany? – zapytał, oczekując deklaracji.

Skuliłam się w sobie, bo w jego głosie pobrzmiewały nieznane mi tony.

– Jeszcze nie wiem – bąknęłam cicho. – Pewnie zostanę w domu.

– Dobrze. Zostań – powiedział. – Walerio, muszę na chwilę wyjść – zakomunikował. Spojrzał na zegarek. – Wrócę wieczorem – dodał.

Wstał od stołu i nie patrząc w moją stronę, skierował się do przedpokoju. Po chwili usłyszałam trzask zamykanych drzwi.

– Ech… I po co to wszystko? – Mama nalała sobie brandy.

– O co chodzi? Możesz mi powiedzieć? – zapytałam, nie znalazłszy powodu gwałtownej reakcji ojczyma.

– Jak to: o co chodzi? Nic nie rozumiesz? Wyrzuciłaś z pokoju prawie wszystkie swoje rzeczy, urządzasz jakieś demonstracje. A teraz odmawiasz wspólnych wakacji. Brunon tak się starał, załatwił ci szkołę, martwił się o ciebie, a ty kontestujesz. Nie odzywasz się do nas, patrzysz wilkiem, jakbyśmy ci coś zrobili. Atmosfera w domu jest nie do wytrzymania. Przez ciebie.

Nie sądziłam, że moje porządki w pokoju zostaną odebrane w ten sposób. Nigdy dotąd rodzice nie interesowali się jego wystrojem. Brunon nawet tam nie zachodził.

– Wyrzuciłaś swojego Tolka, którego kupiłam ci na twoją pierwszą Gwiazdkę – dodała ciszej mama. – Dlaczego?

Dotąd siedziałam cicho, ale emocje wreszcie zerwały się ze smyczy.

– Nie domyślasz się?! – krzyknęłam. – Po prostu właśnie teraz, po roku od porodu, kiedy już zdałam maturę i nabrałam trochę rozumu, pojęłam, co zrobiłam! Co zrobiliśmy – uściśliłam.

– Dlaczego my?

– Mamo, nie udawaj, że nie rozumiesz! Oddałabyś mnie obcym ludziom? Nie odpowiadaj, bo jeszcze się dowiem, że mogłabyś uczynić coś tak strasznego jak ja za waszą namową! Twoją i Brunona! Rok temu byłam przestraszona i głupia, ale teraz przejrzałam na oczy i dostrzegłam, że wyrządziliście mi ogromną krzywdę! I nie mam zamiaru jechać z wami na kolejne wakacje! Tyle. Nie potrafisz tego pojąć?

Mama z wrażenia dolała sobie brandy. Nie znajdując słów, sączyła zawartość kieliszka. A ja kontynuowałam.

– Potrafisz, tylko nie chcesz – ciągnęłam, podbudowana odwagą, z jaką nigdy do tej pory nie postawiłam się w domu. – Ponieważ boisz się, że będę szukać malutkiej i jeszcze, nie daj Boże, ją znajdę. I wtedy wszyscy się dowiedzą, że twoja córka zafundowała sobie dziecko w liceum. I ty będziesz miała wstyd, i Brunon, który tak się zdenerwował, że aż musiał wyjść, prawda?

– A zamierzasz jej szukać? – zapytała mama z trwogą.

Zorientowałam się, że mój tok myślenia jest prawidłowy.

Widząc ją zestresowaną i zapędzoną w kozi róg, postanowiłam wyjawić moje plany, zgodnie z którymi i tak niebawem miałam wyprowadzić się z domu. Jeszcze nie wiedziałam, gdzie i za co, ale jedno było pewne – do końca wakacji miało mnie tu nie być. Żebym mogła przeżyć i zacząć od nowa. Żeby wyzwolić się od nadopiekuńczości rodziców, która obróciła się przeciwko mnie. A przecież istniały inne rozwiązania. Mogli pozwolić mi zachować dziecko…

Nie umiałam już zostać z rodzicami, którzy nie potrafili przygarnąć małej.

To, co będę robić po wakacjach, przemyślałam, sprzątając pokój i jednocześnie porządkując w głowie myśli. Teraz pozostało ich przekazanie.

– Chciałabym pomieszkać z wami do końca sierpnia. No, może do połowy września – zaczęłam spokojnie. – Potem spróbuję znaleźć jakiś kąt we Wrocławiu i przeprowadzę się. Nie martw się, będę studiować, ponieważ chcę. Postanowiłam również… – podniosłam głos, by uniemożliwić próbę przerwania mojej wypowiedzi – … nie szukać swojej córki. O to możecie być spokojni. Ale jednocześnie chcę, żebyś wiedziała, że nie robię tego ze względu na was i wasz wstyd. Popełniłam straszny czyn i będę za niego pokutować, mając tylko nadzieję, że dziecko trafiło w dobre ręce. Będę żyła z tą świadomością do końca. Każdy nosi swój krzyż – dodałam ciszej.

Nie mogłam powstrzymać łez.

– Jaki znów krzyż, Bożenko? – usłyszałam.

Ledwie pomyślałam, że może zechce mi pomóc i odwrócić bieg zdarzeń, a dostałam obuchem w głowę.

– Czy po to wysyłaliśmy cię do sióstr, żebyś mi teraz wyskakiwała z jakimiś katolickimi teoriami? Przecież to miała być ochrona przed światem!

– Nic nie rozumiesz, mamo. I nie wiem, czy kiedykolwiek zrozumiesz – odparłam.

Czy jeszcze kiedyś będziemy w stanie szczerze porozmawiać? – pomyślałam.

– Mam nadzieję, że w przyszłości urodzę kolejne dziecko i będę je kochała z całych sił. Tak jak teraz kochają moją córkę obcy ludzie. Liczę, że los da mi jeszcze kiedyś szansę.

– Na pewno, Bożenko. – Mama powoli uspokajała się. Wyglądała na pogodzoną z moimi planami wyprowadzki z domu. – Wiesz, że na nas zawsze możesz liczyć – dodała.

Potwierdziłam bez przekonania.

Wiem. Posprzątam po obiedzie i pójdę do siebie – zakończyłam rozmowę.

Wstałam z krzesła i zgarnęłam talerze ze stołu.

Mama przyłączyła się do poobiednich porządków.

Poruszałyśmy się w milczeniu, każda pogrążona w swoich myślach. Moje krążyły wokół znalezienia lokum na najbliższe kilka lat studiów i sposobów ich finansowania, w razie gdyby Brunon nie zaakceptował mojej decyzji. Nie miałam zamiaru dociekać, o czym myśli mama.

Postanowiłam zadzwonić do Hani, która w ostatnim liście zapraszała mnie do siebie na wieś.

ROZDZIAŁ 20
DAGMARA

Zośka, wiesz, która godzina?! – Noc po kolacji u Marleny okazała się bardzo długa. – Jest wpół do pierwszej! – zawołałam, wyskakując z pościeli jak pershing. Nie mogłam uwierzyć, że zegarek wskazuje tak późną porę. – A gdzie jest Michałek? Michaś! – Szukałam synka po domu, nie zastawszy go w łóżku. – Nie ma go u ciebie? – Wpadłam do Zosi.

Ta jednak nie wykazała zainteresowania zniknięciem brata. Mamrotała pod nosem słowa niezadowolenia z powodu rabanu, jaki robię o tak wczesnej godzinie.

– Daj mi spokój! – odburknęła. – Idę jeszcze spać.

Machnęłam ręką i udałam się na dalsze poszukiwania.

Michała zastałam w ogródku, biegającego z plastikową kosiarką i taczką wypełnioną po brzegi chwastami.

– Synek, co ty robisz? – zapytałam. – Tak się przestraszyłam! Trzeba było powiedzieć, że wychodzisz na dwór!

– Mówiłem, ale spałaś – bąknął, kierując taczkę w stronę pryzmy kompostu, zza której wyłonił się pan Antoni.

– Opieliłem rabatę słoneczników i wywozimy chwasty – wytłumaczył. – A młody człowiek dzielnie mi pomaga – pochwalił i poklepał Michała po plecach. – Będzie z niego niezły ogrodnik!

Poczułam zażenowanie własnym sobotnim lenistwem.

– Przepraszam za kłopot – powiedziałam. – Nie pamiętam już, kiedy spałam tak długo. Michałku, idziemy do domu na śniadanie.

– Ja już jadłem. U cioci Gabrysi – odparł.

Zapakował do taczki kolejną porcję chwastów.

– Dziękuję za opiekę nad małym. Zapewniam, że taka sytuacja się nie powtórzy – kajałam się.

Pan Antoni roześmiał się i przygarnął mojego syna.

– Oby jak najczęściej! – powiedział. – Dla nas z żoną to wielka przyjemność pokręcić się przy dzieciach. W razie potrzeby może pani na nas liczyć.

Gdybym znała swoją biologiczną matkę, zapytałabym ją teraz, czy nie urodziłam się w czepku. Korowód życzliwych mi ludzi wydłużał się nieustannie, pogoda pieściła słońcem i lekkim wiaterkiem, zachęcając do spaceru po mieście, które zaplanowałam pokazać dzieciakom, gdy tylko uporamy się z rozpakowaniem kartonów zawierających najpotrzebniejsze rzeczy. Zostawiłam Michałka na dworze, a sama ochoczo zabrałam się do pracy. Zośce pozwoliłam urządzić jej pokój.

Ma na to całe wakacje, pomyślałam rozczulona, zasłuchana w dochodzące spod kołdry ciche pochrapywanie córki.

Byłam jej wdzięczna, że nie stawiała oporu, gdy padł pomysł przeprowadzki, w miarę dobrze zakończyła drugą licealną, dogadała się z córkami Marleny. Nie powinno być większych problemów z ulokowaniem jej w którymś z lepszych toruńskich liceów.

– Niech się wyśpi – mruknęłam pod nosem, bezszelestnie zamykając drzwi.

Skierowałam się do kuchni, żeby rozpakować naczynia. Michaś co chwila to wpadał do domu, to wypadał na dwór, rozkoszując się bliskością podwórka. I dopytywał o chłopców Marleny.

– Kiedy pójdziemy do Kacpra i Leszka? – dociekał, wyciągając z kartonów swoje zabawki. – Zrobimy plac budowy w piaskownicy!

– Może jutro zaprosimy ich do siebie, synuś – tłumaczyłam, z radością obserwując jego podniecenie. – Dzisiaj, kiedy tylko mama upora się z najgorszym, pojedziemy na obiad do miasta – przypomniałam. – Wolisz pizzę czy naleśnika?

– Pizzę, pizzę! Jedziemy już? Jestem głodny!

Z łazienki dochodził szum wody z prysznica. A zatem Zośka jednak wstała. Pojawiła się nadzieja na rychły wyjazd. Na szczęście moja córka również okazała się głodna, dzięki czemu szybko zapakowaliśmy się do samochodu i popędziliśmy do centrum, gdzie wmieszaliśmy się w tłum turystów. W poszukiwaniu przyjaznej pizzerii z zewnętrznym ogródkiem obeszliśmy Rynek Staromiejski wraz z okolicznymi uliczkami, opierając się lodom, gofrom i cukrowej wacie, by zostawić sobie miejsce na solidny posiłek. Aż w końcu zrezygnowaliśmy z pizzy na rzecz pierogów domowej roboty i placków ziemniaczanych ze śmietaną.

Po obiedzie zabrałam dzieciaki na Kopernika, żeby pokazać im moją księgarnię.

– Jest niedaleko domu, w którym urodził się Mikołaj Kopernik – tłumaczyłam Michałkowi. – Bardzo znany astronom. Kiedyś będziesz się o nim uczył. Księgarnia jest bardzo stara. Łuki na suficie i płaskorzeźby na ścianach mają po kilkaset lat. A ty ile masz?

– Pięć.

– No widzisz, a te łuki pięćset. Trochę więcej, prawda?

Interes powinien działać w sobotę do osiemnastej, z uwagi na wakacyjną porę. Oprócz książek mama sprzedawała również plany miasta, albumy, pamiątki, których najwięcej schodziło właśnie w soboty, kiedy do Torunia zjeżdżało się wielu gości. I choć pracownicy nie byli zadowoleni z pracy w weekendy, nie odpuszczała. Często stawała za ladą, żeby wspomóc sprzedaż.

Obiecałam dzieciakom pokazać księgarnię, ale kiedy dotarliśmy na miejsce, ze zdziwieniem stwierdziłam, że jest zamknięta. Sięgnęłam po telefon i wybrałam numer pani Grażyny Michalskiej.

– Dzień dobry, pani Grażyno, tu Dagmara Rudzka. Stoję przed księgarnią. Co się stało?

Niespójne tłumaczenie zaskoczyło mnie nieco. Kierowniczka plątała się w zeznaniach, ewidentnie zaskoczona moim przybyciem, którego tym razem nie anonsowałam. Zapytałam, czy jutro spotkamy się w godzinach pracy, pomiędzy dziesiątą a czternastą, ale niestety odpowiedź była odmowna.

– Lidka jest na urlopie – usłyszałam. – Justyna chora, a ja poza miastem.

– Trzy miesiące temu powierzyłam pani księgarnię. – Wzięłam głęboki oddech. – Informowała mnie pani na bieżąco, że wszystko jest w porządku, tymczasem okazuje się, że nie – skwitowałam, z trudem opanowawszy złość. – Czy ma pani dla mnie jeszcze jakieś inne wiadomości?

– Przekażę wszystko na najbliższym spotkaniu – odparła sucho.

– Mam taką nadzieję – powiedziałam równie oschłym tonem. – Proponuję zatem poniedziałek, pojutrze. Czy może pani przyjść na godzinę przed otwarciem? Żeby nie zakłócać pracy. Bo rozumiem, że pozostałych pań nie będzie?

– Będę o dziewiątej.

– Dobrze. Umowa stoi.

– Co tam, mamuś?

Przysłuchująca się rozmowie Zośka zaniepokoiła się nie mniej ode mnie.

Michaś zapytał, kiedy wejdziemy do środka.

– Nie wzięłam klucza, synku – powiedziałam. – Dzisiaj nic z tego. Ale nie martw się, zobaczysz wszystko niebawem – uspokoiłam malca. – A teraz na lody pod arkady! – odwróciłam jego uwagę.

– Coś złego się dzieje – skonstatowałam, gdy zrelacjonowałam Zosi pokrótce rozmowę z kierowniczką. – Jakoś dziwnie ze mną rozmawiała, Justyny i Lidii nie ma. Wietrzę kłopoty.

– Powinnyśmy chyba tam wejść – racjonalnie zaproponowała moja córka.

– Naprawdę zostawiłam klucz w domu.

– To pojedź po niego. Zostanę z Michałem. Przejdziemy się nad Wisłę.

– Tylko uważajcie! – przestrzegłam dzieciaki już w drodze do samochodu. – I pilnuj, żeby nie wpadł do wody!

– Bo przez Wrocław nie przepływa Odra! – ucięła moja córka sarkastycznie. – A ja nigdy nie widziałam rzeki. I Michał też. Idź już. Dopilnuję.

Obróciłam w ciągu czterdziestu pięciu minut, z czego dwadzieścia zajęło mi poszukiwanie klucza. Przerzuciłam kilka nierozpakowanych kartonów, nerwowo grzebałam w zapełnionych już rzeczami szufladach, wyrzuciłam na stół zawartość kilku moich torebek. Aż wreszcie sprawdziłam pęk kluczy, który zawsze nosiłam przy sobie.

Puknęłam się w głowę, wściekła na własną głupotę i rozkojarzenie.

Kiedy ponownie znalazłam się przed księgarnią, dzieciaków jeszcze nie było. Pierwszych oględzin dokonam sama, postanowiłam.

Na schodkach stwierdziłam, że przydałyby się balustrady, najlepiej ręcznie kute.

Klucz na szczęście pasował do zamka. Przy pierwszym podejściu udało mi się przekręcić go raz, ale drzwi opierały się nadal, więc spróbowałam ponownie. Zamek ustąpił, a ciężkie drewniane skrzydło uchyliło się lekko.

Na widok wnętrza ugięły się pode mną nogi.

W dobrze mi znanym pomieszczeniu, sklepionym łukami, pomiędzy bielonymi ścianami pokrytymi częściowo przyblakłymi malowidłami pamiętającymi średniowiecze, stały niemal puste regały. Na niektórych półkach walały się nieliczne książki. Na pierwszy rzut oka dawało się zauważyć, że wnętrze od dawna nie miało kontaktu z miotłą i ścierką do kurzu. W rogu dostrzegłam kosz pełen papierów, na parapecie doniczkę z przywiędłą paprotką.

Odruchowo skierowałam się do łazienki, nalałam wody do szklanki i podlałam roślinę, dając jej nadzieję na reanimację.

Za ladą, na starym miejscu, stał wysiedziany maminy fotel w stylu Ludwika Filipa, na który opadłam. Nie znajdowałam sił na dalsze oględziny. Rozglądałam się bezradnie po wszechobecnym spustoszeniu, gdy rozległo się pukanie do drzwi. Lecz dopiero gdy zabrzmiało donośniej, spojrzałam w stronę wejścia.

Zosia zaglądała przez szybkę.

Podniosłam się z trudem i otworzyłam dzieciakom. I natychmiast usłyszałam wymówki.

– Czemu nie dzwonisz?! Łazimy i łazimy dokoła, a ty tu sobie siedzisz!

Nie odpowiedziałam, a gestem zaprosiłam rodzinę do środka.

– O Boże…! – zreflektowało się moje starsze dziecko. – Co tu się dzieje? Mamo? – Przerażona Zośka zakryła usta dłonią.

– Nie wiem, córuś. Ale wygląda to tak, jakby przez księgarnię przeszło tornado

– No. Zadzwonię po ciocię Marlenę – wymyśliła plan ratunkowy.

– Nie teraz. Nie będę jej zawracać głowy w sobotnie popołudnie.

Niewątpliwie czekały mnie kolejne trudności i wyzwania. Nie spodziewałam się ich, choć zafundowałam je sobie na własne życzenie. Trzeba było nie zostawiać księgarni obcej babie! – westchnęłam poniewczasie.

Gapiłam się na ten krajobraz po bitwie, zastanawiając się, jakie rewelacje przyniesie poniedziałkowa rozmowa z Michalską. Co mi po życzliwości tylu osób, skoro ja sama nie potrafię zakręcić się wokół własnych interesów? – dumałam.

– No, dzieciaki, do domu! – zarządziłam.

– Mogę zabrać te puzzle? – Michaś zauważył na półce kolorowe pudełko.

– Weź. Pewnie, że weź. – Machnęłam ręką.

– A pójdziemy na lody? – drążył.

– Jasne!

ROZDZIAŁ 21
BOŻENA

Hania mieszkała w niewielkiej wiosce, kilkadziesiąt kilometrów na południowy zachód od Warszawy. I choć nigdy wcześniej tam nie byłam, znałam okolicę z jej opowiadań. Wyobrażałam sobie zagubioną wśród pól stacyjkę, na której zatrzymują się lokalne pociągi, z uwagi na zły stan torów poruszające się z prędkością żółwia. Oczami wyobraźni widziałam kępy brzozowych lasów, jesienią pełne borowików, i wijącą się rzeczkę, jedną z nielicznych atrakcji dla dzieci z kilku podupadłych gospodarstw i pegeerowskich bloków.

Zdecydowałam się zjawić bez zapowiedzi. W ostatnim liście Hania wspomniała, że z powodów finansowych musiała zrezygnować z telefonicznej łączności ze światem. Jedyną szansą na rozmowę był aparat w pobliskim pegeerze, ale numer nie odpowiadał.

Postanowiłam zatem zrobić niespodziankę, nie bawiąc się w wymianę korespondencji.

Atmosfera w domu była nieciekawa – rodzice zachowywali wyniosłe milczenie, odzywając się zdawkowo, a ja czułam się jak intruz. Potrzebowałam rozmowy z kimś życzliwym. W odwodzie miałam wprawdzie siostrę Anielę, ale ona właśnie wyjechała na misję do Ameryki Południowej, na której miała pozostać przez co najmniej rok.

Ania, moja najbliższa przyjaciółka z warszawskiego liceum, obracała się obecnie w nowym kręgu znajomych, z którymi po zakończeniu roku szkolnego wyjechała na Mazury. Zaproponowała spotkanie za dwa tygodnie.

A za Hanią zwyczajnie tęskniłam. Miałam naprawdę wielką ochotę spotkać się z nią i zobaczyć, jak radzi sobie po śmierci ojca z matką i sześciorgiem młodszego rodzeństwa.

Uprzedziłam rodziców o wyjeździe, zapakowałam do plecaka kilka zabawek, których nie zdążyłam wyrzucić, dwie tabliczki czekolady podkradzione Brunonowi z barku i wsiadłam do pociągu. Dla Hani wiozłam cienie do powiek, które dostałam od mamy na Wielkanoc. Kupiła je w peweksie za dwadzieścia dwa dolary, co stanowiło równowartość jej miesięcznej pensji.

– Brzeziniec! – zawołał konduktor, kiedy pociąg, skrzypiąc, rzężąc i buchając parą, zatrzymał się na niewielkiej stacyjce.

Porwałam plecak i po dłuższej chwili mocowania się z drzwiami znalazłam się na peronie.

Krajobraz przypominał ten z Haninych opowieści: polne drogi, brzozowe laski, bezkres pól i łąk. Nie wiedząc, w którą stronę się skierować, wybrałam najporządniej wyglądający trakt i ruszyłam w drogę. Rozglądałam się za kimkolwiek, kto mógłby udzielić mi informacji.

Los mi sprzyjał. Na horyzoncie pojawił się pokaźny wóz z sianem.

– Przepraszam, szukam domu Hani Zawadzkiej – powiedziałam, kiedy zbliżył się na tyle, że woźnica mógł mnie usłyszeć. – Czy idę w dobrym kierunku?

– Pani, ale to ze trzy kilometry będzie! Jeśli chce, to ją podwiozę – zaproponował.

Spojrzałam bezradnie na górę siana.

– Chętnie, ale…

– No to wskakuj pani na furę! – Woźnica wskazał mi miejsce na stercie.

Zeskoczył z kozła, żeby mnie podsadzić.

Perspektywa trzech kilometrów po piaszczystej drodze, w upale, nie była zachęcająca. Przy pomocy mężczyzny wdrapałam się na siano i rozlokowałam.

– Niech się nie boi, nie zrzucę! – zapewnił mnie woźnica.

Odpowiedziałam niepewnym uśmiechem.

Niepokój o życie targał mną przez całą drogę, która na szczęście nie trwała długo.

Pierwszą radość poczułam w chwili zeskoczenia na twardy grunt, drugą na widok Hani.

Za płotem wyciągała z ziemi warzywa. Pomachała mi radośnie.

– Bożenka? Co ty tutaj robisz? – zawołała. – Dziękuję, panie Marianie, że przywiózł pan moją przyjaciółkę! – zwróciła się do mojego wybawcy.

– Niech będzie na zdrowie – odparł woźnica, zacinając konia.

– Musiałam się z tobą zobaczyć – powiedziałam po prostu. – Jak tu u was ładnie!

– A tam! Zadupie i tyle. – Hania machnęła ręką. – Wejdź do środka, poczęstuję cię zsiadłym mlekiem i truskawkami. Bo obiad jeszcze muszę ugotować.

Dopiero przejście przez próg uświadomiło mi, w jak skromnych warunkach mogą mieszkać ludzie. Trzy niewielkie pokoiki, z których jeden pełnił również funkcję kuchni, drewniana sławojka na zewnątrz. Łazienki nie zauważyłam. Okazało się, że mieści się za zasłonką w kuchennej części izby.

– Jesteś sama? – zapytałam, rozglądając się ciekawie.

– Aha. Jeszcze przez kilka minut. Mama poszła z dzieciakami na jagody. Nie obrazisz się, jeśli zabiorę się za obiad? Zabiłyśmy kurę i rodzina czeka na rosół.

Zszokowana obserwowałam, jak Hania obiera warzywa na zupę, sprawnymi ruchami rąk zagniata makaron, nie zapominając o podkładaniu do paleniska żeliwnej kuchni, na której gotowała się woda na kompot. Pozbawiając truskawki szypułek, zasypała mnie pytaniami o szczegóły zdarzeń, które znała z listów: jak przeżyłam maturę, co z Honoratą i Wiktorią, co u siostry Anieli, gdzie będę się dalej kształcić, gdzie jadę na wakacje.

I ani słowa o ciąży.

Przyglądałam się Hani i zastanawiałam się, czy oto rzeczywiście trafiłam do starej przyjaciółki – nieco zalęknionej, wyciszonej i lekko zacinającej się dziewczyny ze wsi, która starała się nie wchodzić nikomu w drogę. Teraz emanowała energią, sprawnością, optymizmem.

Kiedy z lasu powróciła jej rodzina z wiaderkami pełnymi jagód, rosół pyrkał cicho na piecu, kompot studził się w garnku ustawionym w misce z zimną wodą, odlany makaron domowej roboty leżał rozłożony na talerzach, sztućce były porozkładane, brudne naczynia pomyte. Przyglądałam się oszołomiona, nie będąc w stanie znacząco Hani pomóc. Potrafiłam co najwyżej usmażyć jajecznicę albo ugotować jajko. Rozłożyłam zatem obrus i nakryłam do stołu.

Hania przedstawiła mi mamę i rodzeństwo. Po wspólnie zjedzonym obiedzie poleciła młodszym siostrom pozmywać i zagarnęła mnie dla siebie.

– Mamo, idziemy nad rzekę. Wrócimy wieczorem – poinformowała.

Zabrałyśmy ze sobą łubiankę truskawek i słoik kompotu.

– Ale ja chyba powinnam wracać do Warszawy… – powiedziałam bez przekonania, po cichu licząc na sprzeciw.

Mimo że nie bardzo potrafiłam sobie wyobrazić, gdzie miałabym spać.

– Nie wypuszczę cię – zaoponowała gwałtownie Hania. – A poza tym dzisiaj nie odchodzi już żaden pociąg.

Rozwiała moje obawy co do noclegu, proponując spanie na sianie.

– Jest gorąco, w stodole będzie nam dobrze. O ile się nie obrazisz?

Perspektywa była bardziej nęcąca niż dzielenie pokoju z kilkoma obcymi osobami.

– Jasne.

Droga nad wodę nie zajęła nam dużo czasu. Przemierzyłyśmy kilkaset metrów piaszczystej ścieżki prowadzącej wąwozem w kierunku najbliższej brzeziny, by po jej obejściu znaleźć się na skarpie, z której rozciągał się cudowny widok na zakole leniwie płynącej rzeczki, meandrującej wśród łąk.

– Pięknie tutaj! – pochwaliłam szczerze po raz kolejny, napawając się widokiem łąk i gęstwiny szuwarów porastających brzeg.

– Możemy tu przysiąść. – Hania zaproponowała zagłębienie wśród wystających z ziemi korzeni potężnej lipy. – Czasami tu przychodzę… – dodała drżącym głosem.

Usiadłyśmy obok siebie i w milczeniu zapatrzyłyśmy się na zachodzące na horyzoncie słońce. Czułam, że moja przyjaciółka chce mi się zwierzyć, a i ja nabrałam ochoty na szczerość.

– Mów pierwsza. – Hania oddała mi pole.

– Może ty?

Roześmiałyśmy się obie.

– Dobra. To ja – przejęła inicjatywę. – Muszę się stąd wyrwać, muszę skończyć liceum i rozpocząć studia – wyrzuciła z siebie. – We wrześniu wracam do szkoły.

– Wspaniale! A co z nimi? – zapytałam o rodzinę.

Pominęła pytanie milczeniem i przystąpiła do analizowania minionego roku.

– Kiedy zmarł tato, znaleźliśmy się w strasznym położeniu. Pracował w pegeerze jako kierowca. Co miesiąc była pensja, dostawał deputaty w postaci kilku worków ziemniaków na zimę, siana dla krowy, węgla. Czasami przyniósł z pięć kilogramów mąki albo cukru. Mama chowała drób, były jajka, raz do roku zabijaliśmy świnię, trzymaliśmy warzywniak, chodziło się do lasu po jagody, grzyby, sprzedawało na targu w pobliskim miasteczku. Ciężko było, ale wystarczało. Tato chciał, żebym się kształciła, i odkładał po kilka złotych na szkołę u sióstr, ale kiedy zmarł, musiałam wrócić. Mama nie dałaby rady.

Słuchałam jak porażona, mimo że znałam tę historię z listów. Jednak słowa płynące bezpośrednio z ust Hani robiły wrażenie.

– Tylko ja już nie mogę tak dalej, Bożenko! Nie mogę ugrzęznąć na tej wiosze! – Rozpłakała się, zakrywając twarz dłońmi.

Nie znajdując słów, objęłam ją ramieniem i przytuliłam.

Hania otrząsnęła się. Już uspokojona, przedstawiła swój plan.

– Zostałam z nimi cały rok, żebyśmy wszyscy doszli do siebie. Załatwiłam rentę z pegeeru, nauczyłam Marysię i Pawełka zajmowania się młodszym rodzeństwem. I postanowiłam wrócić do szkoły, ale tym razem w Warszawie. Nie stać mnie na czesne u naszych sióstr.

– A gdzie będziesz mieszkać?

– Chcę wynająć jakiś kąt. Odłożyłam parę groszy, pracując przy truskawkach i czarnej porzeczce. Na początek wystarczy. A potem rozejrzę się za jakąś pracą.

Nagle wpadł mi do głowy wspaniały pomysł.

– Ja też zamierzam wyprowadzić się z domu. Fajnie byłoby zamieszkać razem. Tylko… – zreflektowałam się. – Niestety, wybieram się na studia do Wrocławia.

– Poważnie?! To zrządzenie losu albo palec boży! – wykrzyknęła Hania.

– Jak to?

– Siostra Anielka poleciła mi szkołę z internatem we Wrocławiu i załatwiła miejsce, gdzie mogłabym trochę dorobić. Nie brałam tego specjalnie pod uwagę, bo to daleko od domu, ale teraz… I tak nie będę przyjeżdżać tutaj zbyt często!

Kilka kolejnych godzin zeszło nam na snuciu planów. Gdy już wypłakałam się na Hani ramieniu z żalu, jaki miałam do rodziców, obie doszłyśmy do wniosku, że trzeba myśleć o przyszłości, a nie rozpamiętywać przeszłość.

Wracałam do Warszawy pełna dobrych myśli.

Musiało się udać.

ROZDZIAŁ 22
BOŻENA

Nie zgadzam się kategorycznie na taki scenariusz! – Mama zareagowała gwałtownie na mój pomysł zamieszkania z Hanią w internacie prowadzonym przez siostry. – Co one z tobą zrobiły w tej szkole? Może jeszcze zostaniesz zakonnicą? – złościła się.

Nie pomagało tłumaczenie, że potrzebuję niezależności, nie będę sama i że sobie poradzę.

Próbowała wykpić moje, jak to określiła, „idiotyczne niedojrzałe" pomysły, oparte na zasadzie „na złość mamie odmrożę sobie uszy". Byłam przecież młoda, zaczynałam poważne i wymagające studia, których chyba nie mam zamiaru spieprzyć, tak jak pokpiłam dobre warszawskie liceum? Wówczas trzymający rękę na pulsie rodzice byli w stanie mi pomóc i wyprowadzić niesforną nastolatkę z niechcianą ciążą na dobrą drogę. Lecz teraz, kiedy zacznę życie na własną rękę „tak daleko" i popełnię kolejne głupstwo, „kto ci pomoże?".

Niczego nie pojęła, niczego się nie nauczyła! Wyparła z głowy moje dziecko, mnie samą traktowała jak małą córeczkę. Nie pomagały rozmowy ani racjonalne argumenty. Dlatego w pewnym momencie zrezygnowałam z perswazji i zdecydowałam się na ostateczny krok. Zaczęłam pakować walizki.

Dopiero wtedy się opamiętała.

– Bożenko... – Stanęła w drzwiach, przyglądając się, jak wymiatam z szafy ubrania. – Skoro już się wyprowadzasz, chciałabym zamienić z tobą jeszcze dwa słowa. Możemy usiąść? – Wskazała na moje łóżko.

– Proszę, siadaj. Ja muszę się spakować – zgodziłam się, nie przerywając swojego zajęcia.

Obawiałam się, że to kolejna próba pacyfikacji niesfornej córki.

– No cóż, nie wydaje mi się słuszne to, co chcesz zrobić...

Miałam rację! – pomyślałam ponuro.

– Ale skoro nie zamierzasz zmienić zdania...

– Nie zamierzam – przerwałam jej w pół słowa i wrzuciłam do walizki dwie pary spodni.

– ...postanowiliśmy z Brunonem wypłacać ci miesięcznie dwa tysiące złotych na utrzymanie.

W tunelu pojawiło się światełko porozumienia.

Przyznam, że propozycja była nęcąca, bo w ostatnich dniach głowiłam się, skąd wezmę pieniądze. Po cichu liczyłam na wsparcie rodziców, nie miałam jednak pewności. Tym razem jednak stanęli na wysokości zadania. Nie dość, że nie wypisali mnie z rodziny, to jeszcze zaproponowali finansowanie.

– Naprawdę chcecie mi dawać pieniądze? – Spojrzałam z niedowierzaniem.

– A jak wyobrażasz sobie utrzymanie się w obcym mieście? – uśmiechnęła się mama. – Przykro, że chcesz nas opuścić, ale...

– Dzięki.

– ...będziesz nas odwiedzać?

– Pewnie, że będę. A jak znajdę pracę, to postaram się na siebie zarobić – zadeklarowałam, choć miałam świadomość, że moja obietnica jest mało realna.

Relacja Hani z jej dorywczych zajęć uświadomiła mi, jak trudno młodemu człowiekowi zarobić jakikolwiek grosz. Państwowe przedsiębiorstwa miały obłożone etaty, a u prywaciarzy można było załapać się jedynie latem.

– To dobrze. A teraz zapomnijmy o wszystkich złych chwilach – zaproponowała mama, zamykając mnie w nieporadnym uścisku.

Aż do tamtej chwili nie przytulała mnie prawie nigdy.

– Tak będzie najlepiej – zgodziłam się.

Uwolniłam się z uścisku i zaciągnęłam zamek przy walizce.

Kolejne dni przyniosły wielkie zmiany. Pod koniec sierpnia obie z Hanią wyjechałyśmy do Wrocławia – ona, aby rozpocząć rok szkolny, ja na studenckie praktyki robotnicze w zakładach przetwórstwa owocowo-warzywnego. Miałam pakować ogórki do słoików i poznawać smak pracy fizycznej.

Zajęłyśmy pokój w internacie.

– Ja biorę to! – zawołałam, rzucając się na łóżko w pobliżu okna.

– Nie pozostaje mi nic innego, jak zająć to drugie – stwierdziła Hania z udawanym zawodem.

Wspólny pokój, który miał nam służyć przez najbliższe kilka lat, cieszył nas ogromnie.

Początki zapowiadały się nieźle. Urządzałyśmy się z entuzjazmem pionierów: ubrania trafiły do szafy, walizki pod łóżka, przybory kosmetyczne zajęły miejsce na szklanej półeczce nad umywalką. Mój kubeczek z przywiezioną przez Brunona z zagranicy pastą Colgate i markową szczoteczką boleśnie kontrastował ze zgrzebnym ceramicznym kubkiem z napisem „GS Samopomoc Chłopska", ogólnodostępną mazistą pastą do zębów i mocno sfatygowaną szczoteczką Hani.

Przez moment chciałam zaproponować jej korzystanie z mojej pasty, ale zrezygnowałam, by nie poczuła się skrępowana.

Za jakiś czas pewnie i ja będę kupowała szampon Popularny i zwykłą niveę do mycia zębów, pomyślałam.

Wyprowadzka z domu oznaczała rezygnację z luksusów, które do tej pory zapewniał mi ojczym. Trzeba było przystosować się do dostępnych na rynku dóbr dla każdego. Trochę szkoda, ale coś za coś, westchnęłam.

Hania zaczęła naukę na początku września, ja pod jego koniec.

Przed Instytutem Nauk Politycznych zebrała się kilkudziesięcioosobowa grupka wypatrujących opiekuna roku. W końcu stanął przed nami trzydziestokilkuletni na oko blondwłosy facet, podobnie jak my nieco skrępowany sytuacją.

– Nazywam się Artur Zawistowski – przedstawił się. – Jestem opiekunem waszego roku, a przy okazji będę miał z wami zajęcia z wywiadu prasowego. Zapraszam do sali numer dwa. Przekażę wam najważniejsze informacje dotyczące studiów i odpowiem na wasze pytania.

Usiadłam w ostatnim rzędzie i rozejrzałam się dokoła. Chłopcy zajęli miejsca bliżej katedry, dziewczyny za nimi. Doktor Zawistowski pokrótce zapoznał nas z planem studiów i regulaminem, wręczył indeksy, zaprosił na immatrykulację.

– Czy są jakieś pytania? – Rozejrzał się po sali. – Widzę, że nie, więc zapraszam do auli. Tekst ślubowania macie w indeksach.

Wstaliśmy.

Nie spuszczałam wzroku z doktora Zawistowskiego. Jeśli tak jak on mają wyglądać wszyscy wykładowcy na naszym wydziale, dobrze trafiłam, pomyślałam. Wysoki, postawny, pewny siebie, a jednocześnie niepozbawiony chłopięcego wdzięku… Wydawało mi się, że ściągnięty spojrzeniem zerknął raz czy dwa w moją stronę.

– Zachować postawę moralną i obywatelską godną studenta Polskiej Rzeczypospolitej Ludowej. Systematycznie i pilnie zdobywać wiedzę w celu należytego przygotowania do pracy zawodowej i aktywnego uczestniczenia w budowie socjalizmu. Ściśle przestrzegać przepisów regulujących porządek studiów oraz zarządzeń szkoły i organów zwierzchnich. Okazywać należyty szacunek władzom szkoły oraz właściwie zachowywać się względem przełożonych. Przestrzegać zasad współżycia koleżeńskiego. Szanować mienie szkoły – deklamowałam podczas uroczystości pasowania na studenta, po której stałam się żakiem pełną gębą.

– To może pójdziemy gdzieś się zabawić? – usłyszałam głos Konrada, kolegi, który zdążył się wszystkim przedstawić już wcześniej.

Sformował się wokół niego krąg zainteresowanych. Pozostałych, bardziej zachowawczych, zachęciło skinienie dłoni.

– Idziesz? – zwrócił się do mnie Konrad.

Wyczekujące spojrzenia reszty wprawiły mnie w lekki popłoch.

O ósmej powinnam znaleźć się w internacie, myślałam gorączkowo. Hania będzie czekać. No i wcale nie wiem, czy mam ochotę znaleźć się na imprezie, na którą zaprasza chłopak, który z pewnością nie zamierza zaprowadzić nas do baru mlecznego.

Na drugiego Aleksandra nie miałam ochoty.

– Sama nie wiem...

– Chodź, idziemy wszyscy! Pan doktor Zawistowski też idzie z nami – zachęcił, puszczając do mnie oko.

Na dźwięk nazwiska naszego opiekuna mocniej zabiło mi serce. Przeliczyłam drobniaki w portmonetce i ruszyłam do knajpy.

ROZDZIAŁ 23
DAGMARA

Muszę się już zbierać do księgarni, Zosiu. – Dopijałam ostatni łyk kawy, nerwowo kręcąc się po kuchni.

– Zostaw talerze, posprzątam. – Moja córka zadeklarowała pomoc. – I ogarnij się jakoś – dodała. – Czeka cię niezła batalia z tą Michalską. Nie martw się o młodego, dzisiaj jeszcze się nim zajmę, ale pamiętaj, żeby załatwić mu jakieś półkolonie. Nie zamierzam go niańczyć przez całe wakacje.

Miała rację. Właśnie rozpoczęły się dwa wolne miesiące, które trzeba było sensownie zaplanować. Zbyszek chciał zabrać Michasia do siebie w pierwszej połowie sierpnia, Marlena rzuciła pomysł, by na jakiś czas mój syn pojechał z jej rodziną do wiejskiego domku. Byłam wdzięczna obojgu, ale nie zwalniało mnie to z obowiązku zapewnienia opieki małemu na całe wakacje. Postanowiłam niezwłocznie zabrać się do poszukiwania półkolonii, z nadzieją, że organizuje się takowe dla pięciolatków. Jeżeli naiwnie wyobrażałam sobie, że jako właścicielka księgarni będę miała dużo wolnego czasu, to ostatnia wizyta w niemal pustym lokalu uświadomiła mi, jak bardzo się myliłam. Zamiast wakacji czekało mnie gaszenie pożaru i ratowanie resztek interesu.

– Pomyślę, jak zagospodarować czas Michałowi, a ty zastanów się, gdzie chciałabyś wyjechać. Też musisz odpocząć. Pogadamy o tym później, dobrze?

– Idź już, idź – pogoniła mnie Zośka. – Przecież widzę, że nie możesz usiedzieć. – Zakończyła rozmowę i sięgnęła po ostatni kawałek sera na półmisku. – Tylko zrób zakupy, bo jedziemy na resztkach.

Zajrzałam do portmonetki, skąd wygrzebałam garść drobnych.

– Gdybym nie wróciła do drugiej, zamówcie pizzę – powiedziałam.

– Okej. Tylko pamiętaj, że na piątą jestem umówiona z Kaśką – przypomniała.

Wiadomość, że znalazła wspólny język z córką Marleny, była jak balsam na moje serce. Skwapliwie zgodziłam się wrócić na czas, posłałam córce buziaka i wsiadłam do auta.

Na Starówce było jeszcze sporo wolnych miejsc parkingowych. Zajęłam jedno z nich, szacując, ile czasu zabawię w księgarni. Zapłaciłam za dwie godziny. Powinno wystarczyć.

Zbliżając się do księgarni, sięgnęłam po klucz, ale okazał się niepotrzebny. Drzwi były otwarte. W środku powitała mnie kierowniczka. Zaprosiła do stolika.

– Może kawy? – zaproponowała.

Zaskoczona jej opanowaniem przysiadłam na krześle.

– Cukier, śmietanka? – zapytała, stawiając na blacie dwie filiżanki.

– Dziękuję.

Spokój i dobre samopoczucie Michalskiej szokowały. Siedziałyśmy w scenografii jak po klęsce żywiołowej, wśród niemal pustych półek, a kierowniczka przyjmowała mnie jak gościa. Początkowo zbiła mnie z pantałyku, lecz w końcu przystąpiłam do ataku.

– Pani Grażyno, czy może mi pani wyjaśnić, co tu się dzieje? – zapytałam ostro. – Dlaczego nie ma książek i dlaczego księgarnia jest zamknięta?

– Owszem. Chętnie pani wyjaśnię.

I zaczęła mówić.

Każde jej zdanie wprowadzało mnie w coraz większe osłupienie. Oto zostałam ograbiona w majestacie prawa.

– Pracowałam u pani Teresy ponad siedem lat – zaczęła. – Lidka i Justyna nieco krócej. Będę dobrze wspominała ten czas, chociaż nie zarabiałyśmy zbyt dużo. Nie wiem, czy pani orientuje się, jak obecnie wygląda sytuacja na rynku? – Zawiesiła głos. – Krótko mówiąc, małe księgarnie muszą walczyć o byt – podjęła po chwili. – Robiłyśmy, co mogłyśmy, ale obroty spadały. Nierzadko dostawałyśmy pensje z opóźnieniem. A jakieś pół roku temu pani mama gorzej się poczuła i przestała regularnie przychodzić do księgarni. Prowadziłam kartoteki naszych dostawców, hurtowni i wydawców, od których braliśmy towar, starałam się płacić faktury, ale niestety nie sprzedawaliśmy tyle, by zawsze robić to w terminie. A i z naszymi wynagrodzeniami było coraz gorzej. Późną jesienią pani Teresa przejrzała ze mną dokumenty – okazało się, że jesteśmy winni hurtowniom i wydawnictwom spore kwoty. Od tej pory cały utarg szedł na spłacanie długów. W grudniu odebrałyśmy ostatnią pensję, w styczniu pani Teresa poprosiła, żebyśmy zaczekały do dziesiątego lutego. Nie zdążyła nam zapłacić, jak pani wie. Zmarła siódmego.

– Przepraszam, ale czegoś tu nie rozumiem – wtrąciłam. – Widziałyśmy się przecież po śmierci mamy. Nie mogła mi pani wówczas przedstawić sytuacji? Przecież znalazłoby się jakieś rozwiązanie. Zapłaciłabym wam pensje.

– Z czego? – Michalska podniosła głos. – Przecież ta księgarnia nie jest perspektywiczna! Mamy dużo gorsze obroty niż kilka innych księgarni na Starówce, tych bliżej Rynku! Klienci kupują u nas głównie plan miasta i czasami albumy, a na tym nie robi się pieniędzy. Powiem wprost, pani Dagmaro. Pani mama była bardzo zachowawcza i nie pozwalała wprowadzać żadnych zmian. Bała się inwestować. Dlatego interes upadał.

– Wciąż nie rozumiem, co się tutaj stało. – Powiodłam wzrokiem po pustych regałach.

– Pani Teresa spłaciła dostawców, co oznacza, że książki, które pozostały w sklepie, stały się jej własnością. Krótko mówiąc, wyprzedawałyśmy je, nierzadko po promocyjnych cenach, by odebrać wynagrodzenia za zaległy styczeń i kolejne miesiące. Z utargu zostało dziesięć tysięcy złotych i właśnie tę kwotę przekazuję pani teraz. Bardzo mi przykro, ale nasze wypowiedzenia również.

Słuchałam tego wywodu jak zaczarowana, starając się odnaleźć w nowym dla mnie świecie biznesu. Czułam się jak kapitan tonącego statku, z którego uciekają szczury.

– Czy mogę zapoznać się z dokumentami? – zapytałam.

– Ależ proszę bardzo. Tutaj są kartoteki dostawców, z których dowie się pani, jakie tytuły dostarczyli i w jakich ilościach. Tak jak wspomniałam, wszystkie dostawy są zapłacone. Książki, które ma pani na półkach, też. Reszta należy do pani. A! I jeszcze jedno – dodała Michalska. – Zgodnie z pani pełnomocnictwem załatwiłam firmie Regon, NIP, zgłosiłam działalność do ZUS-u i urzędu skarbowego. Może pani zaczynać od nowa. Życzę powodzenia. – Wyciągnęła dłoń w moją stronę.

Widząc moje wahanie, podeszła do komputera i otworzyła plik pod nazwą „Księgarnia pod Flisakiem".

– Tutaj ma pani kartoteki dostawców, umowy, ważniejsze kontakty, spisy faktur. – Wskazała. – I radzę zrobić inwentaryzację – dodała, zbierając się do wyjścia.

Miałam ochotę zapytać, dlaczego mi to wszystko robi, czemu mnie zostawia, czym naraziła się jej mama, że postanowiła pozostawić po sobie takie zgliszcza...

Ona jednak uznała rozmowę za zakończoną.

– Pani Dagmaro, jest mi bardzo przykro z powodu śmierci pani matki – powiedziała na pożegnanie. – Służę informacją i radą, gdyby pani kiedyś potrzebowała.

Po wyjściu Michalskiej zamknęłam drzwi na klucz i rozsiadłam się w fotelu mamy, wyciągając nogi przed siebie.

Co za bezwstydna świnia! – myślałam, zaciskając pięści. Co za gadzina! Wyprzedała księgarnię bez konsultacji ze mną, żeby sobie wypłacić pensję! Jak gdyby nie można było tego załatwić inaczej! Zostawiła mnie z niemal pustymi półkami!

Powstrzymałam się przed wybraniem numeru Marleny. Dwie godziny parkowania jeszcze nie minęły. A zresztą nawet gdyby, to niech straż miejska mnie skasuje! Nie po raz pierwszy.

Przeczesałam włosy, podmalowałam usta i wyszłam na zewnątrz, zamierzając skierować się do pierwszej kancelarii prawnej, jaką napotkam. Nie musiałam długo szukać; mieściła się kilka kamienic dalej. Weszłam pewnym krokiem.

– Chciałabym zasięgnąć porady – zakomunikowałam sekretarce.

– Pan mecenas jest chwilowo zajęty. Czy może pani zaczekać? – Wskazała na wygodną sofę w rogu poczekalni.

Usiadłam. Przyjęłam propozycję kolejnej tego dnia filiżanki kawy. Najwyżej trafi mnie szlag! – pomyślałam.

Już jakiejś pół godziny przeglądałam kolorowe pismo, gdy w drzwiach gabinetu mecenasa pojawił się przystojny mężczyzna, żegnający dwoje, jak się domyśliłam, klientów.

– Będziemy w kontakcie, kiedy złożą państwo pismo do sądu – mówił z uroczym uśmiechem, który nie wydawał mi się wyłącznie profesjonalny. – Pani do mnie? – zapytał, a kiedy skinęłam głową, zaprosił do siebie.

ROZDZIAŁ 24
BOŻENA

Po raz pierwszy od czasu pamiętnej imprezy z Aleksandrem znalazłam się w gronie koleżanek i kolegów, podobnie jak ja zadowolonych z dostania się na studia i chętnych do świętowania sukcesu. Konrad, który ujawnił niekwestionowane cechy urodzonego wodzireja, zgarnął do knajpki całą naszą grupkę, która okazała się mniejsza, niż wydawało się na początku, i zorganizował zrzutkę na alkohol. Nie miałam procentów w ustach od dwóch lat, ale musiałam przyznać, że na myśl o wychyleniu kieliszka wina zrobiło mi się przyjemnie. Wprawdzie perspektywa powrotu do internatu przed dwudziestą pierwszą nie nastrajała zabawowo, ale na integrację miałam i tak kilka godzin.

– Czy koleżanka może łaskawie przysunąć kieliszek w moją stronę? – Moje rozmyślania przerwał Konrad, który pojawił się znienacka z butelką wódki. – Bożenka, dobrze pamiętam? – zagadał, puszczając do mnie oko.

– Tak – odparłam, skrępowana tą bezpośredniością. – A można wino? – zapytałam cicho, gdy nalał do kieliszka przezroczysty płyn.

– Można. W następnej kolejce. Za nas i naszego opiekuna, doktora Artura Zawistowskiego! – Wzniósł toast. – Który zgodził się nam dzisiaj towarzyszyć.

Zerknęłam w stronę wywołanego. Podniósł do góry szklankę z herbatą, przyłączając się do toastu symbolicznie. Zadeklarował pomoc w każdej sprawie.

– Będziemy spotykać się co tydzień na ćwiczeniach z wywiadu prasowego – powiedział. – I poza nimi, jeśli zajdzie taka potrzeba. Jestem do waszej dyspozycji w godzinach konsultacji i zawsze, kiedy będziecie mieć jakiś problem.

Obserwowałam tę siłę spokoju, życzliwy uśmiech goszczący w kącikach jego ust, doceniałam, że pozwolił zaprosić się grupce nieopierzonych pierwszoroczniaków i nie moralizował, gdy rozlewali wódkę do kieliszków.

Spokojnym gestem odgarniał niesforny lok, który raz po raz opadał mu na czoło. I w przeciwieństwie do chłopaków w moim wieku sprawiał wrażenie kogoś, kto łatwo nie ulega emocjom. Nawet szalony Konrad zaakceptował fakt, że doktor spełnił toast herbatą.

– Wy tu pewnie jeszcze pobalujecie, ale na mnie czas. – Odsiedziawszy grzecznie trzy kwadranse, doktor Zawistowski wstał z krzesła i pożegnał się ze wszystkimi. – Zatem do jutra na uczelni! Przypominam, że zajęcia biblioteczne zaczynają się o ósmej – dodał, kierując się do wyjścia.

Odprowadzałam go wzrokiem, czarując w myślach, by się do mnie odwrócił. Zerknął, wychodząc z knajpy.

Czary zadziałały?

– Fajny jest nasz doktorek, no nie? – Siedząca obok koleżanka trąciła mnie w bok. – A tak w ogóle, to jestem Lucyna. – Wyciągnęła dłoń.

– Bożena.

– Skąd jesteś? – zapytała.

– Z Warszawy – odparłam, nie wchodząc w szczegóły.

– A ja z Wałbrzycha.

Zaczęła trajkotać o maturze, rodzinie, snuć dziennikarskie plany. Zasypała mnie informacjami o sobie i o koleżankach ze szkoły. Po kilku kieliszkach wódki poderwała się do tańca. Chłopcy nie pozostali obojętni i starali się dotrzymać jej kroku.

Podgrzewana procentami atmosfera przy naszym stoliku stawała się coraz bardziej gorąca. Ton rozmów osiągnął wysokie C.

– Może przeniesiemy się do akademika? – zaproponował Czarek, od kilku minut najlepszy kolega Konrada. – Tu niedługo zamykają, a ja mam zapasy z domu – zachęcił tajemniczo, dodając ciszej, że chodzi o butelkę bimberku. – Dziadek zrobił, a on zna się na historii.

– To znaczy? – zapytał ktoś nieświadomy.

– To znaczy, że wie, kiedy była bitwa pod Grunwaldem.

Zapanowała lekka konsternacja.

– Żeby upędzić prawdziwy bimber, trzeba znać datę bitwy pod Grunwaldem – wyjaśnił Czarek. – Tysiąc czterysta dziesiąty rok. Nie mylę się?

– Nie! – odkrzyknęliśmy chórem.

– Jedynka to kilogram cukru, czwórka oznacza cztery litry wody, a dziesiątka to dziesięć deka drożdży. Wystarczy z tego wszystkiego zrobić zacier, odczekać swoje i cierpliwie destylować. Zapraszam was na najlepszy bimber z Podlasia!

Atmosfera była naprawdę świetna. Nabrałam nawet ochoty na ciąg dalszy, ale mój czas się kończył. Trzeba było wracać do internatu.

– Odpadam – szepnęłam Lucynie. – Muszę iść.

– Chyba żartujesz? Teraz, kiedy impreza się rozkręca? Starzy ci chyba głowy nie urwą?

No nie. Starzy nawet się nie dowiedzą. Ale siostry? I Hania się pewnie denerwuje…

– Dobra, zostaję – zdecydowałam, odkładając na bok myśl o konsekwencjach.

W końcu nie co dzień spędza się pierwszy wieczór z nowo poznanymi kolegami ze studiów i nie zawsze jest tak wesoło. No i nie wiadomo kiedy nastąpi kolejna okazja, by poznać smak bimbru dziadka Czarka.

– Świetna decyzja! – poparła mnie Lucyna i przygarnęła do siebie.

Do internatu trafiłam grubo po jedenastej, delikatnie mówiąc – niezupełnie trzeźwa, ale szczęśliwie przemknęłam do pokoju niezauważona przez siostry. Wtargnęłam do środka i zwaliłam się na łóżko.

– Ale mi się kręci w głowie… – mamrotałam, próbując powstrzymać karuzelę, na której wirował mój organizm. – Możesz dać mi wody? – skamlałam do Hani o łyk trunku pozbawionego procentów.

Przyjaciółka poratowała mnie szklanką kranówki i siłą powlekła pod prysznic.

Rano zdziwiona rozglądałam się wokół. Nie pamiętałam, jak trafiłam na swoje miejsce. I dlaczego jeszcze tu jestem, skoro zegarek wskazuje siódmą trzydzieści, a o ósmej zaczynają się zajęcia w bibliotece?

Zerwałam się jak oparzona. Łóżko Hani było puste. Musiała wyjść jakieś pół godziny temu, zdałam sobie sprawę. Po krótkiej wizycie w łazience spakowałam najpotrzebniejsze rzeczy i popędziłam na przystanek autobusowy. Po wczorajszym nadużyciu bimbru głowa dawała o sobie znać, w żołądku ssało niemiłosiernie.

Miałam szczęście. Autobus przyjechał na czas i nie spóźniłam się na zajęcia.

Po bibliotece czekała mnie wizyta na wydziale, załatwianie formalności w dziekanacie, zapoznanie się ze stołówką i spotkanie w sprawie studenckiego samorządu i czegoś tam jeszcze.

Wracałam zmęczona, marząc o chociażby krótkiej drzemce. I głodna, ponieważ zapomniałam, że jeżeli nie zrobię sobie kolacji, nie zrobi jej nikt. Poratowała mnie Hania, częstując pulpetami ze słoika, które przywiozła z domu.

– Przepraszam, ale zapomniałam zrobić zakupy – kajałam się, wcinając smakowite mięso w sosie koperkowym. – Jutro zrobię na pewno.

Wieczorem zadzwoniła mama.

– Może przyjedziesz na weekend do domu? – zapytała – Pani Wiesia przygotuje pomidorówkę z makaronem i schabowe z kapustą – kusiła.

Prawdę powiedziawszy, nie marzyłam o niczym innym.

– Właściwie czemu nie? – odparłam.

– Będziemy czekać. A jak ci tam na obczyźnie?

– Świetnie – powiedziałam. – Pogadamy w domu.

ROZDZIAŁ 25
DAGMARA

Adam Grodzieński. – Mecenas przedstawił się, wyciągając rękę.

– Dagmara Rudzka. – Odwzajemniłam pewny i konkretny uścisk.

Mimo upału, w gabinecie panował przyjemny chłód, utrzymywany przez grube mury starej kamienicy. Przed zajęciem miejsca w skórzanym fotelu dyskretnie omiotłam wzrokiem wnętrze o wysokim sklepieniu zwieńczonym belkowaniem. Podziwiałam surowe ściany z fragmentami czerwonej cegły, mahoniowe ogromne biurko, witrażowe okno ze szprosami. Staromodny klimat tworzyły antyczne meble i dekoracyjne lampy w kształcie świeczników. Wiszące na ścianach abstrakcyjne obrazy przełamywały konwencję gotyku, przydając wnętrzu wrażenia lekkości i elegancji. Trzeba przyznać, że właściciel kancelarii miał dobry gust i prawdopodobnie nie narzekał na brak pieniędzy. O czym świadczył również jego nieskazitelny garnitur z wysokiej półki i doskonale dobrany do koszuli krawat.

Bardzo szykowny mężczyzna, pomyślałam i natychmiast zganiłam się w myślach za koncentrowanie się na nieistotnych szczegółach.

Jeszcze chwila, a zapomniałabym, dlaczego tu przyszłam. Na szczęście pan mecenas szybko mi o tym przypomniał.

– Co panią sprowadza? – zapytał, gdy już siedziałam wygodnie. – Gorąco dzisiaj. Może podam wodę?

Zgodziłam się ochoczo, mając nadzieję, że łyk zimnego płynu wypłucze hektolitry kawy, która buzowała w moim organizmie, ostudzi wrażenie, jakie zrobił na mnie pan mecenas i jego gabinet, i uspokoi nerwy.

– Już lepiej? – zapytał, kiedy wychyliłam całą szklankę. – Jest pani zdenerwowana?

A ja, głupia, zamiast spokojnie wyjaśnić sytuację, rozbeczałam się. Rozkleiłam się na oczach obcego faceta! Wstyd!

– Dobrze się pani czuje? – Mecenas zaniepokoił się nie na żarty.

Rozdygotana baba z czerwonymi oczami i spływającym po policzkach makijażem nie jest widokiem, który tygrysy lubią najbardziej.

Udało mi się uspokoić na tyle, by opowiedzieć mu historię księgarni.

– Właśnie wracam po spotkaniu z kierowniczką – kończyłam. – Czuję się oszukana i jestem praktycznie pozbawiona książek. Chciałabym się dowiedzieć, co robić. Może jest jakiś sposób na praktyki pani Michalskiej i dwóch pozostałych pracowniczek? Czy one miały prawo działać bez porozumienia ze mną?

Mecenas wnikliwie przeglądał dokumenty, które mu dostarczyłam: wyciąg z księgi wieczystej potwierdzający moje prawo do lokalu, uwierzytelnione przez notariusza pełnomocnictwo dla Grażyny Michalskiej do występowania w imieniu firmy i moim, podpisane przeze mnie wypowiedzenia. Nie ukrywałam, że przyjęłam od kierowniczki dziesięć tysięcy złotych, które uchowały się po wyprzedaży książek.

– Tylko tyle mi zostało – skomentowałam z goryczą.

– Niezupełnie, pani Dagmaro.

– Jak to?

– Z tego, co widzę, Grażynie Michalskiej należą się trzy miesiące wypowiedzenia, a pozostałym paniom po miesiącu. Będzie pani musiała wypłacić im pensję za ten okres, z obowiązkiem świadczenia pracy lub bez. Szacuję, że kwota przekroczy dziesięć tysięcy…

– No tak, nie pomyślałam! – westchnęłam. – Ale skoro za moimi plecami pracownice tak dobrze dbały o swoje interesy, dlaczego nie wypłaciły sobie i tego świadczenia?

Przygnębienie ustąpiło miejsca wściekłości.

– Bo to byłoby niezgodne prawem – oznajmił mecenas.

– To znaczy, że wszystkie inne działania były?

– Przykro mi. Podpisała pani z pracownicami umowy o pracę, a kierowniczce dała upoważnienie do czynności związanych z funkcjonowaniem firmy. A ona to skrzętnie wykorzystała. Nie jestem w stanie pani pomóc.

– To niemożliwe…

– Radzę pani skontaktować się z biurem rachunkowym i sprawdzić prawidłowość transakcji księgowych. Tylko w tym miejscu szukałbym nadużyć. Jeżeli się ujawnią, zapraszam do siebie. Moralnie zachowanie wszystkich trzech pań jest oczywiście naganne, ale prawnie nic nie wskóramy. Nie chciałbym dawać pani nadziei i narażać na koszty – podsumował.

– Rozumiem. To co ja mam robić? – zadałam pytanie w przestrzeń, zdając sobie sprawę, że bezsensownie zajmuję prawnikowi cenny czas.

– Może na przykład pozwolić zaprosić się na obiad? – zaproponował znienacka Grodzieński, uśmiechając się przyjaźnie.

– Jest pan bardzo miły, ale dziękuję. Nie jestem głodna – odparłam i wstałam z fotela.

– Proszę się nie martwić – dodał. – Ma pani lokal i nie ma długów, a to najważniejsze. Odbuduje pani księgozbiór. Wprawdzie nie znam się na tym biznesie, ale jestem dobrej myśli. Chcieć to móc.

Patrzyłam na niego z politowaniem, przyjmując dobre rady, które nic mnie nie kosztowały i były warte swojej ceny. Gada jak doradca personalny, a nie prawnik, myślałam, zastanawiając się, na ile wyceni swoją usługę odesłania mnie z kwitkiem. Równie dobrze zamiast do niego, mogłabym udać się do spowiedzi. Wyszłoby taniej.

– Ile płacę? – zapytałam, ignorując współczucie i dobre słowo na przyszłość.

– Nie płaci pani. Przecież nie pomogłem.

– A czas, który panu zajęłam? – dociekałam zdziwiona.

Nie spodziewałam się po krwiopijcy prawniku takiej wspaniałomyślności.

– Było mi bardzo miło panią poznać, pani Dagmaro. Mam nadzieję, że niebawem staniemy się sąsiadami z Kopernika. Życzę powodzenia. – Pożegnał mnie z galanterią pocałunkiem w dłoń. – Wpadnę do księgarni po lekturę. Może sprowadzi pani dla mnie jakąś ciekawą pozycję? Lubię literaturę iberoamerykańską i *Buddenbrooków*. Po czterdziestce zaczyna się cenić klasykę – dodał.

Z kancelarii wyszłam z mieszanymi uczuciami – wściekła na własną bezsilność wobec „tych bab", jak określałam w myślach moje byłe pracowniczki, a jednocześnie w dziwny sposób zmobilizowana przez mecenasa. Pierwszego napotkanego w okolicy.

Odgoniłam myśl o propozycji zjedzenia razem obiadu. Zagrywka taktyczna, stwierdziłam. Wiedział, że odmówię, i tyle. Chciał zatrzeć wrażenie, że nie potrafi mi pomóc. Po co ja się w ogóle nad tym zastanawiam? – Machnęłam ręką.

Na ulicy wmieszałam się w tłum wycieczkowiczów okupujących chodnik przed domem Kopernika. Gnana przemożną potrzebą samobiczowania raz jeszcze zajrzałam do księgarni, żeby ogarnąć wzrokiem pogorzelisko i na spokojnie oszacować straty. Na szczęście zachowałam wystarczająco dużo zdrowego rozsądku, by zabrać Michalskiej klucze.

– Już nigdy nie przestąpi tego progu! – mamrotałam pod nosem, mocując się z ciężkimi drzwiami.

Wnętrze przywitało mnie miłym chłodem. Choć nie mogło pochwalić się wystrojem jak u mecenasa Grodzieńskiego, zachowało klimat starego antykwariatu. Regały wydawały się solidne, ludwikowy fotel mamy prezentował się wcale nieźle, ściany nie wymagały gruntownego remontu. A malowidła na belkach pod sufitem przyciągały wzrok.

Zajrzałam na zaplecze, gdzie znalazłam kartony pełne książek, skromne wyposażenie kuchni – czajnik i słoiki z kawą i cukrem – kilka opartych o ścianę grafik niewiadomego pochodzenia, stosik wizytówek mamy, stare dokumenty księgowe.

Obejrzałam każdy kąt, napawając się atmosferą, głaszcząc półki i dotykając co którejś książki.

– Jesteś moja – przemawiałam do niej jak nienormalna, z nabożeństwem odkładając kolejną na miejsce. – Znajdziesz jeszcze swojego amatora!

Zosia powiadomiła mnie esemesem, że zamówiła pizzę. A zatem musiała minąć czternasta, dotarło do mnie. Miałam jeszcze trzy godziny, aby zwolnić ją z opieki nad Michałem, więc postanowiłam wykorzystać ten czas. Zakasałam rękawy, znalazłam kilka pustych kartek i zabrałam się do spisywania dobytku, tytułami. Po dwóch godzinach zapełniłam kilkanaście stron. Do przejrzenia pozostało jeszcze kilka kartonów na zapleczu.

„Zosiu, przywieź Michałka do księgarni", zaesemesowałam. „Muszę trochę popracować".

Nie bacząc, że nie taką miałyśmy umowę, nie przerywałam inwentaryzacji. Działałam jak w transie, podbudowana wstępnym szacunkiem, że mam na stanie około tysiąca książek.

W międzyczasie próbowała się ze mną skontaktować Marlena. Nie odbierałam połączeń, więc wysłała wiadomość.

„Co słychać po rozmowie z Michalską? Daj znać".

„Wszystko dobrze. Dochodzę do siebie. Jestem na Kopernika”.

Zobaczyłam ją po godzinie.

– Przyjechałam – oznajmiła od progu. – Michaś jest u nas, dziewczyny poszły gdzieś razem... – Zamilkła z wrażenia.

– Nie jest tak źle! – zawołałam, pokazując jej plik kartek zapełnionych tytułami. – Będzie z tysiąc!

– Co tu się stało? – zapytała, przysiadając na fotelu.

– Michalska wyprzedała większość towaru i wzięła kasę. A prawnik twierdzi, że nie da się z tym nic zrobić – wyjaśniłam lakonicznie, nie przerywając pracy.

– Może konkretniej?

Streściłam jej pokrótce rozmowy z kierowniczką księgarni i mecenasem.

Nie odzywała się przez dłuższą chwilę.

– I co zamierzasz? – przerwała milczenie.

– Jak to: co? Zacząć wszystko od zera. No, może niezupełnie. Kilka egzemplarzy się ostało.

– Ty jesteś wariatka! – podsumowała Marlena i pokręciła głową z dezaprobatą.

– Po pierwsze, muszę zamontować kutą balustradkę na schodach, ponieważ jest niebezpiecznie – zaczęłam, nie zwracając uwagi na jej powściągliwy ton. – A potem zakupię towar i odbuduję markę.

Moja przyjaciółka sprawiała wrażenie załamanej.

– Według mnie, potrzeba tutaj jakichś pięćdziesięciu tysięcy gotówką – powiedziała cicho.

– Ze sprzedaży wrocławskiego mieszkania – znalazłam rozwiązanie.

– Jasne. Ale to na początek – dodała Marlena. – Drugie tyle przydałoby się, żeby przetrwać pół roku. Zanim się przyjmiesz na rynku.

– To znaczy stówa?

– Nie chciałam cię zmartwić…

– Może uda się opędzić taniej. – Nie traciłam optymizmu. – A teraz pozwól, że dokończę inwentaryzację. Chyba że mi pomożesz.

– Dawaj. Który karton następny?

ROZDZIAŁ 26
BOŻENA

Z dnia na dzień studiowanie podobało mi się coraz bardziej. Po raz pierwszy poczułam się naprawdę dorosła. Miałam kasę na utrzymanie, planowałam każdy dzień, poznawałam nowych znajomych, w przerwach między zajęciami nierzadko okupując z nimi okoliczne barki ze śledziem z cebulką i warzywną sałatką. Między innymi z Lucyną, moją, jak odkryłam, bratnią duszą. Wszystko było takie nowe i podniecające, nawet robienie zakupów na kolację! Dopiero teraz dowiedziałam się, że chleb kosztuje cztery złote, litr mleka dwa dziewięćdziesiąt, a na kostkę masła trzeba wyłożyć siedemnaście pięćdziesiąt. Darowałam sobie kupowanie czekolady. Zawsze można było podczas pobytu w Warszawie zabrać ją z domowego barku. Wolałam takie rozwiązanie niż wydanie dwudziestu pięciu złotych za tabliczkę.

Wprawdzie z uwagi na odległość zbyt częste wizyty w domu nie wchodziły w rachubę, ale raz na dwa, trzy tygodnie mogłam się poświęcić dla przygotowanej przez panią Wiesię wałówki. Życie towarzyskie kosztowało, a wydatki na jedzenie mocno obciążały budżet.

Na poczatku próbowałam żywić się w studenckiej stołówce, co zarzuciłam po dwóch tygodniach. Panoszący się wszędzie zapach nieświeżej ścierki, pływające w margarycie leniwe, rozmemłana kaszanka na ciepło i gulasz z kaszą jęczmienną bez jednego kawałka mięsa nie zachęcały do korzystania z tego przybytku. Choć poza tym obiady były naprawdę tanie, a stołówka na Rzeźniczej rzut beretem od mojego instytutu.

Nie wiem, jak radziła sobie Hania, ponieważ wychodziłam rano i wracałam wieczorem, a wtedy zastawałam ją pochyloną nad książkami. Nasze drogi zaczęły się rozchodzić. Ona skupiona na lekcjach, ja o krok dalej.

– Wiesz, Lucyna, coraz gorzej czuję się w internacie – zwierzyłam się przyjaciółce. – Ty masz luz, możesz wracać do akademika, kiedy zapragniesz, a ja codziennie muszę się stawiać przed dwudziestą pierwszą. Smutek.

– Nie możesz postarać się o akademik?

– Nie bardzo. Rodzice mają zbyt duże dochody. Nie dostanę. I coraz gorzej dogaduję się z Hanią. Chyba z niej wyrastam.

– Nic dziwnego. Ty na studiach, ona w szkole pod sumowała Lucyna.

– Głupio mi. I szkoda naszej przyjaźni. Kiedyś nawet napisałyśmy razem książkę.

– No coś ty? Gdzie ją masz? Pokażesz?

Przemknęło mi przez myśl, że byłoby miło, gdyby ktoś ją przeczytał, ale machnęłam ręką. Historia młodocianej bohaterki, która oddaje dziecko do adopcji, aż nadto sugerowała, że mogę mieć doświadczenie w tej kwestii.

– To nic ciekawego. Takie pensjonarskie wprawki – zbyłam Lucynę. – Może kiedyś napiszę coś poważnego? A zmieniając temat, jak ci się podobają zajęcia z informacji prasowych? – Odciągnęłam ją od drążenia niewygodnej dla mnie kwestii.

– Z tym grubasem Wojciechowskim? Dużo bardziej wolę wywiad prasowy z naszym Arturem. – Lucyna oparła brodę na splecionych dłoniach i spojrzała w stronę sufitu rozmarzonym wzrokiem. – To jest dopiero przystojniak!

– Nie wydaje mi się. Ale zajęcia prowadzi fajnie – odparłam nieszczerze, przypominając sobie jego spojrzenia, które nieraz łowiłam na zajęciach.

– Gapi się na ciebie. – Lucyna nie dała się zwieść. – I nie gadaj, że ci się nie podoba!

Zaprzeczyłam gwałtownie, brnąc w gąszcz kłamstw. Że w ogóle nie jest w moim typie i skąd te pomysły na temat jego zainteresowania moją osobą. Bzdura!

Porzuciłyśmy dalszą dyskusję o wykładowcach, koncentrując się na planowaniu bliskiej kolejnej imprezy u Czarka. Postanowiłam przeszmuglować się po niej do akademika, żeby nie doprowadzić sióstr do zawału serca swoim późnym powrotem. Hanią nie musiałam się przejmować – jechała na weekend do domu. Ale tłumaczenie się z każdego spóźnienia i dyscyplinujące rozmowy z siostrami doskwierały.

Byle do końca roku akademickiego, a potem się zobaczy, kombinowałam, snując w głowie plany ewakuacji.

Przed zimową sesją przysiadłam fałdów i przystąpiłam do części egzaminów w zerówce. Resztę zaliczyłam w terminie, na piątki. A w drugim semestrze byłam już studentką pełną gębą.

– Wypijemy za twoje zdrowie! – Brunon wzniósł toast, kiedy podczas kolejnej wizyty w domu ogłosiłam wynik ostatniego egzaminu w sesji.

– Przyznam, że filozofia nie należy do moich ulubionych przedmiotów, ale się udało.

– Ostrożnie z alkoholem! – Mama z niepokojem w oczach powstrzymała Brunona przed wychyleniem całego kieliszka. – Oszczędzaj się.

Od jakiegoś czasu obserwowałam, że z moim ojczymem nie wszystko jest w porządku. Łykał tabletki, długo odpoczywał na kanapie. Mama strofowała go, gdy sięgał po kolejnego papierosa.

– Ma jakieś problemy w pracy i przeżywa – tłumaczyła, kiedy zaniepokojona zapytałam, co się dzieje. – A ja się o niego martwię.

– Mówicie o mnie? – dobiegło z kanapy.

– Po prostu nie pal tyle – odparła mama.

Za parę miesięcy stałam obok niej na cmentarzu. Chowałyśmy Brunona, którego dopadł zawał.

***

Była ciepła wielkanocna niedziela, gdy zasiedliśmy z rodzicami do jak zwykle obfitego i eleganckiego śniadania. Pani Wiesia podała białą kiełbasę w kapuście, faszerowane jajka, tradycyjny żurek i kolorowe mazurki.

Brunon był taki radosny! Wspominał nasze spotkanie na zajęciach u doktora Zawistowskiego.

– Pamiętasz, jak wezwał właśnie ciebie do przeprowadzenia wywiadu ze mną? – śmiał się. – Nie mówiłem mu, że jesteś moją córką.

Uświadomiłam sobie, że nazwał mnie tak chyba po raz pierwszy w życiu…

Rzeczywiście, informacja doktora Zawistowskiego o zaszczyceniu naszych zajęć z wywiadu prasowego przez wybitnego dziennikarza pana Brunona Żurawskiego zelektryzowała wszystkich kolegów. Przez salę przeszedł szmer zadowolenia. Żurawskiego zna przecież każdy kandydat na dziennikarza! To pióro, rozmówca, guru!

Nie wspominałam nikomu o naszych relacjach. A Brunon nie pochwalił się przede mną przyjazdem.

Przyznam, że szłam na ćwiczenia z duszą na ramieniu. Usiadłam w ostatnim rzędzie, kryjąc się za plecami co bardziej postawnych kolegów. Zawistowski wprowadził Brunona na salę i przedstawił.

– Dzisiaj będzie nas uczył ktoś, kto zrobi to najlepiej. Pan Brunon Żurawski, doświadczony dziennikarz, znany nam wszystkim. Oddaję mu głos.

Mój ojczym zaczął mówić i natychmiast oczarował salę.

Rozglądałam się ostrożnie, a moi znajomi chłonęli każde jego słowo – pana z prasy, radia, telewizji, przekazującego doświadczenia z prowadzenia wywiadów i przygotowywania materiałów tekstowych. Zasłuchałam się i ja, więc nie zauważyłam, kiedy zostałam wywołana do odpowiedzi przez doktora Zawistowskiego.

– Może poprosimy panią Bożenę Wodzińską?

– O co chodzi?

Wzrokiem pytałam kolegów, czego ode mnie chce.

– Masz przeprowadzić wywiad z mistrzem – szepnął siedzący obok Marcin.

Wygramoliłam się z krzesła i wstąpiłam na szafot. W głowie szumiała jedyna myśl: o co go zapytać, żeby się nie zbłaźnić. Pod czaszką pustka, w sercu strach. I na domiar złego Zawistowski, dodający mi siły spojrzeniem. Przed nim również nie chciałam się skompromitować.

– Witam panią. Proszę się nie denerwować. – Brunon podał mi rękę. Zaś na ucho szepnął, że mam pytać o wszystko, co mnie interesuje. – Tylko szczerze – dodał.

Stojąc przed audytorium kolegów i wpatrzonym we mnie wykładowcą, opanowałam się z trudem.

Na sali zapadła cisza. Zamknęłam oczy.

– Czy uważa pan, że zawsze podejmuje dobre decyzje? – Zadałam pytanie, które zaskoczyło mnie samą.

– Oczywiście, że nie – padła odpowiedź. – Każdemu może się zdarzyć pomyłka.

– Mam rozumieć, że panu również się przydarzyła?

Tym razem Brunon zastanowił się przez chwilę.

– Tak. Była taka sytuacja.

– Czy może nam pan ją przybliżyć?

– Niestety. To sprawa osobista. Ale bardzo żałuję swojej decyzji.

Od tamtego momentu widziałam wyłącznie Brunona i siebie. Siebie i Brunona. Zaczęliśmy rozmawiać półsłówkami, żeby audytorium słyszało zdania, ale nie rozumiało podtekstów. I wytłumaczyliśmy sobie wszystko, co dotyczyło pamiętnych zdarzeń, oczywiście w języku znanym wyłącznie nam.

Po zakończonym wywiadzie wróciłam na miejsce. Jak przez mgłę słyszałam oklaski.

– Bardzo dobrze sobie pani poradziła, pani Bożeno – pochwalił mnie Zawistowski.

A ja, podbudowana słowami, które dopiero przy kolegach z roku usłyszałam od Brunona, miałam ochotę wybiec z sali jak na skrzydłach.

Mój ojczym powiedział mi, że żałuje decyzji o oddaniu mojego dziecka!

***

Tkwiłam nad jego grobem, podtrzymując mamę. Pomna naszego ostatniego spotkania, uśmiechałam się smutno.

– W imieniu rodziny serdecznie dziękujemy wszystkim przybyłym i prosimy o nieskładanie kondolencji – oznajmił pracownik firmy pogrzebowej.

Byłyśmy obie jak wrośnięte w grunt, skamieniałe. Gapiłyśmy się na kopiec z wieńców i kilka zapalonych zniczy. Ciszę przerwał znajomy głos doktora Zawistowskiego.

– Gdyby pani czegoś potrzebowała, Bożenko... Nie wiedziałam, że był pani ojcem. Bardzo mi przykro. Przepraszam, że podszedłem.

Ukłonił się mamie i odszedł.

A ja zdałam sobie sprawę, że od tej chwili wszystko się zmieni.

ROZDZIAŁ 27
DAGMARA

Sama nie dasz rady, Daga – podsumowała moją sytuację Marlena po zakończeniu inwentaryzacji. – Nie udźwigniesz przygotowania lokalu do ponownego otwarcia, wyczyszczenia wszystkich spraw księgowych, załatwiania towaru i sprzedaży. Powinnaś kogoś mieć, bo ja będę ci w stanie pomóc tylko dorywczo.

Zdawałam sobie sprawę, że moja przyjaciółka ma słuszność. Dysponowałam nieco ponad półtora tysiącem książek, które wypełnią co najwyżej jedną trzecią półek. I nie ma co ukrywać, nie są to bestsellery. Michalska zadbała, by lepiej sprzedające się pozycje upłynnić, zanim się pojawiłam.

– Masz rację, nie poradzę sobie – powiedziałam zrezygnowana.

– Nie znasz się na rynku. – Marlena była bezlitosna. – Dlatego przydałaby ci się osoba, która znajdzie dostawców i dobre tytuły, na których się wybijesz i zarobisz.

– Ile będzie mnie kosztować?

– Ze dwa i pół tysiąca na rękę plus ubezpieczenie – odparła po zastanowieniu. – Trzy i pół tysiąca na miesiąc.

– O rety!

– A do tego jeszcze prąd, woda, miejsce parkingowe, twoja składka na ZUS. Daga, potrzebujesz pięciu tysięcy złotych na miesięczne koszty – podsumowała. – I tak do czasu, aż zaczniesz osiągać zyski. A to potrwa z pół roku. Powinnaś się z tym liczyć.

– Trzydzieści tysięcy! – Złapałam się za głowę.

– I kasa na książki. Musisz w końcu mieć je na półkach – dobiła mnie.

Miałam ochotę zadzwonić do Zbyszka, zapytać, czy sprzedał nasze wrocławskie mieszkanie. Nerwowo zastanawiałam się, co wartościowego mogę upłynnić, by poratować budżet, ale nic nie przychodziło mi do głowy. Stara corsa nie przedstawiała większej wartości, a mogła okazać się przydatna jako samochód dostawczy.

– To co mam robić? – zapytałam bezradnie.

– Szukaj pracownika. Kompetentnego, który zna rynek i potrafi sprzedawać.

– Poproszę o pomoc Zośkę! – wpadło mi do głowy. – A może i twoje dziewczyny będą zainteresowane? Chyba przyda im się parę groszy na wakacje?

Moja przyjaciółka nie wpadła w zachwyt.

– Oczywiście, że mogą ci pomóc się rozlokować. Ale powtarzam, potrzebny ci ktoś, kto zna rynek.

– Dam ogłoszenie w prasie. Albo jeszcze lepiej, wywieszę je w oknie księgarni.

Nie czekając na aprobatę, rzuciłam się na poszukiwania kartki.

„Księgarnia zatrudni kompetentnego pracownika. Chętnych proszę o kontakt z właścicielką pod numerem…”

Znalezionym w szufladzie mazakiem wykaligrafowałam treść na papierze i przylepiłam ogłoszenie do szyby.

– Mimo wszystko uważam, że powinnaś szarpnąć się również na anons w lokalnej gazecie – powiedziała Marlena. – Nie sądzę, żeby po ulicy przechadzały się stadami bezrobotne wysoko kwalifikowane księgarki z doświadczeniem zawodowym.

– Dobrze. Jutro dam ogłoszenie w „Nowościach".

– Mądra dziewczynka. A teraz jedźmy do domu coś zjeść. Muszę wracać i zwolnić Karola. Jedzie dzisiaj na działkę do Osieka, przewieźć rzeczy przed naszym jutrzejszym wyjazdem.

Dopiero teraz uświadomiłam sobie, że Michaś siedzi Karolowi na głowie, a ja absorbuję Marlenę ponad miarę. Zrobiło mi się głupio.

– Przepraszam za wszystko – powiedziałam. – Wykorzystuję was do granic przyzwoitości. Zaraz zabiorę małego i…

– I co z nim zrobisz? – zapytała.

– Zanim nie załatwię mu półkolonii, będzie mi towarzyszył albo siedział z Zośką. A potem zobaczę.

Marlena spojrzała na mnie z politowaniem, nie po raz pierwszy zresztą. I po raz kolejny wyciągnęła pomocną dłoń.

Możemy zabrać ze sobą Michałka na wieś, na dwa tygodnie. Jeśli chcesz.

Czy chciałam? Byłam gotowa rzucić się przyjaciółce na szyję. Ratowała mi tyłek, dawała czas na ogarnięcie się w nowej sytuacji.

– Dacie radę z trzema pięciolatkami? – próbowałam delikatnie oponować.

– Nie martw się. Dwóch czy trzech, co za różnica?

– Dziękuję – wykrztusiłam przez zaciśnięte gardło, obiecując sobie solennie, że zrewanżuję się w najbliższej przyszłości.

Dochodziła ósma. Pośpiesznie zbierałyśmy manatki, gdy ktoś zapukał do drzwi. Czyżbym znalazła pracownika? – pomyślałam naiwnie i wyjrzałam przez szybę.

Na schodach stała Laura. Wpuściłam ją do środka.

– Pamiętacie się? – zapytałam.

Moja siostra skinęła głową i wybąkała słowa powitania.

– Przyszłam do ciebie w sprawie mebli rodziców. – Przedstawiła cel wizyty bez zbędnych ceregieli. – Jesteś zajęta? – Spojrzała wymownie na Marlenę, która postanowiła się wycofać.

– To ja lecę, Daga. Nie śpiesz się. Możesz odebrać Michałka później. Do widzenia – pożegnała się oficjalnie i zostawiła nas same.

Laura rozejrzała się dokoła, omiotła wzrokiem puste regały i rozsiadła się w fotelu mamy.

– Wygodny jak zawsze – stwierdziła, zaglądając do szuflady. – O! Wieczne pióro! Pamiętam, jak mama dostała je od ojca z jakiejś okazji. Wkurzała się, że to nie kolia z brylantami. I to paskudztwo nad głową. – Zdjęła ze ściany obrazek przedstawiający walkę smoków z Minotaurem. – Nigdy mi się nie podobało, ale mama pałała do niego niezwykłą sympatią.

– Czy mogłabyś nie dotykać wszystkiego, co wpada ci w ręce? – wycedziłam, starając się zachować spokój. – Moim zdaniem Minotaur jest bardzo ładny, a tobie nie musi się podobać. Nie należy do ciebie.

– Oho, jaka pewna siebie pani dziedziczka! – skomentowała Laura złośliwie i ponownie przysiadła w fotelu. – Widzę, że zabrałaś się za wyprzedaż. Pewnie mama byłaby zachwycona.

Przyszła chyba tylko po to, żeby mnie zdenerwować. Z własnego doświadczenia wiedziałam, że ludzie robią tak, bo mają wredne charaktery, złe doświadczenia, są zawistni od urodzenia lub zostali przyzwyczajeni do takich zachowań przez rodziców. Mimo to nie zamierzałam w chwili obecnej dywagować, jaki przypadek reprezentuje moja siostra. Chciałam dowiedzieć się, czego chce.

– O co ci chodzi? Przyszłaś wybadać, co z księgarnią?

– Dzwoniłam, nie odbierałaś. A ja muszę pogadać o meblach rodziców – odparła nonszalancko.

Przejrzała się w wiszącym na ścianie lustrze w srebrnych ramach.

Zerknęłam na wyświetlacz. Rzeczywiście, w książce połączeń przychodzących miałam kilka nieodebranych od mojej siostry.

– Nie zauważyłam, robiłam inwentaryzację – zaczęłam się tłumaczyć. – Co z tymi meblami?

Laura zaprosiła mnie do domu.

– Jeżeli masz czas, podjedźmy na chwilę – zaproponowała. – Nie mogłam czekać w nieskończoność, aż wybierzesz pamiątki po rodzicach. Sprzedałam trochę gratów, by wstawić swoje meble. Możesz przepatrzeć rzeczy, które jeszcze są i ci się przydadzą – zakomunikowała. – Żebyś potem nie nasyłała na mnie prawników – dodała z przekąsem.

Przez moment zastanowiłam się, czy nie zabrać ze sobą mecenasa Grodzieńskiego, ale zrezygnowałam z pomysłu. Sprawa rodzinnego dziedzictwa była zbyt intymna, aby angażować w nią obcych ludzi. Postanowiłam zadowolić się kilkoma zdjęciami i może jednym z licznych pierścionków mamy. Na pamiątkę.

– Dobrze, jedźmy – zgodziłam się. – Załatwmy tę sprawę raz na zawsze.

Gdy zamykałam księgarnię, Laura po raz kolejny rzuciła kąśliwą uwagę, że w tak krótkim czasie udało mi się zniszczyć budowany przez lata dorobek mamy.

Nie chciało mi się tłumaczyć, jak postąpiły byłe pracownice. Zmilczałam.

– To co? Ile kasy dostaniesz za lokal?

– Nie zamierzam go sprzedawać. Będę nadal prowadzić księgarnię. Przeprowadziłam się do Torunia.

Informacja okazała się zaskoczeniem.

– Nie widać, żeby coś się tu działo…

– To wymaga pracy i czasu.

– Zatem wszystkiego dobrego – powinszowała mi fałszywie. – Gdzie się ulokowałaś? – zainteresowała się miejscem mojego zamieszkania

– Coś tam znalazłam – odparłam lakonicznie.

Nie zamierzałam jej zdradzać adresu. Nie wierzyłam, że pyta w dobrej wierze, żeby na przykład wpaść na kawę.

Obie rozeszłyśmy się w stronę swoich samochodów. Ona odjechała natychmiast, ja po chwili, kiedy odczytałam mandat za nadprogramowe parkowanie. Jutro czekała mnie wizyta w straży miejskiej, na którą musiałam udać się z gotówką. No cóż, koszty działalności gospodarczej na Starówce rosły…

Willa rodziców na zewnątrz nie zmieniła się od mojej ostatniej wizyty, jeżeli nie liczyć rozpościerającej się na ścianach gęstwiny dzikiego wina w rozkwicie i wybujałych krzewów liliowoniebieskich hortensji. Kiedy jednak weszłam do środka, nie odnalazłam dawnej atmosfery. Z holu znikły drewniane meble, miejsce mahoniowej boazerii zajęła biała tapeta. Salon lśnił szkłem i metalem, a biblioteka ojca ziała pustką. Jeżeli nie liczyć sterty wypełnionych książkami kartonów.

Na widok zmian ugięły się pode mną nogi. Ani śladu bibelotów mamy, ani śladu obrazów na ścianach, żeby nie wspomnieć o przepięknych meblach wynajdywanych na pchlich targach, strychach i w antykwariatach. Tak skrzętnie restaurowanych przez mamę i kochanych jak członkowie rodziny.

Lubiła opowiadać ich historie, cieszyć się nimi. Nie żałowała pieniędzy, by wyłuskać u antykwariusza pochodzącą z arystokratycznego dworu zniszczoną serwantkę czy witrynę, której życie starała się poznać, by ją później przywrócić do stanu świetności.

Czasami nienawidziłam tej jej pasji. Wydawało mi się, że mama więcej uwagi poświęca meblom niż mnie. Zwłaszcza wtedy, gdy mówiła o ich pochodzeniu, podczas gdy ja interesowałam się swoim.

– Mamusiu, ty miałaś mnie w brzuszku? – pytałam wielokrotnie jako trzy-, cztero-, a może i sześciolatka, kiedy na świecie pojawiła się moja siostra. – W takim samym brzuszku, z jakiego wyszła Laura?

Pamiętam, że potwierdzała, uspokajała mnie i brała na kolana, zapewniając, że wyszłam z jej brzucha. Tyle że jakoś nigdy nie czułam się do końca przekonana.

Bo Laurę przytulała inaczej. I patrzyła w jej oczy z taką miłością…

Teraz znałam powód.

– Zapraszam cię do biblioteki. – Nowa gospodyni wskazała mi kierunek. – Mam sporo książek po tacie. Może chcesz je zabrać? – zapytała wprost.

Spojrzałam na stos kartonów i podjęłam szybką decyzję. Zanim moja siostra zmieni zdanie, pomyślałam.

– Chętnie.

– To świetnie! – ucieszyła się. – Nie wiedziałam, co zrobić z tym bałaganem. I możesz sobie coś jeszcze wybrać z maminej biżuterii. – Sięgnęła po kasetkę, na której dnie mieniło się kilka pierścionków.

Zdałam sobie sprawę, że najpiękniejsze już odłożyła.

– Wezmę ten. – Wskazałam kółeczko z ametystem.

– Weź jeszcze bransoletkę – zachęcała, zadowolona z wyboru.

Pewnie nic nie był wart.

– Dobrze. Jeżeli pozwolisz, to tę z rubinami. – Spojrzałam na skromną bransoletkę przywiezioną przez ojca ze Związku Radzieckiego.

Wydawała się nieco kiczowata, ale przywoływała wspomnienia o mamie, która zakładała ją wyłącznie na rocznicę ślubu.

Wybrałam. Laura wyglądała na szczęśliwą, ja byłam szczęśliwa z powodu książek. Nie pytałam, ile zarobiła na sprzedaży mebli, nie interesowałam się wartością biżuterii, którą ukryła przede mną. Podobnie jak obrazy, po których na ścianach pozostały jedynie puste miejsca.

Wypiłam szklankę wody i pożegnałam się. Miałam nadzieję, że spotkam Marcina, Jarka i Aśkę, ale jak widać, musiałam na to zaczekać.

– Kiedy przyjedziesz po kartony? – zapytała Laura, odprowadzając mnie do samochodu.

– Dam znać. Postaram się jak najszybciej.

Wracałam do domu, wymyślając plan zagospodarowania książek taty.

Najpierw przejrzę dokładnie zawartość pudeł, a potem przeznaczę część księgarni na antykwariat, marzyłam, widząc oczami duszy stare woluminy na półkach.

Śpieszyłam się, żeby podzielić się pomysłem z Zosią. Po drodze zabrałam od Marleny Michała. Umówiłam się z Szulcami na jutro.

Nie zrobiłam zakupów! – przypomniałam sobie przed domem. Zośka będzie zła.

Poratował mnie lokalny sklepik.

– Zosiu, jesteśmy! – zawołałam od progu. – Zabieram się za kolację! – Uchyliłam drzwi do jej pokoju.

Moją córkę zastałam nad pustą butelką po piwie. Obok niej siedział Kamil, z powodu którego zdecydowała się przeprowadzić ze mną do Torunia.

– Co ty tutaj robisz? – zapytałam zaskoczona.

– Dzień dobry – przywitał się grzecznie. – Przyjechałem do Zosi.

ROZDZIAŁ 28
BOŻENA

Po pogrzebie Brunona mogłam zostać z mamą tylko przez dwa dni. Sesja miała swoje prawa i nie przewidywała przerwy na chowanie najbliższych. Na ich opłakiwanie pozostawały wakacje. Na szczęście ekonomię polityczną i psychologię zdałam w zerówkach, ale pozostałe trzy egzaminy wciąż miałam przed sobą, w tym marksistowską teorię rozwoju społecznego, czyli PRL-owską wersję socjologii, której baliśmy się wszyscy. Docent należał do wymagających i chimerycznych, zwłaszcza wobec tych, którzy nie zapisali się do partii, a do nich należała większość moich kolegów. Próbom werbowania w szeregi przewodniej siły narodu, czyli PZPR, nie oparło się jedynie kilka osób. Jakkolwiek to brzmiało w ustach studentki nauk politycznych, nie bardzo interesowałam się polityką, koncentrując się raczej na przedmiotach związanych z dziennikarstwem, których jak dotąd było jak na lekarstwo. Ratował nas właściwie prowadzony przez doktora Zawistowskiego wywiad prasowy.

– Kim był ten pan, który podszedł do nas na cmentarzu? – zapytała mama wieczorem.

Uspokoiła się już na tyle, by podjąć próbę rozmowy.

– To doktor Zawistowski. Ten, który zaprosił tatę na nasze zajęcia – powiedziałam i wstrzymałam oddech z wrażenia, że po raz pierwszy nazwałam Brunona w ten sposób.

Mama obdarzyła mnie zdumionym spojrzeniem i sięgnęła po chusteczkę.

– Przepraszam, nie chciałam cię zdenerwować – wyszeptałam, bo zaniosła się płaczem.

– Dlaczego pewne rzeczy docierają do człowieka dopiero po śmierci kochanej osoby? – załkała. – Nazwałaś go tatą…

– Tak, mamuś. Bo Brunon był moim tatą – potwierdziłam. – Wzięłaś tabletki? – Poderwałam się w poszukiwaniu środków uspokajających przepisanych przez lekarza, zobaczywszy rozpacz, która zaczyna mamę przerastać.

Ona nie starała się powstrzymywać łez, a ja łudziłam się myślą, że płacz przyniesie jej ulgę. Sama przybita i zrozpaczona, starałam się zebrać w sobie i pomóc mamie, tym bardziej że najpóźniej za dwa dni musiałam wyjechać do Wrocławia.

– Zrobię kawy – postanowiłam i poszłam do kuchni.

Mama była w absolutnym rozkładzie. Dni od śmierci Brunona do pogrzebu przeżyła jak w malignie, nafaszerowana prochami. Ratowały ją krótkie drzemki pomiędzy wizytami w zakładzie pogrzebowym, urzędzie stanu cywilnego, wybieraniem ostatniego garnituru.

Miałam nadzieję, że gdy pochowa Brunona, nadejdzie ukojenie. Niestety, kiedy przyniosłam kawę, zastałam ją nad szklanką koniaku. Prawdopodobnie nie pierwszą.

– Nie pij! Brałaś tabletki! – zawołałam.

– Daj mi spokój! – krzyknęła. – Dajcie mi wszyscy święty spokój! I przestań się tak nade mną wytrząsać. Jestem nieszczęśliwa! Jestem chora z nieszczęścia! Rozumiesz? – Umęczona krzykiem opadła na poduszki kanapy.

– Napij się wody. – Zamieniłam szklanki, ale mama skrzywiła się z niesmakiem.

– Myślisz, że wystarczy napić się wody i minie?! On miał dopiero czterdzieści pięć lat i całe życie przed sobą, a teraz?

Chciałam powiedzieć, że ona ma dopiero czterdzieści dwa i że wszystko się ułoży, ale zrezygnowałam. Nie znalazłam lekarstwa na rozpacz. Mama nie pozwalała się dotknąć, przytulić, rzucała oskarżenia na życie, Boga. Przeklinała los. Chorowała z rozpaczy.

– Wiesz? – wyartykułowała, lekko bełkocząc po kolejnym łyku koniaku. Butelkę przyciskała do piersi. – On był dla mnie wszystkim!

Nie przerywałam. Próbowałam zrozumieć, być pomocną, a jednak coś w moim sercu zadrżało. Siedziałam naprzeciwko mojej mamy, a jakbym była dla niej obcą osobą. Na pewno nie tak ważną, jak Brunon. Słuchając jej wywodów przed zaśnięciem na kanapie, poddałam się egoistycznym myślom. Czy znajdę kogoś, kogo będę kochała tak, jak mama jego? Czy uda mi się stworzyć rodzinę lepszą niż moja? Czy moja córka znalazła się w dobrej rodzinie i dlaczego nie ma jej ze mną? Czy rodzice mają prawo zawsze podejmować decyzje za dzieci?

Odbiegłam daleko od rzeczywistości. Od Brunona i mojej matki, pochrapującej na kanapie. Wymęczonej przeżyciami, skulonej w kłębuszek rozpaczy.

Przytuliłabym cię, gdybyś tylko tego chciała, pomyślałam, pochyliwszy się nad nią.

Zamiast tego okryłam ją kocem.

Zostałyśmy same. I każda osobno.

Wyjeżdżałam do Wrocławia w ponurym nastroju. Mama musiała sobie poradzić i ja też. Zdawałam sobie sprawę, że bez dochodów taty mogę zapomnieć o dwóch tysiącach na miesiąc, a mama o utrzymaniu zbyt dużego mieszkania i pani Wiesi. Jednak myśl o powrocie do Warszawy odrzuciłam natychmiast, gdy wsiadłam do pociągu.

Zbyt dużo wspomnień, zbyt dużo złego!

W mojej głowie rodził się plan załatwienia sobie miejsca w akademiku za sto dwadzieścia złotych na miesiąc, obiadów w śmierdzącej ścierką stołówce za dwieście dwadzieścia. Doliczyłam koszt śniadań, kolacji i pozostałych wydatków, które skalkulowałam na mniej więcej pięćset złotych. W sumie osiemset pięćdziesiąt. Zaokrągliwszy, spokojnie mogłam utrzymać się za tysiąc złotych.

A gdyby renta po Brunonie nie wystarczyła, zatrudnię się w spółdzielni studenckiej, postanowiłam, wspomniawszy Konrada, który działał w niej od wielu miesięcy. Tyle że nie znajdę już czekolady w barku. Tej z orzechami, którą Brunon kupował specjalnie dla mnie…

W internacie czekała na mnie Hania. Ze spakowaną walizką.

– Jak się czujesz? – zapytała, kiedy stanęłam w drzwiach.

– Jakoś. Wyjeżdżasz?

Podeszła, by mnie przytulić.

– Przepraszam, że nie mogłam być na pogrzebie.

– Nie szkodzi. Jestem zmęczona. – Rzuciłam się na łóżko. – Jak ci poszło? – Przypomniało mi się, że czekała na wyniki matur.

– Zdałam – stwierdziła. – A ty kiedy masz kolejny egzamin?

– Pojutrze.

– Dasz znać po sesji? – zapytała, zbierając się do wyjścia.

– Oczywiście – potwierdziłam. Traktowałam starą przyjaciółkę po macoszemu. – Gdzie będziesz składać papiery? – Zdobyłam się na zainteresowanie jej dalszymi losami.

– Jeszcze zobaczę – odparła. – Jak w domu?

– Martwię się mamą – odparłam, nie odpowiadając na pytanie. – Jest w kiepskim stanie.

Hania przysiadła na moim łóżku.

– Wiem, jak to jest. Moja mama też miała taki sam stres.

Śmierć Brunona i śmierć pracownika pegeeru? Żadne porównanie, stwierdziłam, ale nie przerywałam.

– Została sama z siedmiorgiem dzieci i przeżyła. Trzeba czasu.

– Co chcesz przez to powiedzieć? – fuknęłam. – Że mam przerwać studia i jechać do mamy, jak ty? Bo tak jest po bożemu?

– Chyba niepotrzebnie cię pocieszam. – Hania sięgnęła po walizkę. – Będę ruszać.

Pożegnałyśmy się, wymieniając uściski i zapewniając, że będziemy w kontakcie.

Hania wyszła, a ja wtuliłam głowę w poduszkę i pozwoliłam płynąć łzom.

ROZDZIAŁ 29
DAGMARA

Kamil nie był w stanie zmylić mnie grzecznym powitaniem. Jego nieoczekiwana obecność w naszym domu przyprawiała o palpitacje serca. Co on tutaj robi? – myślałam gorączkowo. A tak się cieszyłam, że ten obwieś zniknął z naszego życia!

Jak widać przedwcześnie.

– Zosiu, pomóż mi wypakować zakupy – poprosiłam, zapraszając ją do kuchni. – I zabierz ze sobą butelki po piwie.

Moja córka niechętnie podniosła się z tapczanu. Pocałowała swojego „niedomytka" w usta.

– Co ty wyprawiasz?! – naskoczyłam na nią, kiedy zostałyśmy same. – Podobno cię zostawił, a ty przyjmujesz go z otwartymi ramionami? Zośka! Co się z tobą dzieje?

– Nic nie rozumiesz – odparła spokojnie. – Pogodziliśmy się i tyle. Wyjaśniliśmy sobie wszystko. I zamierzamy być razem.

Przeraziła mnie. Jak to „razem"? Gdzie, skoro my przeprowadziłyśmy się do Torunia?

– Jak ty to sobie wyobrażasz? – zapytałam, upychając warzywa w lodówce i nastawiając wodę na makaron.

– Na razie mam wakacje i chcę wyjechać z Kamilem – poinformowała mnie. – A potem się zobaczy.

Wolałam nie myśleć, co mają znaczyć jej słowa. Czyżby zamierzała wrócić do swojej starej szkoły i zamieszkać z ojcem? A może w ogóle rzucić naukę? – wymyślałam czarne scenariusze. Nie przypuszczałam bowiem, że ten jej amant zechce nagle sprowadzić się do Torunia.

Krojąc w zapamiętaniu szpinak i wyciskając czosnek przez praskę, zganiłam się w myślach za porywczą reakcję. Przecież nic złego się jeszcze nie wydarzyło i być może martwię się na zapas. W końcu może i Kamil, ze swoimi nieświeżymi dredami i portkami z kroczem sięgającym kolan, wygląda jak pensjonariusz przytułku brata Alberta i wyciąga moją córkę na mocno zakrapiane nocne imprezy, ale jest inteligentny i podobnie jak ona w przyszłym roku zdaje maturę i wybiera się na studia. Przekonywałam w myślach samą siebie, próbując przypomnieć sobie jego przymioty. A przede wszystkim uspokoić się, nastroić przed dalszym ciągiem rozmowy.

Zośka skończyła już osiemnaście lat, Kamil prawdopodobnie też był pełnoletni. Moja rodzicielska władza dobiegała kresu. Powinnam negocjować, nie żądać.

– Zamieszaj szpinak na patelni i dodaj czosnek. – Wciągnęłam córkę do pracy. – A ja odleję makaron i pokruszę ser.

Półmisek z zapiekanką skupił wszystkich przy stole. Okazało się, że wystarczyło kilka godzin, by mojemu starszemu dziecku skonkretyzowały się wakacyjne plany, choć jeszcze wczoraj umawiało się na wyjazd z córkami Marleny.

– Wybieramy się nad morze – poinformowała mnie Zośka.

Pochwaliła zapiekankę.

– A pieniądze? – zapytałam.

– Tata mi przesłał.

Jak widać, córka z ojcem kolaborują za moimi plecami!

– Na jak długo wyjedziesz?

– Na razie na dwa tygodnie. A potem się zobaczy – usłyszałam dobrze mi znany tekst.

Pytania o szczegóły dotyczące wyprawy nie przyniosły oczekiwanych przeze mnie odpowiedzi. Te były co najwyżej enigmatyczne. Może pojedziemy tu, a może tam, spotkamy się z kolegami albo będziemy sami, chcemy wypocząć po wyczerpującym roku, złapać wiatr w żagle.

Słuchałam Zosi świadoma, że nie jestem w stanie powstrzymać jej przed wyjazdem z Kamilem. Cokolwiek się wydarzy, musiałam zaryzykować i wyrazić formalną zgodę.

Znikli już następnego dnia, zaopatrzeni w kilka dodatkowych stówek ode mnie.

– Uważaj na siebie, córciu – żegnałam się z ciężkim sercem. – Do zobaczenia za dwa tygodnie. Dbaj o nią! – zwróciłam się do Kamila.

– Mamuś, to tylko dwa tygodnie. Nie jedziemy na koniec świata! – Na dworcu Zośka pocałowała mnie i pomachała mi na do widzenia.

– Chodź, Michasiu. – Kiedy pociąg odjechał, pociągnęłam za rękę syna, przypominając sobie, że stoi obok.

– Pojedziemy do cioci i wujka. Przecież za kilka godzin wyjeżdżacie na wieś.

Po piętnastu minutach byliśmy w domu na Wrzosach. To właśnie było piękne w Toruniu. Krótkie dystanse, żadnych korków. I jeszcze bajkowy widok na Stare Miasto od strony Wisły… Poczułam się u siebie.

Pozostało spakować rzeczy Michała na każdą pogodę i dostarczyć go Szulcom. A potem zabrać się do księgarni.

– Zośka wyjechała z Kamilem – obwieściłam Marlenie, gdy stanęliśmy przed domem przyjaciół z pokaźną walizą.

– Z tym Kamilem? – zdziwiła się. – I ty się zgodziłaś?

– Nie dołuj mnie, Marlenko. Co ty byś zrobiła na moim miejscu?

Zastanowiła się.

– No, nie wiem. Zośka ma chyba prawo wyjechać z chłopakiem, ale…

– Nie ma żadnego „ale" – przerwałam. – Albo będą mieli fajne wakacje, albo się rozstaną – stwierdziłam. – A ja myślę, że raczej to drugie. W każdym razie dzisiaj idę zapisać ją do liceum. I jeszcze raz bardzo dziękuję wam za Michałka. Mogę wpaść na wieś podczas weekendu?

– W każdej chwili, Daga. Pół godziny i jesteś. Możesz wpadać codziennie.

Podziękowałam i pożegnałam się z synkiem.

– Bądź grzeczny – powiedziałam. – Mama przyjedzie, jak tylko będzie mogła. Okej?

Odpowiedział mi skinieniem głowy, gramoląc się jednocześnie na tylne siedzenie samochodu.

Wróciłam do pustego domu, gdzie natknęłam się na porozciągane rzeczy moich dzieci. Zebrałam z podłogi porozrzucane klocki, odstawiłam do kąta plastikowy dźwig, sprzątnęłam naczynia po śniadaniu, posłałam łóżka i starannie okryłam je narzutami, umyłam umywalkę w łazience. Zauważyłam, że Zośka nie zabrała szczoteczki do zębów.

Z trudem powstrzymałam się, żeby do niej nie zadzwonić.

Kupi sobie nową, wytłumaczyłam sobie i zajęłam się czyszczeniem filtra w ekspresie do kawy. Po chwili usłyszałam przyjemne dla ucha brzęczenie mielonych ziarenek i poczułam aromat płynu lejącego się do mojej ulubionej białej filiżanki, która szczęśliwie nie stłukła się podczas przeprowadzki.

Usiadłam na kanapie, oparłam nogi na pufie. Pustka wypełniała przestrzeń – nie słyszałam Michałka, nie odczuwałam obecności Zośki. Byłam sama.

I z przerażeniem stwierdziłam, że jest mi z tym dobrze.

Księgarnia czekała, wizyta w liceum Zosi też, do tego spotkanie z księgową, załatwianie transportu książek z domu rodziców i poszukiwanie półkolonii dla Michasia. Żeby nie wspomnieć o konieczności zatrudnienia księgarza i zastanowienia się, skąd wziąć pieniądze na finansowanie interesu. Powinnam zadzwonić do Zbyszka i spytać, co ze sprzedażą mieszkania i dlaczego dał kasę Zośce bez mojej wiedzy. Powinnam też dokończyć porządkowanie mieszkania i pozbyć się kartonów. Zrobić przegląd techniczny samochodu. A, i opłacić mandat w straży miejskiej.

Dużo tego, westchnęłam. I nagle nabrałam ochoty, by zmierzyć się z wyzwaniami.

– Wstawaj! – nakazałam sobie na głos, przerywając gonitwę myśli. – Nie jesteś nauczycielką na wakacjach. To się skończyło!

Umyłam filiżankę po kawie. Kiedy odstawiałam ją na półkę, odezwał się telefon.

– Słucham?

– Tutaj Adam Grodzieński – usłyszałam głos mecenasa. – Chciałem zapytać, czy już rozmawiała pani z księgową?

– Nie. Jeszcze nie – odparłam.

– Przepraszam, że niepokoję, ale gdyby miała pani jakiekolwiek wątpliwości, służę. Bardzo mi przykro, że nie mogłem pomóc.

– Nie mam do pana pretensji. I dziękuję za zainteresowanie. Zwrócę się do pańskiej kancelarii, kiedy będę miała problemy.

– Zapraszam.

– Raz jeszcze dziękuję. I do zobaczenia.

– Do zobaczenia – odparł.

A mnie niespodziewanie zrobiło się przyjemnie.

To wyłącznie zawodowa życzliwość, powtórzyłam sobie po raz kolejny, odsuwając myśl, że pan mecenas ma aksamitny głos. Najwidoczniej nie cierpi na nadmiar klientów.

A mimo to, wychodząc z domu, pomyślałam, że miło by było spotkać się przypadkiem na Kopernika.

ROZDZIAŁ 30
BOŻENA

Lucyna, ja nic nie umiem! Zupełnie nie wchodzi mi do głowy ten cholerny MTRS! – jęczałam przerażona perspektywą jutrzejszego egzaminu u docenta Zawadzkiego.

Po przyjeździe z Warszawy zebrałam rzeczy i skorzystałam z zaproszenia koleżanki, żeby przewaletować u niej w akademiku. Nie miałam ochoty przebywać dłużej w internacie u sióstr, który zresztą niebawem zamykał podwoje na wakacje.

Lucyna mieszkała w Słowiance przy placu Grunwaldzkim. Dzieliła pokój z trzema dziewczynami z piątego roku. Dwie z nich właśnie obroniły magisterkę i wyniosły się przed kilkoma dniami.

– Wprawdzie została jeszcze Maryśka, ale ona ciągle siedzi w bibliotece – zostałam poinformowana. – Kiedy się zjawi, wyniesiemy się z nauką do jakiegoś cichego kąta. Jest taka pakamera w pralni.

Na szczęście przy okazji licznych odwiedzin w akademiku zdążyłam już poznać portierki i wkraść się w ich łaski za pomocą kilku ostatnich czekolad z barku Brunona. Przymknęły oko na nielegalną mieszkankę.

– Nie martw się egzaminem. Zaprosiłam na noc Janusza. – Lucyna uśmiechnęła się tajemniczo.

– Chodzyńskiego? – Był jednym z lepszym studentów na roku. – Ale po co?

– Jakaś ty niedomyślna! Mamy zestaw dwustu tematów do przygotowania? – zapytała retorycznie. – Mamy. Janusz zdał MTRS w zerówce? Zdał, na piąteczkę. Są jakieś przeszkody, żeby nie podzielił się wiedzą z mniej wyedukowanymi koleżankami? Nie. A zatem lecimy do Grubej (tak nazywałyśmy jedną z portierek) po klucz do pralni. Szykujemy popielniczkę i trzy szklanki do kawy. Januszek zaraz tu będzie.

Trzeba przyznać, że Lucyna miała głowę na karku, a Janusz cierpliwość wystarczającą, żeby do białego rana wkładać do naszych pustych głów socjologiczną wiedzę. Nie zmrużywszy oka, po krótkim lodowatym prysznicu i wypiciu kawy z piątego parzenia tych samych fusów, wskoczyłyśmy w najlepsze czarno-białe ciuchy i stawiłyśmy się pod drzwiami Zawadzkiego.

W wąskim korytarzu niewielkiej kamieniczki, którą zajmował nasz instytut, kłębiło się kilkanaście osób.

– I jak? – zapytałam Jacka, z zapamiętaniem wpatrującego się w notatki.

– Sześć na dziesięć – mruknął pod nosem.

– Co: sześć na dziesięć?

– Zdążył postawić już sześć dwój.

– Jezus, Maria! Lucyna, nie zdamy! – spanikowałam. – Kto ostatni?

– A proszę panią bardzo, może pani wejść choćby zaraz! Damy mają pierwszeństwo! – odezwał się Mirek, teatralnym gestem wskazując na drzwi.

– Dzięki bardzo, zaczekam – odparłam, zastanawiając się, czy aby nie boli mnie gardło.

Drobne zwolnienie lekarskie załatwiłoby sprawę, kombinowałam.

Nęcące myśli o odroczeniu wyroku przerwał mi docent Zawadzki, który niespodziewanie pojawił się z teczką w drzwiach, wcześniej wypuściwszy zza nich trójkę skazańców. Dwie dwóje i jedna czwórka.

– Przepraszam państwa, ale z ważnych powodów muszę przerwać egzaminowanie do czternastej – zakomunikował. – Po południu będzie pytał doktor Berent.

Odetchnęliśmy z ulgą i podziękowaliśmy opatrzności za te „ważne powody". Berenta znaliśmy z ćwiczeń i bardzo go lubiliśmy.

Zgodnie z oczekiwaniami, egzaminator nie zrobił nam krzywdy. Wyszłam z piątką.

– Gratuluję paniom – zaczepił nas doktor Zawistowski przy wyjściu z instytutu.

Nie wiem, jakim cudem wszedł w posiadanie informacji o naszych ocenach, ale jak widać, wieści rozprzestrzeniały się szybko.

– Pani Bożeno, wejdzie pani do mnie na chwilę? – zapytał, kierując w stronę Lucyny przepraszające spojrzenie.

A ta, głupia, znacząco zamrugała powiekami!

– Szukaj mnie w Klubie Ekonomisty – powiedziała.

Wprawdzie nie bardzo miałam ochotę na świętowanie sukcesu, ale jeszcze bardziej nie chciałam być sama.

Zgodziłam się na popołudniową bibkę, zapewniając Lucynę, że zaraz będę.

Doktor Zawistowski miał dla mnie konkretne informacje. Wystarał się o akademik i zasugerował wystąpienie o stypendium naukowe. O ile uda mi się dobrze zdać ostatnie dwa egzaminy.

Czułam się skrępowana tą opiekuńczością, chociaż nie powiem, sprawiła mi przyjemność. A kiedy pan doktor postawił przede mną szklankę herbaty, którą sam zaparzył, poczułam dreszcz emocji. Zrobił ją specjalnie dla mnie!

– Wiem, jak się pani czuje po śmierci ojca – powiedział, siadając za biurkiem. – I w jakiej sytuacji się pani znalazła. Jako opiekun roku mam obowiązek pomóc – dodał, bym właściwie zrozumiała jego intencje.

– Dziękuję. Brunon był moim ojczymem – sprostowałam. – Ale to nie ma znaczenia.

– W takim razie spotkamy się po sesji – zakończył rozmowę. – Proszę przyjść z indeksem, pomogę pani wypełnić wniosek o stypendium i dopełnić formalności związanych z przydziałem miejsca w akademiku. Będę potrzebował informacji o wysokości dochodów pani mamy i kilku innych danych.

Pożegnałam się uprzejmie i dołączyłam do znajomych, którzy w pobliskim Klubie Ekonomisty zdążyli już zsunąć stoliki i przynieść z baru kilka butelek wódki. Z zagryzką w postaci pachnącego cebulką śledzia w oleju, na którego wciąż jeszcze było mnie stać.

– Czego chciał? – dopytywała Lucyna, trąciwszy mnie w ramię. – No, mów! Umówił się z tobą?

– Chciałabym, ale nie – odparłam. – Załatwił mi akademik i powiedział, że mogę starać się o stypendium.

– Nie wierzę. – Lucyna nie odpuszczała. – Nie każdego studencinę tak hołubi. Wpadłaś mu w oko, to pewne.

Machnęłam ręką, bagatelizując te imaginacje. Lucyna lubiła swatać, o czym miałam okazję przekonać się w ciągu minionego roku. Była bystrą obserwatorką koleżeńskich związków, które czasami przeradzały się w poważne – na sześćdziesiąt osób na roku piątka planowała ślub podczas wakacji. Moja Lucynka znała wszystkie miłosne historie. Jako jedna z pierwszych zauważyła ciążę Marzeny i bliższe relacje, jakie zaczęły łączyć Wandę i Marka, najbardziej popularnych wśród nas. Jej spostrzeżenia wydawały się trafne. A ja pragnęłam w nie wierzyć, bo doktor Zawistowski bardzo mi się podobał.

– Daj spokój – ucięłam, zajmując się zawartością talerza. – Najważniejsze, że MTRS mamy za sobą.

– A więc za to właśnie podnieśmy kieliszki! – Konrad poderwał się z krzesła, zagrzewając resztę do walki o dobrą atmosferę.

Wymęczona zarwaną nocą i przeżyciami ostatnich dni, po wypiciu dwóch kieliszków wprawiłam się w stan upojenia alkoholowego. Lucyna również nie była w formie. Przez moment wydawało mi się nawet, że markuje picie.

Tydzień później siedziałyśmy nad Odrą, mocząc nogi w rzece i żegnając się na czas wakacji. Jak mi się nie chciało wyjeżdżać z Wrocławia! Przyglądałam się płynącej leniwie wodzie, przypatrywałam gałązkom opływającym wystające łachy piasku, obserwowałam krążące wokół ptaki. Mój wzrok zahaczał o pławiących się w słońcu plażowiczów.

Ten leniwy nastrój przerwała znienacka Lucyna.

– Jesteśmy razem z Januszem – oznajmiła, zagapiona na żaglówkę krążącą w oddali wokół wysepki na Odrze.

Zdjęłam okulary przeciwsłoneczne, żeby przyjrzeć się dokładniej jej twarzy.

– Od kiedy? – zapytałam zszokowana, przede wszystkim własnym brakiem spostrzegawczości.

– Jakiś czas. Chcemy się pobrać we wrześniu – powiedziała. – Czy zostaniesz moją druhną?

– Jezu, Lucyna! – zawołałam. – Nie miałam pojęcia. Czemu się tajniaczyłaś?

– Spotkaliśmy się kilka razy. Wolałam się z tym nie obnosić, na wypadek gdyby nie wyszło.

– Ale jak widać, wyszło.

– Nawet bardzo, Bożenko. Jestem w ciąży.

Zaniemówiłam. Nie dość, że moja przyjaciółka wychodzi za mąż, to jeszcze jest w ciąży.

Milczałam. Natłok własnych wspomnień porażał.

Lucyna odebrała tę ciszę jako dezaprobatę.

– Nie planowałam, ale bardzo się cieszę – powiedziała. – Damy radę z Januszem.

– Oczywiście, że dacie. To pewne. – Pod płaszczykiem nienaturalnego ożywienia starałam się ukryć nadmiar emocji. – Też się cieszę, Lucynko! I chętnie zostanę twoją druhną. – Rzuciłam się jej w objęcia, wierzchem dłoni ocierając łzy, które na szczęście wzięła za objaw wzruszenia.

Po chwili odsunęła mnie od siebie.

– Nie wiedziałam, że tak cię to poruszy – powiedziała. – Żałuję jedynie naszego wspólnego mieszkania w akademiku – dodała. – Będziemy z Januszem starać się o małżeński.

– Niczym się nie martw, dbaj o ciążę. Masz nudności? Bo ja… – W ostatniej chwili ugryzłam się w język.

– Tak?

– …słyszałam, że w pierwszych miesiącach mogą się pojawić – wybrnęłam. – Gdybym mogła ci jakoś pomóc, daj znać.

Pożegnałyśmy się, obiecawszy sobie kontakt telefoniczny i wymianę listów.

W pociągu do Warszawy, już po złożeniu papierów o miejsce w akademiku i o stypendium, czekałam na informacje, jak jej rodzice przyjmą wiadomość o ciąży i małżeńskich planach. Żyłam życiem Lucyny, obawiając się zderzenia ze swoim.

Jak się miało okazać, nie bez powodu.

Mamę zastałam w kiepskim stanie. Przywitała mnie w szlafroku, z nieodłącznym papierosem w zębach. W domu panował rozgardiasz, w lodówce pustka. Moja zwykle zadbana rodzicielka postarzała się o dwadzieścia lat. Po stole walały się opakowania po lekach uspokajających.

Sprzątanie rozpoczęłam od otwarcia okien i przewietrzenia. Biegałam od pokoju do pokoju, upychając śmieci do kosza, zbierając zaschnięte brudne naczynia, by przed umyciem namoczyć je w zlewie. W łazience czekała sterta prania, do której dołączyłam swoje brudy.

Przed wyjściem po zakupy zabrałam mamie tabletki i nakazałam kąpiel.

– Zaraz wracam. Masz się doprowadzić do porządku – zapowiedziałam jej tonem, na który nigdy wcześniej bym sobie nie pozwoliła. – Potem przygotuję kolację.

O dziwo, poskutkowało. Wprawdzie mama grzebała w przyrządzonej przeze mnie jajecznicy ze szczypiorkiem jak kura łapą. Ale przynajmniej była czysta i sprawiała wrażenie spokojniejszej.

– Jak ci poszła sesja? – zapytała, przypominając sobie, że właśnie zakończyłam pierwszy rok.

– Dobrze. Wszystko w porządku.

Nawet pogadałyśmy.

Następnego dnia mama, o dziwo, umalowała oczy i zgodziła się na wspólne wyjście do parku. Tyle że po spacerze na całe popołudnie i wieczór zaszyła się z książką w swoim pokoju. Na kolację nie wstała.

Kolejne dni i tygodnie nie przyniosły poprawy. Mimo pozorów normalności w rozmowach i codziennych czynnościach mama pozostawała nieobecna i nieporadna.

„Nie wiem, co robić", pisałam do Lucyny. „Też mi brakuje ojca, ale mama bez niego nie potrafi żyć. Snuje się po domu, zamyka w ich sypialni, płacze. Koledzy z redakcji Brunona załatwili nam wyjazd na dwa tygodnie do ośrodka w Ustce. Mam nadzieję, że mama się zgodzi.

Nie mam wieści, co z waszym ślubem i jak rodzice zareagowali na ciążę. Dobrze się czujesz? Daj znać, bo oszaleję we własnym domu".

Po kilku dniach nadeszła odpowiedź, która natchnęła mnie optymizmem, że gdzieś jednak świeci słońce.

„Kochana Bożenko!", odczytywałam z radością krągłe pismo przyjaciółki. „Przepraszam, że musiałaś sama napisać, aby doczekać się wieści ode mnie. Ostatnie dni były nieco zakręcone z powodu szoku, jaki zafundowałam rodzince. Najpierw dopadła ich wiadomość o ciąży, potem zaliczyli wizytę Janusza i oświadczyny. Tak! Przyjechał z pierścionkiem i dwoma bukietami kwiatów! Jeden był dla mnie, drugi dla mamy. Kurczę, jak w jakimś filmie! Ustaliliśmy już datę ślubu na pierwszy września. Czujesz to? Będziemy ślubować w czterdziestą rocznicę wybuchu drugiej wojny światowej. Śmieję się, że sami rozpętamy trzecią!

Mam nadzieję, że będziesz mogła przyjechać i podtrzymać mój welon. Nie wyobrażam sobie, żeby mogło być inaczej.

W ciąży czuję się bardzo dobrze, nie mam nudności ani żadnych innych dolegliwości. A jutro przyjeżdża Janusz. Pójdziemy na działkę rodziców, gdzie jest stawik, w którym można się kąpać.

Ja tak o sobie, a ty masz problemy. Prawdę powiedziawszy, nie wiem, co ci doradzić i jak pomóc. Chyba po prostu musisz być z mamą. Z czasem pogodzi się ze stratą i dojdzie do siebie. A może przyjedzie z tobą na moje wesele? Wyślę zaproszenie dla was obu.

Kończę, pozdrawiam i czekam pierwszego września. Niczego nie musisz załatwiać. Włóż ładną sukienkę, weź mamę i przyjeżdżaj. Możecie nawet zostać przez kilka dni, bo okolica jest ładna. Trzymaj się ciepło i koniecznie odpisz. Jestem taka szczęśliwa! Lucyna".

Lato minęło. Wyjazd do Ustki nie ukoił maminej tęsknoty za Brunonem, a wręcz przeciwnie – przywołał wspomnienia ich wspólnych pobytów w tym miejscu. Próbowałam namówić mamę na ślub.

– Mamuś, jedź ze mną – przekonywałam, prezentując jej suknię druhny. – Lucyna to bardzo fajna dziewczyna, myślę, że jej rodzice też. Wyluzujesz, pokręcisz się wśród ludzi. Będzie dobrze.

– Nie będę się dobrze bawić, córeczko. To dla mnie za szybko.

Zastanawiałam się, czy powinnam zostawiać ją samą. Od dwóch miesięcy towarzyszyłam jej każdego dnia.

– Mogę jechać? – zapytałam w przeddzień wyjazdu, niepewna decyzji.

– Oczywiście, córciu. Przepraszam, że nie wybiorę się z tobą. Ale za to przygotuję dla nas kolację na wieczór! – Poderwała się, ożywiona po raz pierwszy od niepamiętnych czasów.

Podniesiona na duchu tą niespodziewaną poprawą samopoczucia, rzuciłam się w wir przygotowań do wesela. Zapamiętale pakowałam walizkę, pieczołowicie sprawdzając, czy aby czegoś nie zapomniałam.

Nagle w drzwiach pojawiła się mama z flakonikiem swoich ulubionych perfum z peweksu.

– Weź, przydadzą ci się. – Podała mi buteleczkę Eurydice.

– Dziękuję. A ty dbaj o siebie. Wrócę za kilka dni.

– Niczym się nie martw, Bożenko. – Przytuliła mnie na pożegnanie. – I życzę ci wszystkiego dobrego. Przekaż Lucynie prezent ode mnie. – Wręczyła mi niewielki pakunek.

– Co to jest? – spytałam zaciekawiona.

– Apaszka, którą Brunon przywiózł mi kiedyś z Paryża. Może się jej spodoba.

Wyjeżdżałam o piątej rano, kiedy mama jeszcze spała. W jej pokoju panowała duchota, otworzyłam więc okno. Pocałowałam mamę w policzek na do widzenia.

Czekając na taksówkę, napawałam się rześkim powietrzem i perspektywą kilku radosnych dni u Lucyny.

Dobrze, że mama zaczyna powoli dochodzić do siebie, pomyślałam.

ROZDZIAŁ 31
BOŻENA

Rodzice Lucyny okazali się przemiłymi ludźmi.

– Jestem Wanda. – W drzwiach powitała mnie korpulentna pani, której fryzura wskazywała na bliski kontakt z fryzjerem. – A to mój mąż Waldek. – Machnęła ręką w stronę gramolącego się z kanapy mężczyzny z pokaźnym brzuchem. – Witaj, Bożenko. – Mama Lucyny przygarnęła mnie do siebie. – Mogę się tak do ciebie zwracać?

– Bardzo mi miło, pani Wando – rozwiałam jej wątpliwości. – Dzięki temu czuję się jak w domu.

Nagięłam nieco rzeczywistość, bo w moim domu nikt nigdy nie był tak serdeczny. No, może zdarzało się to Brunonowi w stosunku do mamy. [illegible]

Lucyna szybko wyrwała mnie z objęć rodziców. Poprowadziła do swojego pokoju i pokazała suknię ślubną.

– Zobacz, jaka piękna! – Przyłożyła do siebie białą kreację w stylu księżniczki.

– Włóż! – poprosiłam.

Na spełnienie prośby nie czekałam długo.

Po chwili stanęła przede mną zjawiskowa przyszła panna młoda. Mocno dopasowany haftowany gorset podkreślał jej szczupłe ramiona i uwydatniał biust, rozkloszowana wielowarstwowa spódnica ukrywała zaokrąglony brzuszek. Gdyby Lucyna rozpuściła czarne kręcone włosy i przymknęła oczy, mogłaby uchodzić za rodowitą Hiszpankę.

– Wyglądasz przepięknie, Lucynko! – zachwyciłam się szczerze. – Janusz padnie z wrażenia.

– Poczekaj, poczekaj, jeszcze welon! – zawołała podekscytowana, podając mi półtorametrowy tiulowy tren. – Mam też niebieską podwiązkę! Dla udanego pożycia – dodała ciszej.

– Ech, Lucyna, Lucyna! Chyba jest udane, skoro spodziewacie się potomka. – Uśmiechnęłam się, rozluźniona żartami i dobrym nastrojem.

Moja przyjaciółka była szczęśliwa, a dzięki temu i ja odczułam ulgę po miesiącach żałoby po Brunonie.

Ceremonia miała rozpocząć się w kościele o czternastej, a zatem na przygotowanie się pozostały jeszcze dwie godziny. Zwolniona z podziwiania Lucyny w ślubnej sukni, udałam się do pokoju na pięterku. Spłukałam pod prysznicem trudy podróży, podmalowałam oczy i spryskałam się perfumami od mamy. Miałam nadzieję, że zgodnie z naszą umową poszła na spacer i zjadła mielone, które dla niej przygotowałam. O tabletki byłam spokojna. Zabrałam je ze sobą i wyrzuciłam do najbliższego śmietnika.

Niemal gotowa zerknęłam przez okno na ogród, udekorowany już na wesele. Rozstawione stoły, nad którymi zawisły girlandy liści i kwiatów, zapełniała zastawa godna królewskiego przyjęcia. Przypuszczałam, że mama Lucyny musiała wypożyczyć talerze i inne akcesoria, żeby ugościć ponad siedemdziesiątkę weselników.

Kontemplację przygotowań przerwała mi przyjaciółka.

– Jesteś gotowa? Bo musimy już jechać! – Wpadła do pokoju jak burza.

Podmalowałam usta, zapomniałam o kłopotach i oddałam się w jej ręce.

Przed niewielkim kościołem zgromadził się tłumek gości, eleganckich, podnieconych, z kwiatami w rękach. Nie znając niemal nikogo, kłaniałam się grzecznie, skoncentrowana na welonie panny młodej.

– Po co tam idziemy? – zapytałam, kiedy Lucyna z Januszem poprowadzili mnie do zakrystii.

– Podpisać akt małżeństwa.

– Szczęść Boże – przywitałam się z księdzem, zadowolona z edukacji u sióstr, pewna, że nie przyniosę nikomu wstydu.

Dobry nastrój nie opuszczał mnie do chwili, gdy zauważyłam w kancelarii kogoś, kogo nie spodziewałam się ujrzeć.

Obok biurka stał doktor Zawistowski.

Co on tu robi? – pomyślałam spłoszona.

Dzień dobry – przywitał się, równie stremowany jak ja.

Domyśliłam się, że przebiegła panna młoda poprosiła go na świadka. I że z pewnością zrobiła to celowo.

Podpisaliśmy się wspólnie pod aktem małżeństwa Lucyny i Janusza, a później w milczeniu podążyliśmy za młodymi w stronę głównego wejścia, gdzie moją przyjaciółkę przejął jej ojciec. My udaliśmy się przed ołtarz i zajęliśmy miejsca za krzesłami narzeczonych.

– Wiedział pan? – zapytałam cicho, mając na myśli rolę druhny.

– Wiedziałem – odparł Zawistowski, posyłając mi serdeczny uśmiech.

Naszą krótką wymianę zdań przerwał szmer głosów, zwiastujący, że panna młoda wsparta na ramieniu ojca kroczy już w kierunku ołtarza.

Patrzyłam na szczęśliwą przyjaciółkę ze wzruszeniem. Ukradkiem ocierałam łzy, które nie miały zamiaru przestać płynąć. Taki wstyd przed całym kościołem! Udało mi się uspokoić, dopiero kiedy Lucyna zajęła swoje miejsce, a ja zajęłam się układaniem jej welonu. Doktor Zawistowski, który nawiasem mówiąc, prezentował się nader elegancko, dyskretnie sekundował Januszowi. Podsuwał mu krzesło, wspierał spojrzeniem.

Jeżeli do tej pory nie byłam w nim jeszcze zakochana, w tych okolicznościach nie miałam szans. Wpadłam jak śliwka w kompot.

Z powagą wysłuchaliśmy homilii, by doczekać najprzyjemniejszej i najbardziej podniosłej części ślubnej ceremonii, kiedy ksiądz związał przeguby młodych stułą i zadał im kilka sakramentalnych pytań. Przyglądałam się kolejnym fazom ceremonii, od czasu do czasu zbaczając na orbitę własnych myśli.

– Lucyno, przyjmij tę obrączkę jako znak mojej miłości i wierności. W imię Ojca i Syna, i Ducha Świętego – dobiegły mnie słowa Janusza.

Wróciłam do rzeczywistości.

– Januszu, przyjmij tę obrączkę…

– Ogłaszam was mężem i żoną – podsumował ksiądz.

Nastąpił namiętny pocałunek. A później małżonkowie po królewsku opuścili kościół przy dźwiękach marsza Mendelssohna.

Na zewnątrz doktor Zawistowski odciągnął mnie na bok i wręczył mi woreczek drobniaków.

– Rozrzuć. Niech zbierają na szczęście – powiedział. – Aha, jestem Artur. I nie lubię, kiedy się mówi na mnie Arek – dodał z szelmowskim uśmiechem.

Po dwóch godzinach byliśmy również po ślubie cywilnym, bez którego małżeństwo Lucyny i Janusza Chodzyńskich w świetle prawa byłoby nieważne. Weselny orszak, zapakowany do małych i dużych fiatów, trabantów i wartburgów, dotarł wreszcie do domu rodziców Lucyny na całonocną zabawę. Pogoda dopisywała, bezchmurne niebo zwiastowało długie popołudnie i pogodny wieczór. Żaden deszcz, ani tym bardziej burza, nie mógł przerwać obiadu na trawie. Jedyne krople padały do kieliszków. Toastom nie było końca.

– Lucynko, jest pięknie! – wyszeptałam do ucha pannie młodej przed deserem, kiedy wymknęła się od stołu, by rzucić okiem na weselne prezenty.

– To od twojej mamy? Jaka cudowna! – Przyłożyła do szyi paryską apaszkę.

– Mama pozdrawia cię serdecznie – powiedziałam cicho.

I przypomniałam sobie moment, kiedy Brunon wrócił z Francji po dwutygodniowym pobycie.

Leżałam już w łóżku, jak zwykle czytając książkę, kiedy usłyszałam dźwięk przekręcanego w zamku klucza.

Domyśliłam się, że nie zadzwonił, by uniknąć spotkania ze mną. Jako pierwszą pragnął przywitać swoją ukochaną Walerię.

Wszedł po cichu, na palcach zakradł się do pokoju mamy. W domu panowała cisza, więc domyślałam się, że mama ucina sobie właśnie popołudniową drzemkę. Wytężałam słuch, by nie uronić żadnego słowa z ich powitania. Zazdrościłam im bliskości i radości przebywania ze sobą.

– Jestem, szczęście – dotarły do mnie przytłumione słowa Brunona. – Zobacz, co dla ciebie przywiozłem.

Usłyszałam chrzęst papieru.

– Jaka śliczna! – Mama oglądała jakieś paryskie cudo, a ja zastanawiałam się, co to takiego. – Dobrze, że już wróciłeś – powiedziała, a ja oczami wyobraźni widziałam, jak zarzuca Brunonowi ręce na szyję. Jak się całują, on głaszcze mamę po włosach i szepcze jej słowa miłości.

– Wszystko w porządku? – zapytał. – Bożenka w domu?

– Jest u siebie. W porządku. Jestem tylko trochę zmęczona korepetycjami – dodała.

Brunon zaproponował, że przygotuje kawę.

Przywiózł mi z Paryża kilka mydełek Dove i przepiękny niebieski cień do powiek, którego zgodnie z zastrzeżeniem mamy mogłam używać wyłącznie po szkole.

Wieczorem wyszłam, żeby rodzice mogli zjeść romantyczną kolację beze mnie. Siedząc z Anką w cukierni, marzyłam, żeby kiedyś ktoś pokochał mnie tak, jak Brunon mamę.

Mama założyła apaszkę raz, może dwa. Wyobrażałam sobie, że zachowa ją dla mnie na specjalną okazję, tymczasem przeznaczyła ją dla Lucyny. Poczułam się nieco dotknięta, a mimo to cieszyłam się z tego gestu.

– Fantastyczna! – Lucyna nie przestawała się zachwycać. – Podziękuj mamie w moim imieniu.

– Sama będziesz miała okazję. Zadzwonię do niej później, dobrze? – zapytałam.

– Jasne. A teraz wracajmy do stołu, bo panowie się niecierpliwią! – Puściła do mnie oko.

Złapała mnie za rękę i pociągnęła w stronę stołów i orkiestry, która serwowała weselnikom minirecital piosenek Abby.

Dlaczego nie? – pomyślałam, podążając za Lucyną i jej welonem, żeby dołączyć do całkiem pokaźnej grupki osób okupujących parkiet.

Radosne brzmienie kolejnych piosenek pozwoliło mi zapomnieć o żałobie i smutnym lecie u boku mamy. Rzuciłam się w wir tańca, pozwalając porywać się kolejnym partnerom. Chyba po raz pierwszy w życiu czułam się lekka, śmiała i piękna, a kiedy orkiestra zagrała *Lay All Your Love On Me*, miałam ochotę unieść się ponad ziemią.

– *I believe in angels* – wtórowałam wokalistce, kaleczącej nieco angielski, i dziękowałam w duchu mamie za zmuszanie mnie do nauki. – *When I know the time is right for me, I'll cross the stream, I have a dream* – śpiewałam.

– Czy mogę z tobą zatańczyć? – Artur z kieliszkiem wina w dłoni wyrósł jak spod ziemi.

Nie widziałam powodu, żeby odmówić.

Nie był pierwszym, który dbał o mnie w przerwach między tańcami. Prawdę powiedziawszy, nieźle już kręciło mi się w głowie. Porzucając konwenanse, zapytałam go o powód, dla którego zgodził się być świadkiem, na co nigdy nie zdobyłabym się w stanie trzeźwości.

– Zgadnij – odpowiedział.

– Bo mnie poprosiła na druhnę?

– Chodź na parkiet. – Objął mnie w talii.

Nie oponowałam.

Orkiestra grała *Chiquititę*. Znałam na pamięć przeboje Abby, więc bez problemu identyfikowałam słowa piosenki. „Jestem ramieniem, na którym możesz się wypłakać, jestem osobą, na której możesz polegać. Teraz widzę cię ze złamanym skrzydłem. Mam nadzieję, że razem uda się nam je złożyć".

Bujałam się przytulona do ramienia Artura, mimo że piosenka zachęcała do bardziej energicznych ruchów. Myśli o Brunonie i mamie, do której powinnam zadzwonić, sprawiły, że skurczyłam się w sobie.

– Bożenko, czy możesz pozwolić na chwilę? – Znienacka wyrosła przed nami Lucyna.

Wyszeptała coś do ucha mojemu partnerowi.

Ocknęłam się, zastanawiając, czy to nie czas na oczepiny. Lucyna jednak nie wyglądała na pannę młodą podniecona celebrowaniem kolejnego etapu weselnej nocy.

– Oczywiście. Już idę – odparłam, rzucając przepraszające spojrzenie Arturowi.

W jego oczach dostrzegłam… przerażenie?

Przyznam, że sytuacja była nieco dziwna, ale w trakcie tak wyjątkowego wieczoru zdarzają się nie takie momenty. Pośpieszyłam za Lucyną. A ona zaprowadziła mnie do salonu i posadziła na kanapie.

– O co chodzi? – zapytałam. – Kiedy oczepiny? Jestem gotowa.

Lucyna milczała. Zaczęłam domagać się wyjaśnień.

– Dlaczego nic nie mówisz? Coś się stało?

– Bożenko, mieliśmy telefon. Twoja mama…

– Co z nią?

– Dzwonił sąsiad…

– No i? – Z krzykiem zerwałam się na równe nogi.

– Poczuł gaz i wezwał pogotowie. Bożenko, nie wiem, jak mam ci to powiedzieć… Twoja mama nie żyje – wykrztusiła moja przyjaciółka.

– Nie!

W tle usłyszałam *Knowing Me, Knowing You*. Niestety, jej tekst również znałam: „Nie będzie już beztroskiego świata. Cisza na zawsze. Chodząc po pustym domu, ocieram łzy. Tutaj kończy się historia. To jest pożegnanie”.

– Muszę wracać do Warszawy! Nie wiesz, o której odchodzi pociąg?

– Chodź, zaprowadzę cię do twojego pokoju – szepnęła Lucyna, ujmując mnie pod ramię.

Poddałam się i poszłam za nią.

To kara za to, że oddałam małą! – pomyślałam, z płaczem wtulając głowę w poduszkę.

ROZDZIAŁ 32
DAGMARA

Lenistwo po wyjeździe dzieciaków trwało krótko. Dostałam od losu zaledwie dwa tygodnie wolnego na ogarnięcie najważniejszych spraw. Szemrzący w głowie aksamitny tembr głosu mecenasa Grodzieńskiego pozytywnie nastrajał do życia i pomagał ułożyć plan działania. W pierwszej kolejności postanowiłam załatwić szkołę dla Zośki, potem zadzwonić do mojego byłego, żeby zapytać o postępy w sprzedaży mieszkania.

Przekraczając próg piątego liceum, mojej starej szkoły, z przyjemnością stwierdziłam, że niewiele się zmieniło. Dwa budynki usytuowane wokół wspólnego podwórka stały na swoich miejscach, zadbane i odnowione. Mimo upału panującego na dworze, wewnątrz było chłodno. Dyrektor przyjął mnie uprzejmie i przekazał dobrą informację o wolnym miejscu w klasie humanistycznej, do której chciałam zapisać córkę. Wyniki Zośki okazały się wystarczająco dobre, a liceum, do którego chodziła we Wrocławiu, cieszyło się w środowisku renomą.

Wychodziłam zadowolona z odfajkowania jednej z ważniejszych spraw na liście do załatwienia.

– Dzwonię do ciebie, żeby dowiedzieć się, co z mieszkaniem, właśnie zapisałam Zosię do piątki – oznajmiłam Zbyszkowi jednym tchem. – Myślę, że jej się spodoba.

– To dobrze – odparł. – Masz ją gdzieś pod ręką? Nie mogę się do niej dodzwonić.

– Wyjechali z Kamilem na dwa tygodnie. Chyba powinieneś wiedzieć, skoro sam dałeś jej pieniądze – stwierdziłam z przekąsem.

– Z Kamilem? Mówiła, że wybiera się gdzieś z córkami Marleny – zdziwił się Zbyszek.

A zatem nasze dziecko nie popisało się szczerością wobec ojca...

– Mnie z kolei powiedziała, że znasz jej plany.

Zapadła cisza.

– No cóż – przerwał ją Zbyszek. – Jak widać, minęła się z prawdą. Porozmawiam z nią przy najbliższej okazji – obiecał i płynnie przeszedł do tematu mieszkania, który okazał się trudniejszy, niż przewidywaliśmy.

Czas wakacji nie był korzystny dla sprzedających, bo ludzie bardziej koncentrowali się na wyjazdowych planach niż na kupowaniu mieszkań. Trzysta dwadzieścia tysięcy złotych okazało się kwotą mało interesującą za nasze sześćdziesiąt jeden metrów kwadratowych na Muchoborze. Zbyszek obniżył ją o trzydzieści tysięcy, ale i ten manewr nie przyniósł oczekiwanej reakcji rynku. Krótko mówiąc, nie licząc dwóch par, chętnych nie było.

Mój były mąż zrelacjonował mi stan faktyczny. Oczekiwał decyzji, co dalej.

– Pięć dwieście za metr to cena mało atrakcyjna – podsumował. – Sądzę, że gdybyś opuściła do czterech sześciuset, mieszkanie sprzedałoby się znacznie szybciej. Ale decyzja należy do ciebie.

Dokonałam w myślach szybkiego rachunku. Wypadło dwieście osiemdziesiąt tysięcy. Minus trzydzieści na spłatę kredytu.

Zostawało niewiele.

– Wstrzymaj się jeszcze chwilę – poprosiłam. – Aż zorientuję się, jakie mieszkanie kupię za to w Toruniu. Daj mi dwa, trzy dni na zastanowienie.

– Dobrze. Ale nie dłużej. Niebawem wyjeżdżamy z Sarą na urlop. Jakiś czas będę poza domem. Jak Michałek? – Zbyszek zmienił temat.

– W porządku. Wyjechał z rodziną Marleny na wieś – zakomunikowałam lakonicznie, wyobraziwszy sobie swoją dwudziestopięcioletnią następczynię pakującą walizki na jeden z tych licznych wyjazdów do Włoch, które uwielbiali oboje. Nie czas żałować róż, gdy płoną lasy, pomyślałam, usiłując opanować ucisk w sercu na wspomnienie skromnych rodzinnych wyjazdów w Sudety.

A przecież ja od lat marzę o Toskanii!

Nic to! Spacer od darmowego parkingu za Cinema City do księgarni też jest przyjemny.

Wprawdzie południowe słońce prażyło mocno, ale cień rzucany przez średniowieczne kamieniczki łagodził upał. Maszerowałam dziarskim krokiem, przyglądając się tłumom turystów, zamoczyłam ręce w fontannie przy postumencie flisaka i wkrótce znalazłam się na Kopernika. U podnóża schodków zauważyłam jakąś kobietę.

– Księgarnia jest nieczynna – poinformowałam, zbliżywszy się do drzwi.

– Nazywam się Agata Machulska – przedstawiła się tamta z uśmiechem. – Czy ogłoszenie o pracę wciąż jest aktualne?

– Oczywiście – odparłam, z trudem pohamowawszy okrzyk radości. – Proszę za mną.

Weszłyśmy do wnętrza, które powitało nas przyjemnym chłodem.

– Dagmara Rudzka. Odziedziczyłam księgarnię po mamie. – Podałam dłoń sympatycznej trzydziestolatce.

Jak się miało okazać, nie tylko miłej. Również bardzo zaradnej.

Dogadałyśmy się jeszcze przed opróżnieniem filiżanek z kawą. Agata straciła pracę w sieciowej księgarni i ku mojemu szczęściu natknęła się na ogłoszenie. Zerknęłam na jej imponujące mimo młodego wieku doświadczenie zawodowe i list motywacyjny pełen obiecujących zapewnień, niemniej jednak nie to przesądziło o zatrudnieniu.

Z zachwytem słuchałam jej pomysłów na księgarnię. Antykwariat jak najbardziej, ale z uwagi na lokalizację na Starówce, księgarnia ma sprzedawać albumy i mapy Torunia, książki dla dzieci z legendami o mieście, przydatną w podróży beletrystykę. Może również nastawić się na bardziej wymagającego klienta, poszukującego klasyki literatury.

Wymieniane na gorąco pomysły, które padały po obu stronach, z miejsca zbliżyły nas do siebie. Agata nie tylko proponowała, jakie książki sprzedawać, ale i skąd je brać, żeby nie wpuścić się w koszty.

– Są hurtownie internetowe, które sprzedają naprawdę tanio. W dużych hurtowniach trzeba mieć kredyt kupiecki, a nie wiem, czy uda się pani, jako osobie nowej na rynku, go załatwić. Trzeba będzie na początek zainwestować trochę gotówki, by się uwiarygodnić – wprowadzała mnie w arkana sztuki. – No i oczywiście bardzo ważna jest reklama.

– Na to już chyba nie wystarczy – powątpiewałam.

– W internecie. Założymy stronę na Facebooku, od czasu do czasu zaprosi się pisarza, zorganizuje jakąś imprezę, promocje. Jest dużo możliwości.

Podejmując decyzję o przyjęciu jej do pracy, zastanawiałam się przez moment, czy nie jest koniem trojańskim przysłanym przez poprzednią kierowniczkę, by dobić mnie całkowicie. Postanowiłam jednak zaufać intuicji, tym bardziej że czas gonił, a księgarnia wymagała natychmiastowego działania.

– A zatem, pani Agato, zapraszam na pokład – zdecydowałam. – Przyjmuję panią.

– Bardzo się cieszę, nie zawiodę. Od kiedy mam zacząć?

Szybka decyzja, szybkie działanie. Po drugiej kawie miałyśmy już podpisaną umowę i zabierałyśmy się do opracowywania i spisywania strategii.

Po godzinie Agata przystąpiła do sprzątania i przygotowywania regałów na książki po tacie, ja załatwiałam ich transport z domu Laury. Przyjechały około piątej; kilkadziesiąt ciężkich kartonów znalazło się na podłodze. Zapłaciłam, ze zgrozą myśląc o kurczących się zasobach. Decyzja o obniżeniu ceny za wrocławskie mieszkanie zbliżała się wielkimi krokami.

Przerażona ogromem pracy przy rozpakowywaniu i segregowaniu schedy, postanowiłam odłożyć te czynności do jutra.

– Koniec roboty – powiedziałam. – Zjemy razem pizzę? Chyba nam się należy?

Capricciosa była wyjątkowo smaczna. A może po prostu my wyjątkowo głodne?

– Nie idzie pani do domu? – zapytała Agata, zbierając się do wyjścia.

– Zostanę chwilę. To do jutra – pożegnałam ją.

Ustaliłyśmy spotkanie na dziewiątą.

– Do jutra! I dziękuję za pizzę. I oczywiście za pracę.

Opadłam ciężko na fotel mamy. Przyjrzałam się kartonom, próbując oszacować, ile czasu zajmie przejrzenie ich zawartości.

Na półkach zmieści się najwyżej jedna czwarta tych książek, resztę będę musiała chwilowo przetrzymać na zapleczu, planowałam. Od którego kartonu zacząć?

Mimo zmęczenia otworzyłam ten stojący najbliżej.

Zawierał klasykę literatury rosyjskiej, którą – jak zapamiętałam – tato bardzo cenił i czytał w oryginale. Sięgnęłam po leżące na wierzchu *Trzy siostry* Czechowa. Wydanie z lat dwudziestych ubiegłego wieku można było uznać za kolekcjonerskie. Przykurzona okładka zachowanego w dobrym stanie woluminu tylko dodawała mu uroku.

Odłożyłam książkę dla siebie.

Tej z pewnością nie sprzedam! – postanowiłam. Niejednokrotnie wyobrażałam sobie, że gdybyśmy z Laurą miały jeszcze jedną siostrę, mogłybyśmy stać się bohaterkami Czechowa. Ja to najstarsza Olga, Laura to średnia – Masza, brakowało jedynie Iriny. A gdybyśmy jeszcze znały rosyjski?

Kiedy zarzuciłam czytanie wielkiej literatury? Od jak dawna nie byłam w teatrze? – zastanawiałam się, pieszcząc w dłoniach pamiątkowy egzemplarz. Jak mogłam dać się wtłoczyć w codzienne obowiązki, zapomnieć o tym, co piękne i wartościowe?

Przewracając kartki, natrafiłam na niewielkie zgrubienie – między setną a sto pierwszą stroną dostrzegłam kilka spłowiałych listów. Sięgnęłam po jeden z nich, zaadresowany do mamy. Od ciotki Katarzyny, od lat mieszkającej w Paryżu jej starszej siostry! – stwierdziłam. Długo wahałam się, czy otworzyć kopertę, ale ciekawość zwyciężyła.

Po przeczytaniu pierwszego listu nie mogłam powstrzymać się, by nie sięgnąć po kolejne.

ROZDZIAŁ 33
BOŻENA

Gdyby nie Artur, nie wiem, jak przeżyłabym kilka kolejnych dni. Najpierw Brunon, teraz mama. Bez oporu pozwoliłam wpakować się do samochodu Artura i dowieźć do Warszawy. Z przerażeniem przekraczałam próg domu, by w nim zastać pustkę. Przez dłuższą chwilę nie byłam w stanie wejść do pokoju, w którym mama postanowiła pożegnać się z życiem, a kiedy już nabrałam śmiałości, na widok lekkiego zagłębienia na łóżku, gdzie z książką w rękach odbywała swoje poobiednie drzemki, skurczyło mi się serce.

– Usiądź, proszę. – Artur podtrzymał mnie pod ramię, żebym nie upadła. – A może lepiej wyjdźmy stąd?

Przesunęłam ręką po zmierzwionej pościeli, która jeszcze pachniała mamą. Zastanawiałam się, dlaczego ona to zrobiła. Widocznie nie potrafiłam zachęcić jej do życia po śmierci Brunona. Nie byłam też wystarczająco ważna, by żyła ze względu na mnie.

A potem było już tylko gorzej. Identyfikacja zwłok w milicyjnej kostnicy, załatwianie pogrzebu, wreszcie smutna ceremonia zorganizowana przez Artura.

Przyjechali Lucyna z Januszem, pojawili się przyjaciele mamy i Brunona, sąsiedzi, znajomi. Oparta na ramieniu Artura przewodziłam pokaźnemu konduktowi pogrzebowemu, ukrywając się pod czarną woalką znalezioną w szafie mamy. Starałam się ukryć łzy, które w pewnym momencie zaczęły płynąć, bynajmniej nie z powodu trumny, za którą kroczyłam. Kilkaset metrów od bramy cmentarza do grobu wystarczyło, żebym uświadomiła sobie przyczynę bezmiernego żalu, który znajdował ujście w z trudem opanowywanym szlochu.

Zostałam sama. Moja matka zabiła się, nie bacząc, że wciąż jestem i chcę jej pomóc. Ale czy miałam prawo ją osądzać? Czyż nie byłam równie złą, jeżeli nie gorszą matką? Gdzie jest teraz moja córka, którą oddałam pod presją?

– My, pielgrzymujący na ziemi, ciągle stajemy przed wyborami i możemy nasze życie zmienić, odwrócić się od grzechu. Zmarli już tej możliwości nie mają – usłyszałam jak przez watę słowa księdza.

Słuchając pogrzebowej homilii, dusiłam w sobie żal do mamy o to, co mi zrobiła. Nie teraz, nie tutaj, dzisiaj jest jej ostatni dzień! – powstrzymywałam się od myślenia o przeszłości.

Rzuciłam grudkę ziemi na trumnę, jakbym chciała odrzucić pretensje. Położyłam na szczycie góry kwiatów wiązankę białych lilii, które mama tak lubiła, i zapłakałam nad tym, że już nigdy ich nie zobaczy.

Stypę pamiętam jak przez mgłę. Gromada ludzi w naszym domu, pochylająca się nad półmiskami ze schabem w galarecie, nóżkami i jarzynową sałatką, pełne współczucia spojrzenia, dochodzące z radiomagnetofonu nagrania Bee Gees, ulubionego zespołu Brunona, rozmowy przyjaciół rodziców. I ja, gdzieś tam w tle, czekająca, aż wszyscy wreszcie wyjdą.

Zmywali się po kolei, jak cienie, około dwudziestej drugiej, przekazując ostatnie kondolencje, zapewniając o gotowości pomocy. Z nadzieją, że na ulicy będą mogli o wszystkim zapomnieć.

Ostatniego gościa pożegnaliśmy z Arturem, Lucyną i Januszem.

– Pomogę ci sprzątać – zaofiarowała się Lucyna.

– Nie trzeba – powstrzymał ją Artur. – Idźcie spać. Poradzę sobie – powiedział. Spojrzał na mnie z troską i dodał, że przygotował już pościel. – Ja prześpię się w telewizyjnym – oznajmił, obejmując mnie i prowadząc do łazienki.

Poddałam się jego woli i pozwoliłam się ułożyć.

– Śpij, kochanie.

Słowa miały kojącą moc. A może tylko chciałam je usłyszeć?

Następnego dnia Lucyna i Janusz wyjechali, my z Arturem pozałatwialiśmy sprawy urzędowe związane ze śmiercią mamy. Jakiś zasiłek pogrzebowy, opłacenie czynszu, zamieszczenie ogłoszenia o wynajęciu mieszkania.

Byłam zmęczona i przygnębiona, więc hasło rzucone przez Artura, że pora wyjeżdżać do Wrocławia, przyjęłam z ulgą. Nie broniłam się również, gdy zaproponował mi zamieszkanie u siebie, tym bardziej że akademik był zamknięty z powodu deratyzacji. Zawiózł mnie do domu na Biskupinie, który odziedziczył po rodzicach; pokaźna stara, przedwojenna willa, stojąca w zacienionym potężnymi drzewami ogrodzie, zapewniała nastrój stosowny do okoliczności. Dostałam pokój na piętrze z widokiem na dwa okazałe dęby, posadzone jeszcze przez dziadka Artura. Mimo pierwszych dni września pojedyncze liście zaczęły powoli przybierać jesienne barwy.

Artur starał się, jak mógł, żeby wyrwać mnie ze szponów przygnębienia. Chodziliśmy na trudne do zdobycia w sklepach parówki do Klubu Dziennikarza, a o ile pozwalała pogoda, wylegiwaliśmy się na plaży nad Odrą. Dałam się nawet namówić na wyjazd jego maluchem do Chodzyńskich, którzy po podróży poślubnej do Zawoi w drugiej połowie września zjechali do domu.

– Przepraszam, Bożenko, ale staramy się z Januszem o małżeński akademik… – Lucyna po raz kolejny przypomniała mi, że nie będziemy już razem mieszkać.

– To zrozumiałe. Poradzę sobie – zapewniłam ją. – Nie martw się o mnie.

– A może ułoży ci się z panem doktorem? – podpytywała z łobuzerskim przymrużeniem oka.

To prawda, że było nam razem dobrze. Artur wyraźnie dawał do zrozumienia, że bardzo mu na mnie zależy, a ja również z każdym dniem byłam coraz bardziej zaangażowana. Po przygodzie z Aleksandrem nie ciągnęło mnie do rówieśników, a piętnaście lat starszy samozwańczy opiekun dawał mi poczucie bezpieczeństwa. I obdarzał uczuciem, którego do tej pory nie zaznałam. Dlatego kiedy zaproponował, żebym wprowadziła się do niego na stałe, nie oponowałam. Wysunęłam jedynie zastrzeżenie, co powiedzą na uczelni. Związki wykładowców ze studentkami nie były mile widziane.

Odpowiedź na moje wątpliwości była szybka i jednoznaczna. Artur pojawił się z bukietem kwiatów i czerwonym puzderkiem.

– Bożenko, czy zostaniesz moją żoną? – Spoglądał na mnie z poziomu kolan, otwierając jednocześnie pudełeczko, w którym mienił się pierścionek z rubinem. – Należał do mojej babki i mamy – wyjaśnił. – A teraz, jeżeli zgodzisz się go przyjąć... – zawiesił głos w oczekiwaniu na to, co powiem. – Jeżeli potrzebujesz więcej czasu...

– Tak – odparłam z przekonaniem. – Zostanę twoją żoną.

– Kocham cię – zapewnił mnie po raz pierwszy i przytulił.

– Ja ciebie też.

Ślub jednak postanowiliśmy odłożyć do przyszłych wakacji, a na uczelni nie obnosić się ze swoimi planami. Przyznam, że wymagało to niezłej ekwilibrystyki. Musiałam ukrywać fakt, że mieszkam z Arturem, a w kontaktach z nim utrzymywać stosowny dystans. Wspólne wypady do kawiarni raczej odpadały, na grupowych imprezach trzymaliśmy się od siebie z daleka.

Minął rok, zbliżała się kolejna letnia sesja. Lucyna urodziła Witusia zaraz po zaliczeniu zimowych egzaminów, zdecydowała się wziąć dziekankę i wyjechać do rodziców.

Tym razem kułam do egzaminów samotnie, w pustej willi Artura. Mój narzeczony stale gdzieś znikał, po czym pojawiał się w domu w towarzystwie koleżanek i kolegów. Zamykali się w pokoju. Na pytanie, co robi i co to za ludzie, dyskutujący nierzadko do białego rana, odpowiadał zdawkowo.

– Lepiej, żebyś nie wiedziała. Tak będzie bezpieczniej.

Kiedy jednak dostrzegłam wpięty w jego sweter opornik, domyśliłam się, że działa w opozycji.

– Musisz to robić? – zapytałam po kolejnej nieprzespanej nocy, którą zakłócał stukot kopiarki drukującej podziemną prasę.

W końcu studiując dziennikarstwo, wiedziałam, czym to pachnie.

Latem po drugim roku wzięliśmy cichy ślub, choć podróż poślubna musiała zaczekać z powodu ważnych wydarzeń w Gdańsku, które wymagały obecności mojego męża. Bałam się o niego już wcześniej, przez skórę wyczuwałam niebezpieczeństwo. A kiedy ogłoszono stan wojenny, umierałam ze strachu, czekając na dzwonek do drzwi.

Nic się jednak nie stało. Widocznie Artur był zbyt mało ważny, żeby go internować. A może zwyczajnie miał szczęście? Pozostał na wolności, ale stracił pracę. Pamiętam moment, kiedy obwieścił mi, że wylano go z uczelni.

– Przepraszam, kochanie. Jestem chwilowo bezrobotny.

– Co zamierzasz? – zapytałam.

– Na razie pójdę pracować w warsztacie stolarskim mojego kolegi – zakomunikował. – A potem się zobaczy.

Nadeszły ciężkie czasy pustych półek w sklepach i kilometrowych kolejek. Zdobycie mięsa na kartki graniczyło z cudem, że nie wspomnę o proszku do prania czy mydle. A my byliśmy jedną ze zwyczajnych polskich rodzin, tych wystających w ogonkach po podstawowe potrzebne do życia produkty, o które ani Artur, ani ja nie potrafiliśmy walczyć. Nie raz i nie dwa odchodziłam od lady z niczym, gdy tuż przede mną znikał ostatni kawałek żeberek czy pęto kiełbasy zwyczajnej, która po zapieczeniu w piekarniku nabierała aromatu prawdziwie wiejskiego przysmaku.

Czułam przez skórę, że muszę jak najprędzej skończyć studia, ponieważ może nadejść moment, kiedy przyjdzie mi zarabiać na nas oboje. Po raz pierwszy w życiu poczułam odpowiedzialność za kogoś oprócz mnie, więc jeszcze bardziej przykładałam się do nauki. Artur natomiast zgłębiał tajniki sztuki stolarskiej, a wieczorami czytywał klasykę i zabierał mnie do teatru. Nie musieliśmy się już martwić, że ktoś nas zobaczy razem. A że bilety na spektakle były tanie, nie żałowaliśmy sobie przyjemności.

Nie angażowałam się w działalność polityczną, odmawiałam uczestniczenia w studenckich strajkach. Grzecznie wracałam do domu i podgrzewałam dla nas zdobyczną zwyczajną.

Do chwili, kiedy przestała mi smakować. Zaczęła śmierdzieć i wywoływała odruch wymiotny.

Nie mówiąc nic Arturowi, zarejestrowałam się u ginekologa i potwierdziłam swoje przypuszczenia. Byłam w ciąży.

ROZDZIAŁ 34
DAGMARA

Zakamuflowanych w książce listów od ciotki Katarzyny do mamy było co najwyżej kilkanaście. Starannie umieszczone pomiędzy kartkami nie zajmowały dużo miejsca.

„Mam dla ciebie dobrą wiadomość, Teresko", przeczytałam w pierwszym z nich. „Dowiedziałam się od siostry Anieli o przyjętej niedawno do szkoły dziewczynie z Warszawy, która jest w ciąży. I wszystko wskazuje na to, że będzie oddawać dziecko do adopcji. A przynajmniej tak zdecydowali jej rodzice. Termin porodu jest przewidziany na czerwiec przyszłego roku, a zatem dużo się jeszcze może wydarzyć. Nie chciałabym robić ci nadziei, ale jest szansa, żebyście postarali się z Wojtkiem o to dziecko. Wiesz, że jestem w dobrych stosunkach z Anielą i siostrą Brygidą z ośrodka opiekuńczego. Nie mogę obiecać, że załatwię, niemniej jednak polecę was jako porządnych i bogobojnych ludzi. (...) U mnie wszystko w porządku. Codzienna praca w ogrodzie i kuchni, nie ma nad czym się rozwodzić. Na święta raczej nie przyjadę; siostra Hildegarda nie czuje się najlepiej, zostanę z nią. Z Bogiem. Katarzyna".

Kolejny list przeniósł mnie w czasie. Nie wiem, czy ciotka zarzuciła korespondencję, czy też mama nie zachowała całości.

„Za kilka dni Bożenka rodzi. Przyjedźcie i zakwaterujcie się w hotelu. Dobrze, żebyście byli na miejscu, kiedy nastąpi rozwiązanie. Cieszę się, że przygotowaliście się na przyjęcie dziecka, a jednocześnie szkoda mi tej dziewczyny, która według siostry Anieli bardzo przeżywa poród i wszystko to, co stanie się później. Ma wątpliwości, czy oddawać dziecko, lecz jej rodzice są nieugięci i zdecydowani. Należy się modlić, by Bożenka w ostatniej chwili nie zrezygnowała. Współczuję jej, ale wiem, że małej istotce będzie u was dobrze. Czekam na was. Katarzyna".

Oczami wyobraźni zobaczyłam nastolatkę z katolickiej szkoły, w której pracowała moja ciotka zakonnica. Przypomniałam sobie własny strach przed pierwszym porodem. Z tą różnicą, że ja swojego dziecka nie zamierzałam oddawać.

Sięgnęłam po trzeci list.

„No widzisz, Teresko, w życiu zawsze należy mieć nadzieję! Cieszę się razem z wami i obiecuję przyjazd do Torunia za miesiąc, kiedy przerobię już truskawki i porzeczki. Nasza spiżarnia jest jeszcze pusta, a zima długa. W ogrodzie mamy żniwa, owocuje groszek, fasola i dojrzewają ogórki. A i kapustę trzeba zakisić. Ale ja tu o sobie, a ty masz Dagusię. Piszesz, że świetnie się chowa i jest taka piękna. Jak dobrze, że pokochałaś ją od pierwszego wejrzenia! Cieszę się i codziennie modlę za was wszystkich. Nie martw się, Bożenka nigdy nie dowie się, gdzie trafiła mała. I z czasem przeboleje. Jest młoda, jeszcze urodzi dzieci i będzie się nimi cieszyć. Tak jak teraz wy Dagusią. Ucałuj maleństwo od ciotki Katarzyny".

Odłożyłam list i otarłam oczy. Więc rodzice jednak mnie pragnęli i kochali. Mama najwyraźniej zwierzała się ciotce. A co się stało potem?

Na razie nie doczekałam się odpowiedzi. Czwarty list dotyczył Laury.

„Jesteś w ciąży?! Naprawdę, siostrzyczko? Nawet nie wiesz, jaką radość sprawiłaś mi tą wiadomością! Dagusia niebawem skończy cztery lata i będzie miała rodzeństwo, a wy drugie dziecko. To wspaniała wiadomość! Ucałuj maleńką ode mnie".

Kolejne listy od ciotki Katarzyny nie były już dla mnie tak przyjemne. Wynikało z nich, że mama zakochała się we własnym dziecku, a mnie odsunęła na bok. O ile na początku była jeszcze w euforii po urodzeniu Laury, o tyle z czasem zaczęłam jej przeszkadzać. Ciotka próbowała ją wspomagać radą już z Paryża, gdzie wyjechała, by zaszyć się w zakonie, kiedy miałam sześć lat.

„Teresko, przepraszam, że nie powiadomiłam was wcześniej, ale decyzję podjęłam niespodziewanie. Od kilku dni mieszkam na obrzeżach Paryża, w zakonie, gdzie jestem potrzebna. Odczułam potrzebę zbliżenia się do Boga i zaprzestałam kontaktów z ludźmi. Wolno mi jednak pisać do rodziny, a zatem możemy pozostać w kontakcie. Martwi mnie to, co piszesz, ale staram się ciebie zrozumieć i modlę się, żebyś odnalazła w sobie na nowo miłość do Dagusi. Rozumiem, kochasz Laurę, którą urodziłaś, ale twoja pierwsza córka też jest twoim dzieckiem, ponieważ pragnęłaś jej i los ci ją zesłał. Co się takiego stało, że nagle zaczęła cię drażnić? Może i jest trochę zazdrosna o młodszą siostrę, ale musisz ją zrozumieć. Kiedy urodziła się Laura, Dagusia miała zaledwie cztery lata, walczyła o rodziców, czuła zagrożenie. To tylko dziecko. Kochane dziecko. Przecież wiem, że na początku pokochałaś ją całym sercem".

Motyw „swojej" Laury i „przygarniętej" Dagmary pojawiał się niemal w każdym liście. W pewnym momencie zaczęłam nawet współczuć mamie, że przez całe życie zmagała się z traumą niepełnej miłości do mnie. Starałam się, jak mogłam, o jej uwagę. Przynosiłam świadectwa z paskiem, byłam przykładną harcerką, czytałam książki, nie włóczyłam się z kolegami po knajpach, ale to Laura zajmowała miejsce na maminych kolanach i dostawała od rodziców, co tylko chciała. Wyjeżdżając na studia do Wrocławia, postanowiłam się usunąć i oddać jej pole. Więc kiedy teraz przeczytałam, że mama skarżyła się na moje nieczęste przyjazdy do domu, odczułam satysfakcję.

„Sama jesteś sobie winna, Teresko. Tak się musiało stać. Wypuściłaś Dagusię z rąk, pozwoliłaś jej się oddalić. Powiem ci jedno – nie doceniłaś jej. Może nie mam prawa tak twierdzić, ponieważ znam ją jedynie z twoich listów i muszę czytać między wierszami, niemniej jednak, skoro do mnie piszesz, mogę wyrazić swoje zdanie. Nie zapominaj o niej, ponieważ sama zdecydowałaś o przyjęciu jej pod swój dach. I nie ma to nic wspólnego z Laurą".

Ciotka potwierdzała słowa przekazane mi przez mamę w liście zza grobu. Wszystko stało się jasne. Byłam niekochaną córką matki adopcyjnej i porzuconą córką tej drugiej. Która być może jeszcze żyła.

A gdyby tak ją odszukać? – pomyślałam. Tylko po co? Pewnie doczekała się dzieci i wnucząt.

A jednak uparta myśl nie zamierzała odpuszczać. Nie zastanawiając się długo i nie bacząc na późną porę, zatelefonowałam do Laury.

– To ja – powiedziałam. – Czy nie zmienił się numer telefonu do ciotki Katarzyny? Chciałabym się z nią skontaktować.

– To ty nic nie wiesz? – zdumiała się moja siostra. – Ona zmarła kilka miesięcy temu. Mama nic ci nie mówiła?

– Nie wspomniała.

– Zmarła dwa miesiące przed mamą. Masz jeszcze coś?

– Nie.

Przez moment miałam ochotę zaproponować jej spotkanie, zapytać o Marcina i dzieciaki, ale słowa uwięzły mi w gardle. Miałam nadzieję, że Laura jeszcze coś powie, zagada, ale nic takiego się nie stało.

Połączenie zostało przerwane i w telefonie zaległa cisza.

ROZDZIAŁ 35
BOŻENA

Bożenko, to najwspanialszy prezent, jaki mogłaś mi podarować! Będziemy mieli dziecko! – Artur na wieść o mojej ciąży nie ukrywał radości. – Jeszcze rok temu myślałem, że przeżyję życie jako bezdzietny kawaler, a tu proszę bardzo! Żona i dziecko! Nawet nie wiesz, jak się cieszę!

Czy mogłam liczyć na bardziej entuzjastyczną reakcję? Artur, snując plany na przyszłość, zatroskał się o moją ostatnią sesję i obronę pracy magisterskiej, która zbliżała się wielkimi krokami.

– Może ty powinnaś leżeć? A przynajmniej się oszczędzać? – pytał zaniepokojony wysiłkiem, jaki będę musiała włożyć w ukończenie studiów. – Może weźmiesz dziekankę i wrócisz po porodzie?

Roześmiałam się na myśl o tych niedorzecznych obawach, mając w pamięci poprzednią ciążę, która nie przeszkodziła mi zdać matury. A jednak wciąż nie byłam w stanie podzielić się tamtymi wspomnieniami z moim mężem. Do tej pory nie nadeszła po temu odpowiednia chwila. Zastanawiałam się nawet, czy nadejdzie kiedykolwiek.

– Wszystko będzie dobrze. Nie muszę brać dziekanki – starałam się uspokoić jego obawy. – Zostały mi do końca tylko dwa egzaminy i prawie już gotowa magisterka. Miesiąc i będę miała wakacje.

– A ja zabiorę cię nad morze do Rowów! – podchwycił temat urlopu. – Wynajmiemy pokój u rybaka, będziesz chodziła po plaży, kupię ci gofra i lody...

– Albo kiszonego ogórka.

– Cokolwiek zechcesz, mamusiu!

Ten entuzjazm sprawiał, że biłam się z myślami, czy nie wyjawić mu prawdy.

Odpuściłam. Po co burzyć nasze nowe rodzinne życie, a przy okazji jeszcze czyjeś? Nie wątpiłam, że małej jest dobrze u nowych rodziców. Przecież zapewniała mnie o tym siostra Aniela, a ona nie kłamała nigdy.

Ostatnie egzaminy wzięłam z marszu. Obrona magisterki również okazała się bardzo przyjemna, mimo stresu przed publicznym występem przed szacowną komisją.

– Gratuluję, pani Bożeno. I tematu, i przygotowania – docenił mnie docent Zawiejski, odbierając bukiet kwiatów po obronie. – Z przyjemnością posłuchaliśmy sobie o losach Polonii australijskiej. Nie ukrywam, że przedstawiła je pani z dużym pisarskim zacięciem. Dobry reporterski debiut.

Nie wiedziałam, czy mam odczytać te słowa jako komplement, bo starałam się pisać magisterkę zgodnie ze sztuką tworzenia pracy naukowej, nie zapominając o udokumentowaniu źródeł i skrupulatnym gromadzeniu przypisów.

Nie zamierzałam jednak się na tym skupiać – piątka w indeksie i ulga z powodu zakończenia studiów kazały mi się cieszyć i planować wypad nad morze. Tym bardziej radosny, że Artur na wspólny wyjazd namówił Lucynę z Januszem i Witusiem, który był już niemal półtorarocznym mężczyzną. Postanowiliśmy całą paczką pobyczyć się na bałtyckiej plaży, pooddawać błogiemu lenistwu i poobjadać rybami prosto z morza, które wędził nasz gospodarz lub smażyła jego żona.

Dom rybackiej rodziny, który wynajęliśmy na dwa tygodnie, okazał się tyleż mały, co urokliwy. Zajęliśmy dwa pokoje, gospodarzom zostawiając kuchnię, zawsze pełną zapachów. Głównie rybnych, choć równie miło pachniały placki ziemniaczane, ziemniaki z okrasą, gotowana kapusta. Dawno nie jadłam tak dobrych rzeczy, ostatnio, kiedy w domu mieliśmy panią Wiesię.

Arturowi i mnie przypadła izba z dużym małżeńskim łożem, pękatym od poduch i pierzyn, nakrytym kapą z wyhaftowanym jeleniem na rykowisku. Nad naszymi głowami górowała ślubna fotografia gospodarzy. Było pięknie. Rankiem budził nas kogut, a głosy ptactwa długo nie dawały zasnąć. Skąd się wzięło powiedzenie „chodzić spać z kurami”? – zadawałam sobie pytanie. Choć fakt, po całym dniu na plaży rzeczywiście odczuwałam zmęczenie i opuszczałam towarzystwo pod pretekstem krótkiej drzemki, która przeciągała się do rana.

– Tobie się też tak chciało spać w pierwszych miesiącach ciąży? – dopytywałam się Lucyny, kiedy czasami, pozbywszy się naszych trzech panów, zostawałyśmy same.

Miałam na końcu języka, żeby podzielić się wrażeniami z pierwszej ciąży, lecz rezygnowałam.

– Pewnie! To normalne. Masz ochotę i czas, to śpij. Dobrze przynajmniej, że opuściły cię mdłości.

– Gdzie zamieszkacie po studiach? – zmieniłam temat.

– Janusz stara się o pracę we wrocławskiej gazecie. Powiem ci w zaufaniu, że już go przyjęli. A wy? A ty? Co będziesz robić?

– Jeszcze nie wiem. Docent Zawiejski zaproponował mi staż na uczelni.

– To wspaniale! Będziemy blisko. No i widzisz, martwiłaś się, że Artur stracił pracę, a tu nagle taka wspaniała robota dla ciebie! On z czasem też coś znajdzie. Nie będzie przecież całe życie pracować w stolarni.

– Mam nadzieję, Lucynko. Nie muszę ci mówić, że nie bardzo się tam realizuje.

Problem miał się rozwiązać szybciej, niż obie byłyśmy w stanie przewidzieć. Kiedy następnego dnia późnym popołudniem usadowiliśmy się na plaży, aby podziwiać zachód słońca, Artur podzielił się nowiną.

– Kochanie! – zwrócił się do mnie z radosną miną. – Dostałem pracę.

Zaskoczona czekałam na szczegóły.

– Będę dziennikarzem w „Świecie Młodych" – obwieścił, wprawiając nas w osłupienie.

Dostrzegł konsternację, więc usprawiedliwił swoją decyzję.

– Wiem, że to pismo dla młodzieży, ale dziennikarz musi podejmować różne tematy. Będę pisał o motoryzacji, nauce. Z dala od polityki. Bożenko, muszę – powiedział pokornie. – Mam już serdecznie dość hebla i piły.

– Gdzie jest redakcja? – zapytałam, bo zapachniało mi przeprowadzką.

– W Warszawie – dodał cicho.

– Mówiłam ci, że Zawiejski zaproponował mi staż? – przypomniałam.

Lucyna i Janusz milczeli.

– Wiem – odparł mój mąż. – Zastanowimy się jeszcze. A zresztą jesteś w ciąży, a potem będziesz z dzieckiem…

Przyznałam mu rację. Być może nawet mi ulżyło. On będzie mógł pracować w zawodzie i zarabiać na rodzinę, a mnie bardzo zależy na maleństwie.

Staż musiał poczekać.

Pobyt nad morzem dobiegł końca, a wraz z nim beztroskie chwile po obronie. Nasza rodzina rozpoczęła przygotowania związane z przeprowadzką do Warszawy. Artur wystawił willę na sprzedaż, ponieważ, jak się okazało, mieszkanie rodziców było służbowe i musiałam je oddać. Wynajęliśmy lokum w domu na warszawskim Żoliborzu, które zamierzaliśmy kupić w przyszłości.

Willą zainteresował się podwrocławski badylarz, zamożny właściciel hektarów pod szkłem, uprawiający pietruszkę i pomidory gość z kasą, ale bez klasy. Targował się skuteczniej od najbardziej wprawionego handlarza.

– Panie, za co pan chce tyle? – dąsał się po obejrzeniu stylowej budowli. – Toż to się prawie wali! Farba odchodzi, na schodach można nogę złamać! Remontu toto nie widziało z pięćdziesiąt lat – próbował umniejszyć jej wartość.

– Jeżeli pan nie reflektuje…

– A kto powiedział, że nie chcem?! – wzburzył się klient. – Córce chcem kupić i nie bedem żałował pieniędzy! Ale musisz pan opuścić.

Wobec braku innych ofert, z ciężkim sercem zgodziliśmy się sprzedać willę barbarzyńcy.

– Będzie meble przykrywał jak Muller z *Ziemi obiecanej* – pokpiwał Artur po zakończonej transakcji, przygnębiony utratą domu rodzinnego.

– Nie martw się, kochanie – pocieszałam go, równie zgaszona jak on. – Urodzi się malutkie, będziemy razem. Jeszcze kiedyś zbudujemy dom dla naszych dzieci i wnuków. Widać tak musiało być.

Po cichu zaś modliłam się, żeby nasz plan wypalił.

We wrześniu zaczęliśmy remont warszawskiego mieszkania. Artur dwoił się i troił, biegając pomiędzy redakcją a domem, który – wykorzystując nabyte w stolarni umiejętności – w miarę możliwości starał się odnawiać z pomocą Janusza. Panowie zdzierali kolejne warstwy farby, gruntowali ściany, malowali, restaurowali drzwi i uszczelniali okna, wymieniali instalację elektryczną. Tak zwani fachowcy byli zbyt drodzy i niedostępni. Na szczęście z Wrocławia zabraliśmy meble, których zdobycie w sklepach było niemożliwością. Nie mieliśmy czasu ani ochoty stać w trzymiesięcznych kolejkach po meblościankę ze sklejki czy narożnik, bez gwarancji, że będzie pasować do wnętrza. Urządziliśmy się, wykorzystując zasoby Artura, machnąwszy ręką na peerelowski chłam.

Wystarczająco dużo czasu pochłaniało nam wystawanie w kolejkach po artykuły pierwszej potrzeby. Musiało nam wystarczyć kartkowe mięso, mąka, masło, jedna kostka czekolady na miesiąc, jedno mydło, paczka proszku do prania. Chodziłam na targ po śmietanę i jajka „od chłopa", nauczyłam się nawet samodzielnie robić makaron. Ale gdy pod koniec września Janusz wrócił do Lucyny, nasze mieszkanie nadawało się do użytku. Niektóre kąciki przypominały nam przytulne wrocławskie kąty. Zwłaszcza ten z sofą po prababce mojego męża.

Tamtego dnia leżałam zmęczona polowaniem na żeberka, czytając książkę i oczekując Artura. Zadowolona z rozmowy z profesorem Solskim, który za namową docenta Zawiejskiego zgodził się przyjąć mnie na staż na Uniwersytecie Warszawskim, układałam w głowie zdania, jakimi przekażę dobrą wiadomość. Tym lepszą, że Solski zgodził się zaczekać, aż odchowam dziecko. Spoglądałam na wazon pełen astrów mieniących się feerią jesiennych barw, raz po raz sięgając po filiżankę z naparem ze zdobytej herbaty ulung. Pomyślałam nawet, że wszystko zaczyna się układać, gdy poczułam silny skurcz w podbrzuszu. Sofa zabarwiła się na czerwono.

Telefon był w PRL-u dobrem trudniej osiągalnym od samochodu…

ROZDZIAŁ 36
BOŻENA

Sytuacja opanowana, panie Zawistowski. – Jak przez mgłę dotarły do mnie słowa lekarza, który stojąc obok mojego łóżka na szpitalnym korytarzu, rozmawiał z Arturem.

Przysłuchiwałam się, udając, że śpię, przerażona i rozżalona tym, co się stało. Nie nosiłam już naszego dziecka. Wypłynęło ze mnie, a reszty dopełnili lekarze. Nie chciało mi się otwierać powiek, powracać do żywych, patrzeć w oczy Arturowi.

– Dobrze, że zjawił się pan w porę – kontynuował doktor. – Żona mogła się wykrwawić.

– Ale dlaczego tak się stało?

Lekarz rozłożył ręce.

– Nie wiem, jaka była przyczyna poronienia, ale proszę się nie martwić. Skoro żona już raz urodziła zdrowe dziecko, kolejną ciążę ma szansę donosić.

Zmartwiałam.

– Jakie dziecko?!

Artur niemal krzyknął. Wyrzut w jego głosie porażał.

– O tym muszą państwo porozmawiać sami – powiedział doktor i nakazał pielęgniarce, by zajęła się kroplówką.

Nie mogłam już dłużej markować snu. Otworzyłam oczy. Zalękniona patrzyłam na męża, który przysiadł na obciągniętym ceratą taborecie.

– Jak się czujesz? – wyszeptał.

– Jestem słaba. Tak mi przykro... To była córeczka – bąknęłam, ocierając łzy.

– Leż, musisz się wzmocnić.

Nie mogłam dłużej udawać, że nie słyszałam rozmowy nad moją głową. Arturowi należały się wyjaśnienia, chociaż okoliczności nie sprzyjały szczerej rozmowie.

– Lekarz mówił prawdę – zdobyłam się na wyznanie. – Ponad cztery lata temu urodziłam zdrowe dziecko.

– Gdzie ono teraz jest?

– Oddałam ją do adopcji.

– Boże...

Artur wstał, przeprosił i wyszedł, by zaczerpnąć świeżego powietrza.

Po chwili wrócił spokojniejszy. Nie wspomniał ani słowem o tym, co ode mnie usłyszał, posiedział do końca odwiedzin i obiecał przyjechać po mnie następnego dnia.

Miałam wrażenie, że nie spałam całą noc. Wskutek upływu krwi i ogromnego zmęczenia zapadałam jedynie w krótkie drzemki, budząc się przybita tym, co się stało, i nieuniknioną rozmową.

A jeżeli on mnie zostawi? – wymyślałam najczarniejsze scenariusze. Jeżeli już nigdy mi nie zaufa?

Nie dość, że straciłam dziecko, to mogłam stracić również Artura.

– Dam pani tabletkę na uspokojenie, pani Zawistowska. – Położna podniosła poduszkę, żebym mogła usiąść. – Tak się pani rzuca, że wenflon wypadnie!

– Przepraszam, ale tak mi przykro… – Rozpłakałam się na dobre.

– Młoda jesteś, dziewczyno! – Pielęgniarka próbowała podnieść mnie na duchu. – Będziesz jeszcze miała gromadkę dzieci! Nie zawsze się udaje.

– A jeśli już nigdy nie zajdę w ciążę? – Z trudem odganiałam natrętną myśl. Jeżeli poronienie jest karą za oddanie córeczki? – goniła ją druga. I jeszcze Artur…

– Czy dzwonił mój mąż? – zapytałam.

– W nocy? Jutro wyjdziesz, będziecie razem.

Po tabletce zasnęłam mocno i obudziłam się dopiero na poranne mierzenie temperatury i obchód. W południe Artur odebrał wypis ze szpitala i taksówką zawiózł mnie do domu.

Na sofie nie było już śladu krwi. Ułożyłam się na niej wygodnie, wciąż jeszcze osłabiona i głodna. Poranna szpitalna owsianka pachniała ścierką, a herbata miała kolor lekko zabarwionej wody, zatem z przyjemnością napiłam się bawarki i zjadłam kanapkę z szynką, nie zastanawiając się, skąd Artur wziął taki luksus. Jego opiekuńczość nie wskazywała, że chce ode mnie odejść, niemniej jednak taka możliwość istniała zawsze.

Milczałam, czekając, kiedy mój mąż zechce poznać szczegóły pierwszej ciąży.

Przyszedł na to czas przy kolacji.

– Możemy porozmawiać? – zapytał, a ja poczułam ulgę.

Powoli dusiłam się w atmosferze jego troski i własnych wyrzutów sumienia.

Opowiedziałam o grzechu z przeszłości.

Zaczęłam od nieszczęsnej prywatki, Aleksandra, przeniesienia mnie do szkoły katolickiej. Powiedziałam o naciskach rodziców na oddanie dziecka do adopcji i zgodzie na ich ultimatum. Popłakałam się, wspomniawszy, że po porodzie nie pokazano mi dziecka, na które za drzwiami czekała szczęśliwa nowa rodzina.

Teraz, kiedy straciłam drugie, tamte wspomnienia wróciły ze zdwojoną siłą.

– To wina twoich rodziców – podsumował Artur.

– Moja też. Może gdybym bardziej się uparła, poszukała innych rozwiązań…

– Sama byłaś zagubionym dzieckiem, Bożenko. – Słuchałam kojących słów wtulona w ramiona mojego męża. – Stało się. Ale dlaczego mi nie powiedziałaś?

Czy powodował mną strach przed wstydem, o którym ciągle mówili rodzice, czy też chęć zamknięcia przeszłości?

– Nie wiem, Arturze. Przepraszam.

Kolejne pytanie nie było zaskoczeniem. Miałam przygotowaną odpowiedź.

– Zamierzasz odszukać córeczkę?

– Nie. Ona od urodzenia ma inną rodzinę i mam nadzieję, że jest jej dobrze. Nie chciałabym niczego burzyć. Myślisz, że my też jeszcze będziemy mieć dzidziusia? – zapytałam, nie kryjąc łez.

– Z pewnością. Będziemy mieć dwie małe córeczki – odparł pewnie. – Cyganka mi wywróżyła – dodał z zawadiackim uśmiechem. – A jeśli chcesz zapomnieć o przeszłości, nie będę cię namawiał do żadnych kroków. Może tak rzeczywiście będzie lepiej.

Przy pomocy Artura powoli dochodziłam do siebie. W październiku zaczęłam staż w katedrze profesora Solskiego i porwał mnie wir nowej pracy i emocje związane z poznawaniem środowiska. Zajęcia ze studentami miałam rozpocząć dopiero w semestrze letnim, zimowy przeznaczyłam na przygotowania.

„Lucynko, bardzo dobrze się tu czuję. Głównie przesiaduję w bibliotece i zbieram materiały do ćwiczeń", pisałam do przyjaciółki, która właśnie pracowała nad magisterką. „Nie ma pomocnych książek, na których mogłabym się oprzeć, dlatego poszukuję różnych źródeł. Jeżdżę na konferencje naukowe i zbieram, zbieram, zbieram. Poznałam fajnego człowieka, doktora Miśkiewicza, z którym postanowiliśmy napisać skrypt dla studentów, co ostatnio pochłonęło mnie całkowicie. Artur robi za młodzieżowca w «Świecie Młodych», pisując o nowinkach technicznych, muzyce, a nawet o harcerskich sprawnościach. Cieszę się, że pozostaje z dala od polityki, bo sama wiesz, że do tego trzeba być prawomyślnym, a on za naszą jedynie słuszną i przewodnią siłą narodu nie przepada. A ona za nim. Dlatego lepiej, że podejmuje neutralne tematy. Przynajmniej nikt nie ciągnie go do partii.

Myśli o poronieniu powoli przysychają. Jakiś rok, dwa i spróbujemy ponownie. A jak twój Wituś? O ile dobrze liczę, za trzy miesiące skończy dwa lata! Przekaż mu od ciotki zdjęcie lwa, które zrobiłam w ogrodzie zoologicznym. Tęsknię za wami wszystkimi i liczę, że spotkamy się w przerwie międzysemestralnej. Chyba że będziesz kuć do egzaminów".

Planowany przeze mnie wyjazd do Wrocławia nie doszedł do skutku, trochę za sprawą zapracowanej w sesji Lucyny, trochę z powodu wczasów pracowniczych w Szczawnicy, które zafundował nam Artur.

– Zabieram cię w góry! – Przybiegł któregoś dnia ze skierowaniami.

Poczułam się jak za dawnych czasów na wyjazdach z rodzicami: posiłki w stołówce, w przerwach pierwsze kroki na nartach, stawiane na pobliskim stoku, wieczorami imprezy w świetlicy organizowane przez tak zwanych kaowców, czyli pracowników kulturalno-oświatowych. Nie przepadaliśmy za zbiorową rozrywką, ale na wieczorek zapoznawczy i kończący turnus daliśmy się namówić.

Wróciłam opalona, wypoczęta i chętna do pracy z kilkoma grupami, z którymi szybko nawiązałam kontakt. Wprawdzie zajęcia z politologii, odbierane jako komunistyczna propaganda w pigułce, nie cieszyły się szczególną popularnością, ale kiedy studenci zorientowali się, że nie zamierzam ich indoktrynować, nasze stosunki ułożyły się znakomicie. W końcu byli jedynie cztery, pięć lat młodsi ode mnie.

Profesor Solski podjął rozmowy o doktoracie. Interdyscyplinarność mojej dziedziny sugerowała różne tematy. Rozważałam zajęcie się amerykańskim konsumpcjonizmem w ujęciu Galbraitha, teorią rozwoju metropolii, ruchem chłopskim po drugiej wojnie światowej i kilkoma innymi. W końcu zdecydowałam się na ruch chłopski, mając na względzie dostęp do trudnych do osiągnięcia źródeł, które mógł załatwić profesor.

Przesiadywałam w bibliotekach, gromadziłam fiszki, zbierałam materiały. Jednak stosy papierów rosły, a mój zapał do pracy naukowej malał. Zaczęłam prowadzić pamiętnik. Pisywałam krótkie opowiadania, notowałam spostrzeżenia.

Po dwóch latach od poronienia po raz kolejny byłam w ciąży.

– Artur, wróciłam od ginekologa – zakomunikowałam, zyskawszy pewność.

– Jesteś w ciąży?!

– Tak, ale nie cieszmy się jeszcze, proszę. To początek.

Mój mąż jednak nie przyjmował do wiadomości jakichkolwiek złych scenariuszy. Cieszył się i skupiał na zapewnieniu mi jak najlepszych warunków, bym dotrwała szczęśliwie do końca.

– Musisz wziąć zwolnienie lekarskie i leżeć – postanowił.

– Za kilka dni zaczyna się nowy rok akademicki.

– Nie dla ciebie, kochanie. Przecież rozumiesz, że musisz się oszczędzać.

Wzięłam zwolnienie i wszystkie zawodowe obowiązki odstawiłam na półkę. Leżałam przykładnie, wyjąc z nudów, czasami kręcąc się po domu i gotując obiadki, co było jedną z nielicznych atrakcji. Nie licząc pisania i porządkowania kątów, podczas którego natrafiłam na książkę napisaną wspólnie z Hanią.

Ciekawe, co się z nią dzieje, zadumałam się nad rękopisem.

Adres Hani przepadł w trakcie przeprowadzki; nie bardzo pamiętałam, jak dotrzeć do jej rodzinnej wsi. Może pozostaje w kontakcie ze szkołą, miałam nadzieję.

Zanim jednak przedsięwzięłam jakiekolwiek kroki, zaczęłam pisać. Codziennie przybywał jeden rozdział. Szło dobrze, aż do kolejnego poronienia, które podobnie jak poprzednie dopadło mnie pod koniec czwartego miesiąca, kilka dni po świętach Bożego Narodzenia.

– Nigdy nam się nie uda! – wypłakiwałam się Arturowi.

– Nieprawda! – zaprzeczał. Próbował podtrzymać mnie na duchu. – Masz dopiero dwadzieścia pięć lat, kochanie, i jeszcze dużo czasu na urodzenie dziecka. Będziemy próbować.

– Ale ja nie wiem, czy dam radę!

– Teraz o tym nie myśl. Za miesiąc rozpoczynasz zajęcia na uniwersytecie. Pokręcisz się wśród ludzi, dobry nastrój przyjdzie sam.

Nie byłam tego taka pewna, ale starałam się poddawać sugestiom. Chciałam powrócić do zbierania materiałów do doktoratu, a w międzyczasie pracować na własny dorobek naukowy, co przychodziło mi z coraz większym trudem.

„Lucynko, z dnia na dzień bardziej nudzi mnie ten ruch chłopski po drugiej wojnie, a i zajęcia ze studentami też nie stanowią takiej atrakcji, jak na początku", żaliłam się przyjaciółce. „Artur tego nie rozumie. Mówi, żebym była konsekwentna, ale ja nie widzę dla siebie przyszłości na uczelni. Do tego profesor Solski naciska na publikacje artykułów. Tylko co mi po tytule naukowym, jeżeli nie znajduję przyjemności w pracy?"

„To może postaraj się o pracę w gazecie?", radziła Lucyna, teraz zmieniająca pieluchy nowo narodzonemu synkowi. „Ale zanim to nastąpi, przyjedźcie do nas, do Wrocławia, na chrzciny. Zgodzisz się zostać matką chrzestną Jasia?"

Trzymałam do chrztu drugie dziecko Lucyny. Natomiast Agatkę, która urodziła się dwa lata później, podawał Artur. W międzyczasie opublikowałam kilka artykułów w naukowych pismach, a mój mąż awansował na szefa działu techniki w „Świecie Młodych". Książka, którą zaczęłam pisać kilka lat temu, spoczywała zapomniana w szufladzie.

Żyłam na jałowym biegu, codziennie mierząc temperaturę i polując na jajeczkowanie.

Artur był wyjątkowo wyrozumiały dla moich dołów i zmiennych nastrojów. Podczas „tych dni" uprawialiśmy seks, mając nadzieję, że ten raz zaowocuje kolejną ciążą.

Wreszcie się udało.

– Biorąc pod uwagę pani doświadczenia, zalecam zwolnienie lekarskie. – Doktor wypisał kwitek na trzydzieści dni.

Nie obchodziło mnie, co powie profesor Solski, nie interesowała mnie kariera naukowa. Miałam prawie trzydzieści lat, w tym osiem starania się o dziecko. To był ostatni dzwonek.

Całe nasze rodzinne życie podporządkowaliśmy dbaniu o ciążę. Żadnego dźwigania zakupów, tylko wypoczynek, witaminy, spokój. Artur przybiegał z redakcji w środku dnia, by sprawdzić, jak się czuję, i zaparzyć mi bawarkę. Uwolniona od pracy zajrzałam wreszcie do zapomnianej książki i dopisałam kilka rozdziałów. Marzyłam, żeby po odchowaniu maleństwa oddać się temu zajęciu całkowicie.

W kraju wrzało, a ja sporo czasu spędzałam na sofie przed telewizorem, obserwując zmiany polityczne. Kartkowa komuna padała, mnie jednak nie bardzo wciągały zmiany. Wstając rano do łazienki, z trwogą sprawdzałam, czy nie ma śladów krwi, z podobną obawą kładłam się spać. Kończył się czwarty miesiąc.

Pozwoliłam sobie na ostrożny optymizm.

Pewnego dnia Artur przyniósł butelkę wina i zadowolony postawił na stole.

– Ty nie możesz, ale pozwól, że ja naleję sobie kieliszek – powiedział.

Spojrzałam pytająco.

– Dostałem pracę w wolnym ogólnopolskim piśmie – zakomunikował. – Będę redaktorem naczelnym w regionalnym dodatku! Zgodzisz się przenieść do Torunia?

Leżeć w Warszawie czy leżeć w Toruniu? Właściwie nie miało to wielkiego znaczenia. A Artur był taki podniecony! Nie miałam serca odmówić.

– Oczywiście, kochanie. Nareszcie zostałeś doceniony.

– Wspaniale, że się zgadzasz! Pozwolisz mi na jeszcze jeden kieliszek?

Kończył się czerwiec, a wraz z nim zajęcia na uczelni, do której nie zamierzałam wracać od nowego roku akademickiego. Rozstałam się z profesorem Solskim i kolegami z katedry bez większego żalu, z zamiarem znalezienia nowej pracy w Toruniu. Teraz liczyła się wyłącznie ciąża.

Zaczął się aktywny czas związany z przeprowadzką. Artur znalazł chętnych na wynajem naszego mieszkania w Warszawie, dla nas wynajął lokum w Toruniu. Zamieszkaliśmy w pięknej dzielnicy, w pobliżu parku i ogrodu zoobotanicznego. Polegiwałam na werandzie, przyglądając się przejeżdżającym tramwajom i czytając książki.

Do czasu, gdy poczułam silne, dobrze mi znane skurcze. Tym razem zdążyłam zadzwonić po męża.

– Bardzo mi przykro, pani Zawistowska, ale straciła pani ciążę – usłyszałam od lekarza kilka godzin później. A kolejne zdanie pozbawiło mnie chęci do życia. – I niestety, nie będzie pani mogła już mieć dzieci. Przykro mi, że to właśnie ja muszę przekazać pani tę wiadomość.

Skupiona na werdykcie, nie słuchałam medycznego uzasadnienia. Artur siedział obok, osowiały i nieobecny.

Następnego dnia wróciłam do domu.

Gdy po południu mój mąż pobiegł do redakcji, zadzwoniłam do Lucyny.

– To ja. Masz chwilę? – zapytałam, usłyszawszy jej głos.

– Przepraszam cię, Bożenko, ale właśnie zbieram się do przedszkola po Jasia i Agatkę. Stało się coś ważnego?

– Odbierz dzieci – odparłam. – Zadzwonię później. – Przerwałam połączenie.

ROZDZIAŁ 37
DAGMARA

Wychodziłam z księgarni grubo po północy, z listami ciotki Katarzyny pod pachą. Aż do tej pory nie zdawałam sobie sprawy, że czas może płynąć tak szybko. Przez szparę w lekko uchylonej kurtynie zajrzałam do przeszłości, która intrygowała i dawała do myślenia. Zamiatając księgarnię przed zamknięciem, rozmyślałam, czy powinnam próbować odnaleźć biologiczną matkę, interpretując śmierć ciotki Katarzyny jako znak.

Może los, zabierając ją, próbował odwieść mnie od tego zamiaru? Może nie warto oglądać się wstecz i darować sobie kolejne rozgoryczenie?

Nie podjęłam ostatecznej decyzji, postanowiwszy chwilowo, że skupię się na interesie i doprowadzę do jak najszybszej jego reaktywacji. Zdecydowałam się na obniżenie ceny za wrocławskie mieszkanie i poproszenie Zbyszka o sprawną sprzedaż. Potrzebowałam gotówki na rozruch. Myśl o własnym mieszkaniu w Toruniu musiałam odłożyć na bliżej nieokreśloną przyszłość.

Pozostawało mieć nadzieję, że państwo Kotańscy nie wymówią nam domku na Wrzosach. Nic to, najwyżej znów coś wynajmę, machnęłam ręką. Do kupna mieszkania potrzebny jest kredyt, dumałam, a w obecnej sytuacji finansowej nie mam co liczyć na pożyczkę z banku.

Wszystko sprowadzało się do jednego. Księgarnia musiała zacząć działać i przynosić zyski.

Dotarłam do domu z głową pełną obaw, zmęczona przewracaniem kartonów i emocjami związanymi z treścią listów ciotki.

Nastawiwszy budzik na siódmą, zasypiałam z myślą o dzieciakach. Michaś po raz pierwszy wyjechał z obcymi ludźmi. O tym, jak pierwszą noc z Kamilem spędza Zośka, wolałam nie myśleć.

Obudziłam się przed dzwonkiem, odruchowo nasłuchując cichego posapywania dzieci.

Czyżbyśmy zaspali do szkoły? – pojawiła się pierwsza myśl.

I wtedy dotarło do mnie, że jestem sama.

Mimo upływu dwóch tygodni od zakończenia roku, jedną nogą wciąż tkwiłam w jego rytmie.

Parząc kawę, przypomniałam sobie, że umówiłam się z obsługującym księgarnię biurem rachunkowym. Księgowa miała czekać na mnie o ósmej. Po cichu liczyłam na to, że dowiem się czegoś o kombinacjach Michalskiej i odzyskam choć część pieniędzy. W końcu wizytę w biurze doradził mi mecenas.

– Rudzka. Dagmara Rudzka – przedstawiłam się, wszedłszy o czasie do niewielkiego, skromnie urządzonego biura, zastawionego szafami z mnóstwem segregatorów.

– Czekałam na panią, proszę wejść. Halina Głodkowska – powitała mnie korpulentna kobieta w średnim wieku. – Napije się pani kawy? – upewniła się przed wydaniem polecenia sekretarce.

– Poproszę. Jeszcze nie zdążyłam się obudzić.

Pani Głodkowska zdjęła z półki kilkanaście segregatorów i położyła na biurku.

– To są dokumenty z ostatnich piętnastu lat – wyjaśniła. – Z wyjątkiem tych z ostatnich trzech miesięcy, które na bieżąco odbierała pani Grażyna Michalska. Bardzo proszę.

Siedziałam przytłoczona stertą papierów, na których kompletnie się nie znałam. Zasypałam księgową pytaniami, z nadzieją na rzetelne odpowiedzi.

– Proszę pani, czy księgarnia ma jakieś długi? Czy mama kiedykolwiek miała problemy z fiskusem? Przejęłam interes w spadku i chcę wiedzieć, czego się spodziewać. Nie ukrywam, że nie darzę pani Michalskiej zaufaniem. Nie bez podstaw…

– Coś słyszałam – bąknęła pani Głodkowska. – Pozwoli pani, że nie będę komentować stylu jej pracy. Z księgowego punktu widzenia wszystko jest w porządku. Obsługiwałam księgarnię po śmierci pani mamy, zgodnie z pełnomocnictwem, którego pani udzieliła. Nie miałam powodu tego nie robić.

– Rozumiem i nie mam pretensji. A w poprzednich latach?

– Nigdy nie miałyśmy problemów z prawem podatkowym ani żadnym innym. Jeżeli pani sobie życzy, dokumenty może przejrzeć biegły.

A zatem moje nadzieje na znalezienie dowodów winy poprzednich pracowniczek legły w gruzach. Mecenas Grodzieński nie będzie miał nic do roboty, pomyślałam.

– Czy podjęłaby się pani dalszego prowadzenia mojej księgowości? – zapytałam.

– Oczywiście, jeżeli pani sobie życzy. Pod koniec miesiąca należy dostarczyć do biura faktury sprzedażowe i kosztowe oraz umowy o pracę, w celu naliczenia składki ZUS. Umie pani wystawiać faktury?

Siedziałam, bezradna jak dziecko, wściekła na siebie za ignorancję i infantylne podejście do biznesu. Na szczęście pani Głodkowskiej nie zraził mój cielęcy wzrok.

Zaprosiła mnie do sąsiedniego pokoju i wskazała gestem młodą pracownicę.

– Poznajcie się panie. To jest pani Asia, a to pani Dagmara Rudzka, właścicielka Księgarni pod Flisakiem – przedstawiła nas. – Asiu, wytłumacz pani na podstawie faktur księgarni, jak się je wypisuje, kiedy i na co naliczamy stawki VAT i jak w razie pomyłki wystawia się faktury korygujące. To nic trudnego – zwróciła się do mnie. – A potem ponownie zapraszam do siebie. Podpiszemy umowę na usługi księgowe – zakończyła, zostawiając mnie z pracownicą.

Wychodziłam po tej pierwszej lekcji księgowości z raczkującymi umiejętnościami w zakresie wypisywania faktur i umową z biurem rachunkowym Fiskus. Zdecydowanie bardziej odpowiadało mi układanie książek na półkach i myślenie o promocji, do czego zabrałam się niebawem, z czekającą na mnie pod drzwiami Agatą.

Do południa zdążyłyśmy wybrać pozycje, które trafiły na antykwaryczne półki w pierwszym rzucie. Z bólem serca patrzyłam na swoje ulubione egzemplarze, które niebawem miały trafić do klientów: dzieła wybrane Mickiewicza, seria Biblioteki Polskiej i Obcej, z Gogolem, Rabelais'm, Staffem, Prusem. Książki, które kiedyś stanowiły kanon lektur szkolnych, a dzisiaj mogły zainteresować wyłącznie smakoszy literatury. Z myślą o mecenasie Grodzieńskim wystawiłam również *Buddenbrooków*.

– Wiesz co, Agatko? – powiedziałam, odkładając na bok formalizmy. – Zabrałabym je wszystkie do domu. Nie będziemy tanio sprzedawać takich cacek – postanowiłam. – Nie oddam ich za bezcen! A tak w ogóle to jestem Dagmara. – Wyciągnęłam rękę.

Wahała się przez chwilę, czy wypada jej przejść na ty.

– Agata – zdecydowała.

– No więc, co o tym myślisz?

– Jasne. Można spróbować. A jeżeli zabraknie tytułów, to będziemy ściągać ze strychów. Sama znam kilka osób, które nie mają co zrobić z odziedziczonymi książkami.

– Dawaj! Ja zajmę się wyceną, a ty może poszukasz tanich hurtowni internetowych? Coś współczesnego też się przyda. Zupełnie nie znam się na potrzebach rynku – dodałam, zadowolona z biznesowego żargonu, który zaczęłam powoli przyswajać.

– Ile możesz wyłożyć na książki? – zapytała.

– A nie da się w komis?

– W konsygnację.

– W konsygnację – poprawiłam się, zapamiętując kolejne słowo z biznesowego słownika.

– Może się nie udać, ale spróbuję.

– Postaram się w ciągu dwóch miesięcy zdobyć kasę – oznajmiłam, myśląc o sprzedaży wrocławskiego mieszkania i o Zbyszku, który zalegał z młodą żoną w słonecznej Toskanii. – Kup książki z dłuższym terminem zapłaty. No, może za jakieś co najwyżej dziesięć tysięcy…

– Zrozumiałe. Nikt nie płaci od razu. Postaram się wynegocjować dwumiesięczny termin płatności.

Praca z Agatą okazała się czystą przyjemnością. Mimo wszechogarniającego kurzu i ton przerzuconych kartonów, śmigałam pomiędzy półkami, zapomniawszy o głodzie i duchocie, która panowała w pomieszczeniu. Zrobiło się przyjemniej, kiedy otworzyłyśmy okna, uporządkowałyśmy zaplecze, przyniosłyśmy z pobliskiego sklepu kilka butelek wody mineralnej i po raz kolejny zamówiłyśmy pizzę.

Nie zauważyłam, kiedy wskazówki zegara ustawiły się na siódmej.

– Boże! Już dwie godziny temu powinnaś skończyć pracę! – zawołałam. – Leć, leć, dokończę sama!

– Zostanę. – Agata była gotowa mi towarzyszyć.

– W poniedziałek. Dzisiaj i tak dużo zrobiłaś. Zresztą ja też się zbieram – zakomunikowałam. Postanowiłam odwiedzić Michasia na wsi u Szulców. – Myślisz, że za dwa tygodnie zaczniemy? – zapytałam z nadzieją, że nie przesadziłam.

– Za dwa tygodnie? – zdziwiła się. – Otwarcie w najbliższy piątek! A w kolejny weekend pracujemy!

– Jesteś niesamowita! Chyba podwyższę ci pensję – roześmiałam się.

– Może jednak później? Ale nie będę się sprzeciwiać.

Przed zamknięciem ogarnęłyśmy jeszcze wzrokiem wnętrze. Regały po prawej były całe zapełnione książkami, te po lewej czekały na bieżące pozycje. Kilka znalezionych na zapleczu półek przeznaczyłyśmy na wydawnictwa dla turystów: plany miasta, przewodniki, albumy, a także na gry i książeczki dla dzieci.

– Przyjadę w niedzielę i je odświeżę. – Wskazałam na nieco już sfatygowane mebelki.

– Po co? Przynajmniej jesteśmy stylowe, jak w Paryżu. Powinnyśmy jeszcze postawić gdzieś kilka obdrapanych krzeseł i okrągły stolik z blatem z terakoty. I kawę podawać.

– Dobra, dobra! – Starałam się powściągnąć jej wyobraźnię.

– Dlaczego nie? A kto kupi *Konrada Wallenroda* z początku dwudziestego wieku, dostanie ciasteczko.

– Będzie mu się należało za wydane niemal dwa tysiące. Ale wiesz co? – Nagle dotarł do mnie sens propozycji Agaty. – Może ta kawa to nie taki zły pomysł? A gdybyśmy tak zaaranżowały kącik kawiarniany? Z prasą i słodyczami?

– Właśnie to sugeruję.

– Prześpię się z tym.

– To do poniedziałku?

– Idź, odpocznij – pożegnałam ją w progu.

Mimo dziewiętnastej trzydzieści, na dworze było jeszcze bardzo ciepło. Udałam się zatem do samochodu spacerkiem, a później jak strzała pomknęłam – po kolei – do domu, spakować rzeczy, i na wieś, do Michasia.

Na wszelki wypadek wolałam uprzedzić Marlenę.

– Mogę przyjechać dzisiaj? – spytałam przez telefon, choć doskonale znałam odpowiedź.

– Czekamy. Karol przyrządza grilla.

– Michaś jest gdzieś pod ręką? – zapytałam stęskniona.

– Michał! Mama dzwoni! Powiesz jej coś? – usłyszałam. – Wybacz, jest bardzo zajęty – usprawiedliwiła moje dziecko przyjaciółka. – Pomaga przy grillu. Przyjeżdżaj. Zadzwoń, kiedy będziesz skręcała na Dzikowo-Chrapy, to cię dalej poprowadzimy – dodała.

W telefonie rozbrzmiewały głosy rozbawionych dzieciaków.

Rozłączyłam się i zobaczyłam na wyświetlaczu wiadomość od Zosi. Pisała, że mają dobrą pogodę, że kąpali się w morzu i że aktualnie leczy rany po zbyt intensywnym opalaniu.

Jechałam do Marleny na dwudniowy urlop szczęśliwa, że wszystko się układa.

ROZDZIAŁ 38
DAGMARA

Z wyjazdem z Torunia na Dzikowo nie miałam najmniejszych problemów. Wystarczyło przeskoczyć przez miasto, kierując się na Warszawę, skręcić w stronę Kaszczorka i prostą drogą przez kilka wiosek i las dobrnąć do zjazdu na Dzikowo-Chrapy, jak nazywał się przysiółek, w którym kilka lat temu Szulcowie kupili działkę i postawili drewniany kanadyjski domek. Marlena pokazywała mi kiedyś zdjęcia posesji, a za niecałe pół godziny miałam ją poznać w całej okazałości. Po zjeździe z Żółkiewskiego znalazłam się na nowo wybudowanym wiadukcie; chłonęłam wspaniały widok na Wisłę i most, którego do tej pory nie miałam okazji podziwiać. Przyznam, że estakada prezentowała się znakomicie – przydawała dzielnicy wielkomiejskości i rozwiązywała komunikacyjne problemy w tej części miasta. Pędziłam przed siebie dobrze znaną mi drogą nad jezioro Osieckie, nieraz odwiedzane przeze mnie w dzieciństwie. Chrapy mieściły się w jego pobliżu.

– Marlenko, jestem przy drogowskazie. – Zgodnie z umową połączyłam się z przyjaciółką. – Jak jechać dalej?

– Nie wyłączaj komórki, poprowadzę cię – odparła i nakazała pokonać kilkaset metrów prostej żużlówki, przy stadninie koni skręcić łukiem w prawo, przejechać dwieście metrów i łukiem w lewo skierować się aż do bocianiego gniazda sąsiadującego z dużym gospodarstwem.

– Jestem przy bocianach. I? – spytałam, zagapiona w dwa wystające z gniazda ptasie łebki.

Rodzice tych malców pewnie polecieli po kolację, uśmiechnęłam się w duchu.

– Jedź dalej żużlówką i patrz w prawo. Kiedy zobaczysz nas machających za płotem, skręć w polną dróżkę.

Zwolniłam i po kilku chwilach znalazłam się w bajkowej scenerii. Sporą, na oko liczącą kilka tysięcy metrów posesję, otoczoną tradycyjnym płotem ze sztachet, urozmaicały różnorodne drzewa i krzewy. Wśród nich dostrzegłam drewniany dom pokryty zieloną blachodachówką i wykończony białymi okiennicami, a opodal altanę w podobnym stylu.

– Pięknie! – wykrzyknęłam, gramoląc się z samochodu.

– Chodź na skarpę, pokażę ci widok na Wisłę. – Marlena porwała mnie w kierunku szpaleru daglezji i świerków okalającego skarpę.

Zauroczona zapomniałam zapytać o Michasia, który mignął mi jedynie między brzozami ze szczapami drewna na podpałkę.

– Mama! – wrzasnął i pognał dalej, dołączając do Kacpra i Leszka.

– Cześć pracy! – Pomachałam stojącemu przy grillu Karolowi.

Wisła płynęła leniwie.

– Na całe szczęście od rzeki oddzielają nas błonia – powiedziała Marlena. – W przeciwnym wypadku musielibyśmy stale pilnować chłopaków, żeby się nie potopili. Mamy płot, małe stworzenia nie wyjdą, jest bezpiecznie.

Teren zauroczył mnie całkowicie, ale dom rzucił na kolana. Niezbyt duży, skromnie wyglądający z zewnątrz, zaskoczył skandynawskim wnętrzem i totalną funkcjonalnością. Mały przedsionek prowadził do salonu z otwartą kuchnią, połączoną z pokojem ogromnym stołem gotowym pomieścić pułk wojska. Na tyłach znajdowały się cztery sypialnie.

– Będziesz spała z Michasiem. O ile zechce… – Marlena wskazała mi niewielki pokoik na końcu korytarza. – Bo dzisiejszej nocy chłopcy spali razem.

Oglądałam, podziwiałam, napawałam się atmosferą. Do czasu kiedy moja koleżanka postanowiła zakończyć wycieczkę i zagnać mnie do kuchni.

– Będziemy jeść w altanie. Trzeba przygotować stół i zrobić sałatkę. Co wolisz? – zapytała.

– To może sałatkę? Przywiozłam sery, winogrona i coś do przybrania. Mogę przygotować talerz serów. – Przypomniałam sobie o zakupach w bagażniku.

– Okej. Tu masz sałatę, pomidory, ogórki, rzodkiewkę i inne takie. Tnij i doprawiaj. Ja lecę z obrusem do altany, poznosić talerze, bo niestety dziewczyny nie przyjechały i nie ma komu pomagać. A co u Zośki?

– Jest nad morzem z Kamilem. – Z trudem wymówiłam imię przeszłego, niedoszłego, a może przyszłego chłopaka mojej córki. – Niby fajnie.

– Nie martw się, wróci do mamusi, kiedy skończą się kochane pieniążki – prorokowała Marlena, podsuwając mi ocet winny do sosu. – A Kamil też kiedyś zamieni spodnie sięgające krokiem do kolan na elegancki garnitur. I będzie przekonywać klientów do zakupu ubezpieczenia albo inwestować cudze pieniądze na giełdzie. Tak to się kończy, bez względu na nasze rodzicielskie zmartwienia.

– Może i masz rację? – Roześmiałam się, jak zwykle rozbrojona poczuciem humoru przyjaciółki.

Kończyłam doprawiać sałatkę, kiedy rozległ się głos Karola.

– Karkówka gotowa! Kiełbaski zaraz będą! – Zaganiał nas do stołu.

Wtórowała mu Marlena, pędząc chłopaków do łazienki.

– Myć ręce! Lechu, odłóż piłkę i leć z bratem pomóc cioci przynieść salaterkę z sałatką! Ty też, Michale! – zwróciła się do mojego synka. – Z nimi!

Przyglądałam się, zaskoczona i zdumiona, jak trzyosobowa grupka pięciolatków tłoczy się przy umywalce i z dziecięcą nieporadnością namydla ręce. Już, już miałam im pomóc, ale powstrzymałam te zapędy. Stop! – nakazałam sobie. Tutaj rządzi Marlena. Zwłaszcza że Michałek jakoś wyjątkowo nie woła mamy na pomoc…

Wieczór był przewspaniały. Mimo niepewnej pogody w dzień, otoczył nas absolutnym spokojem, czyszcząc niebo i wyłaniające się gwiazdy. Po położeniu chłopców siedzieliśmy, napawając się czystym powietrzem, klangorem żurawi i unoszącym się wokół zapachem grilla, jedynym śladem po wchłoniętej karkówce i śląskiej kiełbasie. Żeby nie wspomnieć o grillowanych warzywach.

– Pozwólcie, panie, że się oddalę. Za chwilę będzie mecz. – Karol wstał od stołu.

Wymownym spojrzeniem obrzucił brudne talerze.

– Posprzątamy, kochanie, nie martw się. – Marlena czytała w jego myślach. Dolała mi wina do kieliszka. – Gdybyś mógł tylko zerknąć do chłopaków…

Karol machnął ręką na znak zgody i zostawił nas same.

Odetchnęłam wiejskim chłodnym powietrzem, smakując wino. W pobliskim bajorku rechotały żaby, z oddali dochodził dźwięk dyskoteki w sąsiedniej wsi. W końcu była sobota. Zaczęło robić się rześko, okryłam się więc kocem i zapadłam w stan absolutnego spokoju, w jakim nie byłam od dawna. Noc była stosunkowo ciepła, księżyc wchodził w fazę nowiu. Z prędkością samolotu przemierzał trasę nad iglakami.

– Jeszcze pięć minut temu widziałam go nad daglezją, teraz jest nad świerkiem – powiedziałam.

Marlena nie dała się uwieść astronomicznym obserwacjom.

– Co u ciebie, Daga? – zapytała. – Co z księgarnią?

– W porządku. Za tydzień zaczynamy.

Opowiedziałam jej o Agacie, którą przyjęłam do pracy, o wizycie w biurze rachunkowym, o moim przyśpieszonym kursie wypisywania faktur, o planach.

– Ale jest jeszcze coś – zagadałam i za chwilę popłynęła relacja z bliskiego spotkania z listami ciotki Katarzyny.

Marlena słuchała w milczeniu.

– Tak to wygląda – westchnęłam. – Żadnej ze swoich matek nie byłam potrzebna. Ani tej, która mnie urodziła, ani tej, która mnie wychowała. Zbyszkowi też się nie przydałam…

– Co ty mówisz! Czasami ludzie się rozwodzą.

– Wyobrażasz sobie, że Karol cię zdradza i zostawia? – przerwałam tę pokrzepiającą gadkę.

– Nie.

– No właśnie.

Siedziałyśmy przez chwilę bez słowa.

Marlena po raz kolejny tego wieczoru dolała wina do kieliszków. Zmarszczka na jej twarzy świadczyła o skupieniu, czekałam zatem na dalszą część wypowiedzi dotyczącej moich matek. Rozmowa o wiarołomnym mężu musiała poczekać. Nie miałam zamiaru zastanawiać się, dlaczego Zbyszek spędza w tej chwili wakacje w Toskanii z inną. Mimo że już go nie kochałam, poczucie krzywdy cały czas się we mnie tliło.

– Daga, chcesz znać moje zdanie w sprawie odszukania biologicznej matki? – Marlena wywołała mnie do odpowiedzi, ściągając na ziemię z obłoków, po których błąkałam się odurzona wiejskim powietrzem i dwoma kieliszkami wina.

– Mów.

– Powinnaś ją odnaleźć – zaczęła cicho. – Nie masz nic do stracenia, a dużo do zyskania. Prawdę – zakończyła już całkiem głośno, zachęcona własną odwagą.

– Jesteś pewna? – domagałam się potwierdzenia.

– Jak najbardziej, Dagmara. Znajdź ją. A jeżeli się zawiedziesz, pomogę ci.

Kładłam się spać spokojna i pewna, bo miałam u boku Marlenę. Nie wiedziałam jednak, czy prosić ją o pomoc w poszukiwaniach mamy. Tak czy inaczej, jej deklaracja była dla mnie wsparciem.

Zacznę, gdy tylko księgarnia wyjdzie na prostą, postanowiłam.

ROZDZIAŁ 39
BOŻENA

Już jestem wolna, Bożenko. Przepraszam, że dopiero teraz oddzwaniam, ale z moją trójką lorbasów traci się rachubę czasu.

Lucyna zasypała mnie gradem słów wieczorową porą. Zastała mnie niemal bez życia przed telewizorem. Od kilku godzin bezmyślnie gapiłam się w jego ekran, zastanawiając się, czy nie przenieść się z sofy do łóżka.

Artur z bólem serca musiał zostawić mnie samą i popędzić do redakcji, by walczyć na froncie wolnej prasy. A może po prostu uciekł z domu do bezpiecznej przystani? W obawie przed moją rozpaczą i zniechęceniem?

Głosy szczebioczących w tle dzieciaków przyjaciółki sprawiły, że się rozpłakałam.

– Co się stało? – zaniepokoiła się Lucyna.

– To już koniec – wyszlochałam. – Znów poroniłam. I już nigdy nie będę mogła mieć dzieci.

– Nie mów tak! Trzeba mieć nadzieję. Kiedy to się stało?

– Wczoraj.

– Tak mi przykro… – Lucyna nie znajdowała słów pociechy. – Witek, nie popychaj Jasia! Nie możecie uspokoić się choć na chwilę? – skarciła chłopców. – Janusz, zajmij się nimi, nie widzisz, że Agatka ściąga ze stołu serwetę? Przepraszam – usprawiedliwiła się. – Nie dadzą człowiekowi normalnie porozmawiać.

Po chwili w domu mojej przyjaciółki zapanował spokój.

– Janusz zabrał je do drugiego pokoju. Jestem cała dla ciebie. Co powiedział lekarz?

– Nie słuchałam medycznych wywodów. Dotarło do mnie tylko, że już nigdy nie zajdę w ciążę. Definitywnie.

Próbowała mnie pocieszać, podważała kompetencje lekarza, kazała wierzyć i próbować, ja jednak czułam, że – niestety! – doktor się nie myli. Już poprzedni dawał mi niewielkie szanse.

– Jesteś tam jeszcze? – spytała Lucyna, zaniepokojona przedłużającą się ciszą.

– Uhm.

– A nawet gdyby, Bożenko… Zawsze pozostaje jeszcze adopcja – powiedziała miękko.

Byłam zbyt zmęczona i przygnębiona, żeby ciągnąć temat. Za szybko, zbyt świeża rana, nie do wyleczenia niesprawdzonym lekiem. Jeżeli nawet zacznę się zastanawiać nad takim rozwiązaniem, to na pewno nie w najbliższym czasie. Może kiedyś, w przyszłości?

– Przepraszam cię, Bożenko – zreflektowała się Lucyna. – Nie powinnam się wtrącać. Ale, ale mam propozycję! Jeżeli chcesz, to mogę cię odwiedzić w Toruniu. Niestety, z dwójką dzieciaków. Witka przechowam u dziadków.

– Znajdzie się miejsce i dla Witka – zapewniłam, szczerze uradowana propozycją.

– Nie wiesz, co mówisz, kobieto. – Słysząc moje ożywienie, Lucyna odzyskała humor. – Trójka małych rozrabiaczy może narobić niezłego bałaganu. O, przepraszam, ja znowu o dzieciach…

– Mów jak najwięcej! Moja porażka nie jest powodem, żeby zrobić z dzieciaków temat tabu! A teraz powiedz, kiedy możecie przyjechać. Ja mam czas do końca sierpnia. To znaczy, że całe dwa miesiące – zadeklarowałam. – Potem rozejrzę się za pracą.

Lucyna zapowiedziała się na najbliższą sobotę. Witek od kilku dni miał wakacje, Jaś i Agatka zamknięte przedszkole.

Artur ucieszył się prawie tak samo jak ja, wdzięczny losowi, że będzie mógł zostawić żonę pod dobrą opieką i od rana do wieczora budować nowy redakcyjny zespół.

Z zapałem rzuciłam się w wir przygotowań do przyjazdu gości. Postanowiliśmy z Arturem udostępnić im największy pokój z widokiem na park i potężne kasztanowce wzdłuż Bydgoskiej.

– Nie mamy wystarczającej liczby łóżek – zmartwiłam się. – Jak my ich ułożymy?

– Kup ze dwa materace w Składnicy Harcerskiej – poddał pomysł.

Zaszalałam, ponieważ o dziwo, materace okazały się osiągalne, podobnie jak kółka ratunkowe, a nawet dawno niewidziane w handlu śpiwory. Do koszyka dorzuciłam jeszcze grę w chińczyka i warcaby. W Domu Dziecka dla Agatki nabyłam lalkę, która mówi „mama”, a dla chłopców metalowego kamaza-wywrotkę i pudło drewnianych klocków. Niech mają od ciotki!

Towarzystwo przyjechało pociągiem i zagraciło bagażami pół peronu.

– Wszyscy nie zabierzemy się naszym maluchem – zaśmiewał się Artur, taszcząc toboły na parking. – Proponuję, żeby Lucyna z młodszymi dzieciakami pojechała ze mną i bagażami do domu, a Bożenka poczekała z Witkiem na dworcu, aż po nich przyjadę. Może być?

– To może ja zamówię taksówkę? – Lucyna poddała propozycję.

– Nie opłaci się czekać – poparłam męża. – Mamy blisko, Artur będzie po nas za piętnaście minut. A tymczasem pójdziemy z Witusiem na loda do dworcowego baru.

Niebawem cała drużyna zainstalowała się w naszym mieszkaniu.

W progu przywitały mnie zachwyty Lucyny i kompletna cisza dochodząca z salonu, w którym ulokowaliśmy gości.

– Jak tu macie pięknie! Takie wysokie mieszkanie i duże okna! A widok na te rozłożyste drzewa! I te parkiety!

– Nie przesadzaj. Sprzedałaś po drodze dzieciaki? – zapytałam zaskoczona spokojem.

– Jaś bawi się wywrotką, a Agatka wozi lalkę w wózku. Skąd masz taki stylowy wózeczek?

– To jedna z nielicznych zabawek, jakie pozostały mi z dzieciństwa. Nie miałam serca jej wyrzucić.

– Tak się przygotowaliście na nasz przyjazd! – Lucyna objęła mnie i pocałowała w policzek. – Dziękuję!

Zrobiło mi się miło i z trudem opanowałam wzruszenie. Tym trudniej, że ostatnio nie miałam problemu z uruchamianiem kanalików łzowych.

– Rozgośćcie się, a ja pójdę do kuchni przygotować kolację. A tak właściwie, to co jedzą dzieci? – zapytałam, mając zamiar zrobić kanapki i faszerowaną paprykę. – Może ugotować kaszkę dla Agatki albo coś...

– Zjedzą, co będzie na stole, Bożenko. Co tylko udało ci się dostać. A jutro ja robię zakupy.

Gościłam przyjaciółkę przez cały tydzień. Był to jeden z bardziej męczących, ale i wspaniałych tygodni, jakie przeżyłam w ciągu ostatnich kilku lat.

Mój wspaniałomyślny mąż oddał nam malucha, którym upakowani niczym szprotki w puszce jeździliśmy nad jeziora w Osieku i Kamionkach, skoczyliśmy na zamek w Golubiu, zwiedzaliśmy teren, który poznawałam po raz pierwszy. Bliskość toruńskiej Starówki sprawiała, że odwiedzaliśmy ją każdego dnia, nie żałując sobie lodów, gofrów i cukrowej waty. Pobliski park obeszliśmy kilkadziesiąt razy.

Potomstwo Lucyny wcale mi nie przeszkadzało, a perspektywa zbliżającego się wyjazdu budziła smutek.

– Nawet nie wiesz, jak chciałabym mieć dziecko – zwierzyłam się przyjaciółce, zapatrzona na maluchy biegające wokół fontanny w parku. – Szkoda, że już jutro wyjeżdżacie.

Lucyna ścisnęła mój łokieć.

– To może jednak...

– ...adopcja? – domyśliłam się, co chce powiedzieć. Rzuciła mi spojrzenie pełne aprobaty.

Wieczorem przed wyjazdem gości Artur wcześniej wrócił z pracy. Akurat krzątałyśmy się z Lucyną po kuchni, przygotowując wątróbkę z cebulką i jabłkami.

– Gdzie są moje rozrabiaki? – zawołał od progu. Zrzucił kurtkę i popędził do pokoju. – To co, zagramy w chińczyka? – zaproponował, rozsiadłszy się na dywanie i rozłożywszy planszę.

Chłopcy porzucili zabawę i dołączyli do wujka. Nawet Agatka odłożyła lalkę, żeby przyjrzeć się rozgrywce.

– To my na chwilę wychodzimy po cebulę – powiedziałam, odstawiając patelnię. – Zostaniesz z dziećmi?

– Idźcie, idźcie! Byle nie na długo, bo jestem głodny – odparł mój mąż, zajęty rozstawianiem pionków.

Poszłyśmy z Lucyną na ostatni spacer, obie zmartwione, że kończy się nasz wspólny czas.

Poprowadziłam ją do delikatesów przy Kraszewskiego, o tej porze wciąż otwartych.

– Kilka dni tu jesteś, a nie zdążyłam ci jeszcze pokazać domów przy Słowackiego. Bardzo mi się podobają – zagadałam, kiedy znalazłyśmy się w okolicy przepięknych przedwojennych, tonących w zieleni willi.

– Piękne! – oceniła Lucyna.

– Może trochę zaniedbane, ale jakie stylowe! Trochę takie, jak ta wrocławska Artura, którą musieliśmy sprzedać. Chciałabym kiedyś zamieszkać w jednej z nich – rozmarzyłam się.

Stałyśmy akurat pod budynkiem porośniętym winobluszczem, gdy uchyliła się furtka, a na ulicy pojawiła się kobieta z dziesięcio-, może dwunastoletnią dziewczynką.

– Panie szukają kogoś? – zapytała.

Spłoszona własnym natręctwem odparłam, że jesteśmy na spacerze i podziwiamy okolicę.

Kobieta odeszła szybkim krokiem, ciągnąc za sobą dziewczynkę, która oglądała się nieustannie, zanim znikła za rogiem.

Moja córka jest mniej więcej w jej wieku, pomyślałam.

– Ładna, prawda? – zapytałam.

– Tak, tylko trochę zaniedbana – odparła Lucyna. – Trzeba dużo forsy na remont. A i o materiały trudno.

Nie prostowałam, że nie chodziło mi o willę. Jak do tej pory nie powiedziałam przyjaciółce o mojej pierwszej ciąży, a teraz już nie było na to czasu.

Oczy dziewczynki nie dawały mi spokoju przez cały wieczór.

ROZDZIAŁ 40
DAGMARA

W niedzielę wieczorem z żalem opuszczałam przytulny zakątek Szulców, opalona, wykąpana w jeziorze, objedzona karkówką z grilla, nasycona widokiem leniwie płynącej Wisły i wypoczęta. Stadko naszych pięciolatków zajmowało się sobą, okupując wybudowany przez Karola domek na drzewie, grając w piłkę i oddając się rozlicznym terenowym zabawom. Chłopcy przypominali o sobie wyłącznie w porach posiłków. O dziwo, mój nie do końca układny i grzeczny synuś podporządkował się dyscyplinie, którą narzuciła ciotka Marlena, i nie zgłaszał sprzeciwu, gdy padało hasło „myć ręce i siadać do kolacji!". Biegł w te pędy do umywalki, by razem z Kacprem i Leszkiem wykonać polecenie.

– Jak ty to robisz, że dzieci ciebie słuchają? – wychwalałam pod niebiosa dydaktyczne zdolności koleżanki.

– Bezstresowe wychowanie jest dobre, jeżeli się chowa jedynaka. Przy czwórce na fanaberie nie można dzieciakom pozwolić. Mają chodzić jak w zegarku i słuchać mamy i taty. Zresztą krzywdy nie mają.

Oczywiście, że nie miały. Cały dzień na trawie na bosaka, kąpiele w jeziorze, ujeżdżanie rowerów, spacery nad Wisłę i do bocianiego gniazda. A że musiały być w łóżkach po dwudziestej, zmęczenie było jak znalazł. Podczas snu nabierały sił na kolejny dzień.

Wyjeżdżając, z serca dziękowałam Szulcom za zajęcie się Michasiem, zdając sobie sprawę, że opieka nad nim to nie to samo, co opieka nad własną dwójką. Marlena jednak nie widziała problemu.

– Jedź i otwieraj księgarnię. Wykorzystaj wolny czas i działaj. – Wspierała mnie z całych sił. – My sobie poradzimy.

Wróciłam do domu z powerem godnym supermenki.

Od poniedziałku księgarnia stała się moim drugim domem, z którego nie wychodziłyśmy z Agatą od rana do wieczora. Ona zamawiała książki i jeżeli zachodziła taka potrzeba, jeździła do hurtowni po odbiór. Ja chwyciłam za pędzel i podmalowałam ściany, ściągnęłam kilka kwiatów. Upiększałam wnętrze i cieszyłam oczy wyłaniającym się z chaosu coraz ładniejszym widokiem. Poszperałam w okolicznych galeriach, gdzie wyłuskałam drobiazgi, które miały dopełnić dzieła, i pod koniec tygodnia byłyśmy gotowe otworzyć naszą księgarnię.

To nic, że sklepienia były gotyckie, a dodatki prowansalsko-toskańskie. Może to i dziwny mariaż, ale nam się podobał. Z maminych rzeczy zostawiłam spełniające funkcję lady dębowe biurko, fotel i obraz przedstawiający walkę smoków z Minotaurem. Miałam do nich sentyment.

Pieniędzy ubywało dramatycznie, więc napisałam do Zbyszka z prośbą o pośpiech w wiadomej sprawie. Na szczęście wracał w najbliższy weekend.

Wielkie otwarcie zaplanowałyśmy jednak na sobotę. W piątek wieczorem, zmęczone po kolejnym pracowitym dniu, dokonywałyśmy ostatnich poprawek, zastanawiając się, co przeoczyłyśmy.

– Ogłoszenie w lokalnym piśmie dałam, reklama outdoorowa stoi. – Posługując się fachowym nazewnictwem, przypomniałam o stojaku na ulicy, z plakatem reklamującym otwarcie księgarni. – Ulotki rozniosłaś?

– Tak jest. Tam, gdzie ustaliłyśmy.

– Okej. Woda dla klientów kupiona. Tylko nie zdążyłam jeszcze zamówić ekspresu do kawy. To później. – Ważyłam priorytety, kawę odkładając na bliżej nieokreśloną przyszłość.

– Nie wszystko naraz – poparła mnie Agata.

Po raz kolejny spryskała biurko środkiem do drewna i wypolerowała blat.

– Przestań, błyszczy jak lustro – próbowałam powstrzymać ją w biegu. – Usiądź na chwilę. Napijemy się kawy przed jutrzejszym.

Siedziałyśmy w milczeniu, opróżniając zawartość filiżanek, zadumane i niepewne, czy Księgarnia pod Flisakiem ruszy pełną parą, czy też nie dojedzie do kolejnej stacji.

– Będzie dobrze – pocieszała Agata.

– Musi – odparłam niezbyt pewnym tonem.

– Chyba powinnyśmy iść do domu, trochę odpocząć – zaproponowała. – Bo jutro mamy na ósmą.

Miała rację. Padałam z nóg. Nie miałam nawet siły myśleć o dotarciu do samochodu. Niestety, teleportacja nie była możliwa.

Odżyłam dopiero pod prysznicem.

Apetyt, który powrócił po orzeźwiającej kąpieli, musiałam zaspokoić jajecznicą na maśle, ponieważ lodówka nie dysponowała produktami, które dawały nadzieję na przygotowanie bardziej wykwintnego dania. Rozciągnięta na kanapie, z nogami po amerykańsku ułożonymi na stoliku, postanowiłam oddać się godzince bezmyślnego gapienia w ekran telewizora, licząc na film lekki, łatwy i przyjemny. Zanim to jednak nastąpiło, sięgnęłam po komórkę, by uzupełnić zaległości w czytaniu esemesów.

Pierwszy był od Marleny. Jak zwykle bezproblemowy.

„Jutro wielkie otwarcie! Życzę ci tłumu gości i jestem bardzo ciekawa, jak się urządziłaś. U nas w porządku. Karol zabrał chłopców rowerami na wyspę sadów. Wrócili tak zmęczeni, że spali w dzień! A teraz próbują rozrabiać. Nie martw się. Ciocia Marlena sobie poradzi. Trzymam kciuki. M.".

Kolejny napisał Zbyszek.

„Wróciłem z Toskanii (jak miło z jego strony, że nie użył liczby mnogiej!) i w poniedziałek ruszam sprawę mieszkania. Myślę, że za dwieście osiemdziesiąt tysięcy nie będzie problemu. Jak dzieciaki? Pozdrawiam. Z.".

Z przyjemnością dostrzegłam również, że kolejna wiadomość jest od Zosi, która nie odzywała się od kilku dni. Z uśmiechem wcisnęłam klawisz, ale to, co zobaczyłam na wyświetlaczu, poderwało mnie na równe nogi.

„Przylecieliśmy dzisiaj do Anglii. Nadarzyła się okazja, żeby popracować, więc zamierzam zostać tu jakiś czas. Może kilka miesięcy, może rok. Chcemy być razem z Kamilem, a w Polsce by się to nie udało. Zadzwonię, kiedy będę mogła wykupić doładowanie telefonu. Nie martw się, wszystko jest w porządku. Całuję. Zosia".

Chwyciłam za komórkę, próbując połączyć się z córką, niestety bezskutecznie. Komunikat informował, że abonent jest chwilowo niedostępny. Zrozpaczona wystukałam numer Zbyszka, który też niestety nie odebrał połączenia. Nie chcąc zawracać głowy Marlenie, jedynej osobie, której mogłam zwierzyć się z kłopotu, napisałam w końcu esemesa do córki, licząc na jej reakcję.

„Odezwij się, kiedy tylko będziesz w stanie. Martwię się. Mama".

Moje dziecko, tuż przed klasą maturalną, zastanawia się nad przerwaniem nauki i pozostaniem w Anglii przez rok! Byłam zrozpaczona, wściekła i zdołowana wychowawczą porażką. Co ja zrobiłam, że ona teraz funduje mi takie rewelacje?

Otwarcie księgarni zeszło na drugi plan, opadły mi ręce. Nie rozkładając łóżka, przykryłam się kocem i spróbowałam zasnąć.

Udało się nad ranem.

ROZDZIAŁ 41
BOŻENA

Lato mijało, o wizycie Lucyny zdążyłam już niemal zapomnieć. Przesiadywanie w pustym domu doskwierało. Potrzebowałam pracy, żeby stale nie myśleć o dziecku i zająć się czymś pożytecznym. Próby powrotu do pisania spaliły na panewce – rozpoczęta kilka lat temu powieść trafiła do szuflady z powodu nieaktualnego tematu i mojego braku koncentracji. Czułam, że muszę wyjść do ludzi, do kręgu rzeczywistych spraw i problemów. I przestać rozpamiętywać nieszczęście.

Uknułam plan, który zamierzałam przedstawić podczas kolacji.

W sklepie upolowałam bułgarskie wino Sophia, na targu kiełbasę swojską i szynkę „od chłopa", którą przygotowałam w galarecie. Nie zapomniałam również o ulubionej sałatce warzywnej Artura i sałacie z pomidorami malinowymi i ogórkami gruntowymi. Może stół nie zapełnił się ekskluzywnymi daniami, jednak zadbałam, żeby wszystko było świeże i takie, jak lubił mój mąż.

Do wazonu włożyłam pęk astrów. Liczyłam na spełnienie się ludowej maksymy „przez żołądek do serca".

– O, ho, ho, co ja widzę! – zawołał Artur na ten kuszący widok. – Czyżbym zapomniał o jakiejś rocznicy? A może jesteś w ciąży? Przepraszam... – zreflektował się, gdy zobaczył moją minę.

– O niczym nie zapomniałeś – odparłam. Dygresję o ciąży przemilczałam. – Po prostu chcę posiedzieć ze swoim zapracowanym mężem przy kieliszku wina.

– Doskonale! – ucieszył się i zatarł ręce. – Zrobiłaś galaretkę drobiową! Dawno nie jadłem. Masz cytrynę?

– Kochanie, skąd? Musisz zadowolić się octem.

– Żartowałem.

Pozwoliłam mu zaspokoić pierwszy głód i zdać relację z pracy, zbierając siły, żeby przystąpić do ataku i nie poddać się po pierwszym zdaniu. Artur pozwolił sobie nałożyć na talerz kawałek szarlotki, dolał nam wina i zagaił, nie czekając na moją inicjatywę.

– Teraz możesz powiedzieć, o co chodzi. Jestem najedzony, zadowolony. Wezmę to na klatę.

– Od jakiegoś czasu zastanawiam się nad powrotem do pracy – zaczęłam spokojnie.

– I?

– I pomyślałam, że może mogłabym zatrudnić się w twojej gazecie? – wykrztusiłam. – Wiem, że to prywata i że pewnie postawiłabym cię w niezręcznej sytuacji, ale...

– Zgoda.

Patrzyłam zaskoczona.

– Ale jak?

– Normalnie. Możesz spróbować. Nie mamy ludzi, przyjmujemy na próbę wszystkich, którzy rokują. A ty jesteś po dziennikarstwie i pisujesz do szuflady. Jeżeli zatem odnajdziesz się na stażu, będziesz miała szansę na zatrudnienie.

– A tobie to nie zaszkodzi?

– Nie, jeżeli nie będę cię protegował i traktował jak innych „sztyftów".

– To znaczy?

– To znaczy początkujących dziennikarzy, kochanie. Znajdziesz ciekawy temat, przyniesiesz tekst, to opublikujemy. A jeśli się nie nada, to sorry. Żadnej taryfy ulgowej.

Poczułam wiatr pod skrzydłami. A cóż to za problem znaleźć temat i napisać tekst?

Kolejne wyjaśnienia Artura nie napawały już takim optymizmem. Okazało się, że zespół nie ma czasu wdrażać mnie do pracy, pozostanę na wierszówce, a na etat mogę liczyć za co najmniej kilka miesięcy. O ile, naturalnie, się sprawdzę.

Jednak żadne trudności nie były w stanie mnie zniechęcić.

– Od kiedy mogę zacząć? – zapytałam, kombinując, o czym napiszę najpierw.

– Choćby od poniedziałku.

Weekend spędziłam na wymyślaniu „ciekawych" tematów, które, jak stwierdził mój mąż, „leżą na ulicy", i wystarczy się jedynie po nie schylić. Kończą się wakacje, myślałam, więc może by coś o zbliżającym się roku szkolnym? Ale co? Nie, to zbyt trywialne, doszłam do wniosku.

Na ulicy leżały tymczasem co najwyżej psie kupy i niezgrabione liście kasztanowców, którymi nikt się nie interesował. Chodził mi po głowie artykuł o problemach kobiet z zajściem w ciążę, rozważałam tematykę kulturalną, od której odeszłam, więc nie miałam pojęcia, co się aktualnie w tej materii dzieje.

Na poniedziałkowe kolegium redakcyjne przyszłam z tremą i pewnym pomysłem, który chciałam podrzucić na pierwszy ogień.

– Mamy nową stażystkę, Bożenę. Nie będę ukrywał, że to moja żona. Jest po dziennikarstwie i będzie próbowała swoich sił. To tyle. Jakie propozycje na dzisiaj? – Artur gładko przeszedł do bieżących spraw.

Audytorium szybko straciło zainteresowanie nową osobą. Tematy okazały się ważniejsze.

– I to ma być wszystko? – Artur wysłuchał, lecz nie wydawał się zadowolony. – Rozumiem, że jest poniedziałek i że jeszcze nie obudziliście się po weekendzie, ale nie mam niczego na jedynkę. Żadnego hitu. Gośka? – zainteresował się. – Co u ciebie? Może wydobędziesz coś z briefingu z prezydentem? Co tam planują?

– Słyszałam, że mają mówić o budowie nowej oczyszczalni ścieków…

A ty, Rafał?

– Mógłbym się zająć kolejkami do lekarza.

Artur machnął ręką.

– Grzechu, Łukasz? – Spojrzał na kolegów przeglądających konkurencyjną prasę.

– Może pociągnąć aferę w szpitalu miejskim? – zaproponował Łukasz. – Szykuje się zmiana dyrektora.

Mój mąż podchwycił propozycję.

– Zajmij się tym. To może być dzisiejsza górka. A reszta myśleć, myśleć! Bo trzy strony nie napiszą się same! A ty? – zwrócił się do mnie. – Masz pomysł na tekst?

Wywołana do odpowiedzi i stremowana odpowiadałam redaktorowi naczelnemu, niemal zapomniawszy, że jest moim mężem.

– Szykuje się reforma szkolnictwa – zaczęłam. – W marcu tego roku sejm uchwalił ustawę o samorządzie gminnym, z której wynika, że gminy mają przejmować szkoły. Może by pociągnąć ten temat?

Obecni spojrzeli ze zdziwieniem, że mam cokolwiek do powiedzenia. A Grzegorz zapytał z sarkazmem, kiedy mam audiencję u ministra.

– To temat dla centrali – dodał, tracąc zainteresowanie dalszą dyskusją.

Zagłębił zęby w soczystym jabłku.

– Niekoniecznie. Mogę przecież przepytać dyrektora jakiejś gminnej szkoły, jak widzi przebieg reformy i czym ona będzie skutkować – odparowałam, nabierając pewności siebie. – Taki oddolny głos. A poza wszystkim dzisiaj rozpoczyna się rok szkolny. Temat jest na czasie.

Kiedy wieczorem odpoczywaliśmy z Arturem przy telewizorze, mój mąż próbował dociec, jakim cudem wpadłam na tak fajny temat i tak sprawnie go zrealizowałam. Artykuł miał się ukazać w jutrzejszym numerze.

– Usłyszałam informację o reformie w radiu, kiedy przygotowywałam śniadanie – wyjaśniłam. – A telefon do podtoruńskiej szkoły znalazłam w książce telefonicznej.

Dyrektor chętnie się ze mną spotkał. Resztę znasz. Usiadłam i napisałam.

– Nieźle. A co masz na jutro?

– Dowiesz się na kolegium. – Uśmiechnęłam się przekornie. – Panie redaktorze.

Rozpoczęły się piękne dni w nowej pracy. Muszę przyznać, że inwencja w poszukiwaniu tematów mi dopisywała, koledzy mnie zaakceptowali. Miałam po co wstawać każdego ranka.

Po kilku miesiącach zaproponowano mi etat. Razem ze mną na umowę załapała się Ewa, która pojawiła się w redakcji miesiąc po mnie.

Dobiegająca czterdziestki Ewka szczyciła się niemałym, bo ponaddziesięcioletnim dziennikarskim doświadczeniem w różnych pismach. Nosiła lniane zamaszyste suknie i spódnice i nie przebierała w słowach, ale jej teksty chwytały za serce. Trochę przypominała mi Lucynę. Z miejsca się z nią zaprzyjaźniłam. Ceniłam sobie jej bezpośredniość i pewność siebie, których zawsze mi trochę brakowało. Ona potrafiła rąbnąć ręką w stół, racząc adwersarza nieparlamentarnym epitetem, sprzeciwić się Arturowi, walczyć o każde słowo w tekście. Zajmowała się tak zwanymi sprawami społecznymi – ratowała uciśnione dzieci, bezdomnych, porzucone psy i tropiła wszelką niesprawiedliwość. Sama wychowywała adoptowaną córkę, która dawała jej dużo radości.

Nieraz zaglądałyśmy po pracy do Staromiejskiej, żeby napić się kawy albo i czegoś innego. Aż pewnego miłego popołudnia, kiedy obie byłyśmy wolne, zwierzyłam się jej ze swoich problemów z posiadaniem dzieci. Nie wydawała się zaskoczona, wręcz przeciwnie. Miała dla mnie dobrą nowinę.

– Słuchaj, coś ci powiem! – wykrzyknęła ożywiona. – Pamiętasz mój ostatni artykuł, ten o domu małego dziecka? – zapytała. – Od jakiegoś czasu mieszkają tam dwie małe dziewczynki, siostry. Rozmawiałam z nimi. Są bardzo wystraszone, ale takie słodkie… Ale ja już mam Igę. Może miałabyś ochotę spotkać się z nimi?

– Czy ja wiem? – powątpiewałam. – Nie rozmawiałam konkretnie z Arturem. I nie wiem, czy podołam.

– Podołasz, nie podołasz, spotkać się możesz. Umówię cię, to nic nie kosztuje – zdecydowała.

A ja nie stawiałam oporu.

Żebym wtedy wiedziała, jak można się pomylić! Koszty spontanicznie podjętej decyzji miałam ponosić przez wiele lat. Jednak w tamtej chwili, pod wpływem euforii Ewy, poczułam, że być może znalazłam się na dobrej drodze, żeby stworzyć rodzinę. Dwie wystraszone i słodkie dziewczynki!

Postanowiłam spotkać się z nimi jak najszybciej.

Artur nie był zachwycony.

– Bożenko, jeszcze nie minął rok od ostatniego poronienia. Może jednak uda się nam mieć własne dziecko – próbował tłumaczyć, ale reagowałam alergicznie.

– Przecież, do cholery, wiesz, że się nie uda! Dlaczego zabraniasz mi tam pójść? Chociaż poznać… – Rozpłakałam się.

Mój mąż się wycofał, ale nie próbował mnie uspokajać.

Zostawiłam go samego przed telewizorem i przechlipałam całą noc. A dwa dni później pozwoliłam się Ewie zaprowadzić do Tani i Mirki.

Tatiana miała trzy lata, jej siostra pięć. Kiedy je zobaczyłam, siedziały przy obiedzie, w grupie kilkorga innych dzieci. I od razu zapragnęłam, by były moje.

– Czy mogę podejść? – zapytałam opiekunki.

– Może za chwilę. – Próbowała mnie powstrzymać. Nawet złapała mnie za rękaw, ale wyszarpnęłam się z uścisku i podążyłam w stronę dziewczynek.

– Smakuje? – Przykucnęłam obok ich stolika.

Spojrzały na mnie nieufnie i z powrotem wbiły wzrok w talerze.

– Mam coś dla was. – Położyłam obok każdej z nich po batoniku. – Na deser, po obiedzie – dodałam i odeszłam zgaszona ich wrogim spojrzeniem.

– Proszę się nie przejmować. Są tutaj od ponad roku, a jeszcze nie pojawił się nikt z rodziny. To nagłe zainteresowanie mogło je speszyć – uspokajała opiekunka.

Rozmawiałyśmy jeszcze przez chwilę, przyglądając się dziewczynkom, które posyłały mi ukradkowe spojrzenia. Odebrałam je jak przyzwolenie, że mogę się do nich zbliżyć, i z takim spostrzeżeniem pobiegłam do Artura.

– Są bardzo miłe. I takie biedne! – W euforii relacjonowałam wizytę. – Czuję, że mogę je pokochać! Musisz tam iść ze mną! Obiecujesz? – Rzuciłam się mężowi na szyję.

A mój wspaniały, choć trochę zachowawczy mężczyzna się zgodził! Choć wiedziałam, że ma wątpliwości.

– Sprzedajmy mieszkanie w Warszawie, kupmy coś większego w Toruniu – zaproponowałam, podniecona myślą o naszej niebawem mającej się powiększyć rodzinie.

Artur miał jednak inne plany.

– Poczekajmy jeszcze, Bożenko. Na razie nie ma się do czego śpieszyć – tłumaczył. – Mamy tutaj dość miejsca, a z najmu warszawskiego mieszkania opłacamy Toruń i jeszcze zostaje.

Po latach zrozumiałam, dlaczego w kwestii powiększenia rodziny miał bardziej powściągliwe poglądy. Po prostu, mimo zgody na zainteresowanie się Tanią i Mirką, obawiał się o przyszłość.

– Faceci potrzebują więcej czasu, żeby pokochać – uspokajała mnie Ewa, kiedy zwierzałam się jej ze swoich obaw. – Artur to empatyczny gość, sama zresztą wiesz o tym najlepiej. Poczekaj, niech dojrzeje.

Miała rację.

Po kilku miesiącach staraliśmy się już o dziewczynki. Pomyślnie przeszliśmy wszystkie możliwe testy i święta Bożego Narodzenia mieliśmy spędzić już we czwórkę. Zgodnie z decyzją sądu, zostaliśmy rodziną zastępczą dla niemal czteroletniej Tani i sześcioletniej Mirki.

Marzyłam o wspólnym ubieraniu choinki i pieczeniu ciasteczek. Biegnąc z redakcji do domu, zaglądałam do sklepu z zabawkami.

Nareszcie dostałam szansę na pełną rodzinę!

ROZDZIAŁ 42
DAGMARA

Agata, wybacz, że się trochę spóźniłam, ale zasnęłam dopiero nad ranem – tłumaczyłam się, wbiegając do księgarni około dziewiątej.

Za godzinę po raz pierwszy miałyśmy otworzyć podwoje w nowej odsłonie, a tymczasem ja pozwalam sobie na obsuwę!

– Nie mogłaś spać z wrażenia? – Agata snuła domysły. – Choć przyznaję, że ja też odczuwam podniecenie.

– Powód jest inny. Zośka na rok przed maturą wybrała wolność i właśnie wyjechała z chłopakiem do Anglii popracować. Wyobrażasz to sobie?! Poinformowała mnie esemesem! A teraz nie odbiera, ponieważ nie ma pieniędzy na doładowanie komórki. Jestem kłębkiem nerwów!

Agacie na chwilę odebrało mowę.

– A mówiłaś, że dobrze ci się układa z córką... – wykrztusiła.

– Bo tak było! Bez problemu zgodziła się przenieść ze mną do Torunia, zakumplowała się z córkami mojej przyjaciółki Marleny. Aż pojawił się ten Kamil i wymknęła mi się z rąk! Co ja mam robić?!

Agata w milczeniu krzątała się po księgarni ze ściereczką w dłoni i machinalnie odkurzała niewidoczne pyłki. Zaparzyła mi kawę, sprawdziła, czy działa kasa fiskalna, wyrównała grzbiety książek, żeby żadna nie wystawała z równego szeregu.

– Usiądźże wreszcie! Przestań się tak wiercić! – podniosłam głos, nie mogąc znieść tego nerwowego podniecenia. – Przepraszam, to mój problem, niepotrzebnie warczę – dodałam po chwili, zdając sobie sprawę, że generuję wiszące w powietrzu napięcie.

– Po prostu zastanawiam się, co ci doradzić – powiedziała w końcu Agata. – Nie mam dzieci, tym bardziej nastoletnich. Ale rozumiem twoje rozdrażnienie. Młoda trochę przesadziła.

– No właśnie! Gdyby chociaż zaczekała do matury, nie broniłabym jej wyjazdu. A teraz co? Kilka dni temu zapisałam ją do liceum. Powinna je skończyć i tyle! Zgłupiała przez tego Kamila, amanta z bożej łaski! Nigdy mi się nie podobał.

– Nie wiesz przecież, czy to jego inicjatywa. – Agata próbowała ważyć racje.

– To prawda. Zośka zawsze miała wyskoki. Ale co teraz?

– Są wakacje. Może posiedzą tam kilka tygodni i wrócą? I z dużej chmury spadnie mały deszcz. Nie panikuj – uspokajała.

Rzuciłam się jej na szyję, dziękując za trzeźwe spojrzenie i wsparcie.

Dochodziła dziesiąta, za chwilę spodziewałyśmy się tłumów. W lodówce chłodził się szampan, na stoliku lśniło kilka rzędów kieliszków dla pierwszych gości, których przyciągnie nasz stojak z plakatem reklamującym otwarcie księgarni lub promocje, którymi zachęcałyśmy w gazetowych reklamach.

Punktualnie o dziesiątej otworzyłyśmy drzwi na oścież, wypatrując pierwszego gościa. Pojawiła się starsza pani, którą gestem zaprosiłyśmy do wnętrza. Kobiecina nie okazała jednak zainteresowania książkami.

– Szukam pasmanterii, podobno jest tu gdzieś na Kopernika. Nie wiedzą panie gdzie? – zapytała.

– Kilka kamienic dalej – odparła Agata, a widząc mój zawód, dodała: – Nie przejmuj się, pierwsze śliwki robaczywki. Idzie wycieczka!

Grupka turystów minęła nas bez zainteresowania, podążając do Domu Kopernika. Kolejna przetoczyła się w stronę przeciwną, lecz również nie zatrzymała się w księgarni.

Następna jednak stanęła tuż pod naszymi schodami.

– Proszę państwa, możemy zrobić sobie małą przerwę – dotarł do mnie głos przewodnika. – Jeżeli macie ochotę kupić jakiś album albo plan miasta, zapraszam do księgarni, która działa w tym miejscu od ponad trzydziestu lat. Spotykamy się za pół godziny pod pomnikiem Kopernika.

Słowa przewodnika sprawiły, że ziścił się mój sen.

Spory tłumek klientów wypełnił wnętrze i zmobilizował mnie do otwarcia szampana. Agata zachęcała do sięgnięcia po kieliszki, informując o nowym image'u księgarni i jej ofercie, ja uwijałam się przy nalewaniu musującego płynu. Wśród zaskoczonych ludzi zapanowało ożywienie – część zabrała się do przeglądania albumów i gadżetów związanych z Toruniem, inni zerkali na półki z beletrystyką i starymi książkami.

Nie wiem, czy poczuli się zobowiązani do zakupu poczęstunkiem, czy naszą ofertą, ale niemal każdy wyszedł z co najmniej jedną książką. Żegnali się z nami serdecznie, zaopatrzeni w wizytówki księgarni i zakupy w gustownych torebkach z nadrukiem, opatrzonych naszym adresem.

Nie spodziewałam się, że sąsiedztwo Domu Kopernika może przynieść aż takie profity. Wprawdzie zorganizowanych wycieczek nie trafiło się zbyt wiele, cieszył jednak każdy indywidualny klient, a tych nie brakowało. W pewnym momencie zaczęłam się nawet zastanawiać, czy nie rozniosła się wieść o uroczystej inauguracji z bąbelkami, ale nawet gdy źródełko wyschło, w księgarni panował ruch.

Tak czy siak, akcja promocyjna odniosła skutek. I to nie tylko biznesowy, ale i osobisty.

W południe w księgarni zjawiła się Aśka, córka Laury.

– Cześć, ciociu! – zawołała od progu i podbiegła, by się przywitać. – Ale fajnie przerobiłaś księgarnię babci! – pochwaliła, rozejrzawszy się wokół. – Mogę poszperać?

– Oczywiście. Książki dla młodzieży stoją na półce obok juki.

– Ciociu, to już nie dla mnie. Ostatnio skończyłam *Braci Karamazow*.

Ta uwaga uświadomiła mi, jak dalece nie znam własnej siostrzenicy. Zaledwie dwa lata młodszej od Zośki, ale jak widać, chyba mądrzejszej. Ponieważ jej wizyta przypomniała mi o Anglii, pozostawiłam Asię wśród książek i wycofałam się chyłkiem na zaplecze, żeby zadzwonić do dziecka. Zośka nie odbierała, ale w skrzynce znalazłam wiadomość.

„Mieszkamy u ziomka Kamila, Konrada, na razie za darmo. Staramy się o pracę. Jest okej. Nie szukaj mnie przez policję (żart!). Piszę z telefonu Konrada, ale nie dzwoń do niego, bo jest w robocie. Nie gniewaj się. Zosia".

Odetchnęłam z ulgą, że jest cała, zdrowa i nie śpi pod mostem. Wszystko inne w tym momencie było mniej ważne. W dobrym nastroju powróciłam zatem na salę, by odkryć kolejną niespodziankę. Przy stoliku z grami dla dzieci zastałam Michałka i Marlenę z rodziną.

– Przyjechaliśmy na twoje wielkie otwarcie! – powitała mnie z uśmiechem przyjaciółka, napominając chłopców, by niczego nie porozrzucali. – Pięknie! Naprawdę mi się podoba.

– Gdybyś przyjechała wcześniej, dostałabyś szampana.

– Ale wtedy nie mogłabym odwieźć dzieci na wieś – stwierdziła. – Zresztą przyjdzie czas, to postawisz. Michaś, nie przywitasz się z mamą?

Mój syn chyba zupełnie o mnie zapomniał. Starając się go przytulić na dzień dobry, poczułam zapach powietrza, zauważyłam opaleniznę. Dostrzegłam jego zadowolenie i nieznaną mi dotąd tężyznę, jakiej nabył w ciągu minionego tygodnia.

– Kochasz mamusię? – szepnęłam mu do ucha.

– Tak. Ale pojadę jeszcze na wieś? – zapytał, popatrując na mnie niepewnie.

– Pojedziesz, synku, pojedziesz – przytaknęłam, choć poczułam ucisk w sercu.

Mój syn zdradza mnie z Szulcami, przyszło mi do głowy, ale czym prędzej przegoniłam tę myśl.

– Asiu, możesz pozwolić na chwilę? – przywołałam siostrzenicę, wciąż penetrującą zawartość półek. – To jest Asia, córka Laury – przedstawiłam ją Marlenie. – A to Marlena, moja koleżanka ze szkoły. Może się pamiętacie?

– Z czasów, kiedy ta młoda dama miała jakieś cztery, pięć lat – odparła Marlena. – Znalazłaś coś dla siebie? – zagadnęła.

– A tak, ale mam dylemat.

– Jaki? – zapytałam.

Pomyślałam, że podaruję jej wybraną książkę w prezencie.

– Bardzo lubię Tomasz Manna. Zastanawiam się, czy wziąć *Buddenbrooków*, czy *Czarodziejską górę*. Co mi radzisz, ciociu?

Dlaczego akurat musiała wybrać Manna i jego *Buddenbrooków*, których umieściłam na półce z myślą o mecenasie Grodzieńskim? – zadałam sobie pytanie. Wprawdzie on i tak tu nie przyjdzie i ich nie kupi, ale książka miała sobie stać i czekać.

Ważyłam w myślach odpowiedź. Gdyby chodziło o dwie inne książki, podarowałabym je obie. Z przyjemnością. Ale... Ale jednak chciałam, żeby *Buddenbrookowie* jeszcze przez jakiś czas poleżeli na regale. Zaproponowałam *Czarodziejską górę*.

– Ile płacę, ciociu? – zapytała Asia, sięgając po książkę.

– Nic, kochanie. Nic nie płacisz – odparłam zadowolona, że zaakceptowała propozycję. – Aha, weź kolorowankę dla brata. – Podałam jej książeczkę ze strażakiem Samem. – A co u rodziców? – zagadnęłam, odprowadzając siostrzenicę do wyjścia.

– Nie wiem. Ciągle się kłócą o pieniądze. Może byś kiedyś do nas wpadła? – zaproponowała.

– Chętnie, Asiu. Jeżeli tylko będę mogła – obiecałam, nie chcąc wprowadzać jej w skomplikowane rodzinne relacje. – Do zobaczenia!

Zbliżała się osiemnasta, godzina zamknięcia.

Zmęczone po całym dniu pracy i emocjach związanych z otwarciem, słaniałyśmy się z Agatą na nogach. Ruch zelżał. Zabrałam z kasy całkiem spory utarg i zaniosłam go do kasetki na zapleczu, by jutro wpłacić do banku. W ostatnich pięciu minutach nie spodziewałam się już klientów, a jednak po powrocie na salę zauważyłam męską sylwetkę obok półki ze starymi książkami.

Drgnęło mi serce.

– Dobry wieczór – powiedział mecenas Grodzieński. Trzymał *Buddenbrooków*. – Dotrzymała pani obietnicy. Mam! – pochwalił się, unosząc dwa pokaźne tomy.

Agata dyskretnie usunęła się na zaplecze.

– Dbamy o klientów – odparłam.

– A czy pozwoli pani, żeby klient zadbał o panią? Pozwoli się pani zaprosić na kolację, pani Dagmaro?

– usłyszałam ciepły baryton. – Oczywiście kiedy uiszczę rachunek, a pani zamknie księgarnię.

– Jestem trochę zmęczona – próbowałam oponować.

– Nie zapraszam pani na maraton.

– No, jeśli tak, to chyba dam się namówić – zgodziłam się z uśmiechem.

ROZDZIAŁ 43
BOŻENA

Wchodźcie, dziewczynki, do domu. Nie bójcie się, przecież byłyście u nas już nieraz – zachęcałam małe, które stały w progu i niepewnie spoglądały po sobie.

– Pokażę wam wasz pokój – wtrącił Artur, biorąc za rękę Tatianę.

Ta jednak wtuliła się we mnie kurczowo i trzymała spódnicy. Mirka z ponurą miną odsunęła siostrę, obejmując mnie w pasie. Była wyższa i silniejsza.

– Odejdź! – fuknęła na Tanię, zagarniając mnie tylko dla siebie.

– Dziewczynki, wystarczy miejsca dla was obu. – Śmiechem próbowałam rozładować napięcie. – Nie jesteście ciekawe swojego pokoju? Czeka tam na was niespodzianka – pokrzykiwałam radośnie.

Urządziliśmy im duży foremny pokój od Konopnickiej, stawiając w nim dwa wygodne łóżka i z trudem zdobytą kolorową meblościankę. Udało się nawet kupić dywan, po który specjalnie wybraliśmy się do stolicy. Znajoma krawcowa uszyła perkalowe zasłonki i patchworkowe narzuty z resztek tkanin znalezionych na dnie szafy. Mimo panującej w sklepach szarzyzny stworzyliśmy wesoły dziecięcy wystrój, dopełniony misiami siedzącymi na łóżkach i koszem zabawek. Spodziewałam się, że dziewczynkom się spodoba i ochoczo rzucą się w wir poznawania nowej przestrzeni.

Nic takiego się jednak nie stało. Przejście kolejnego progu musiało chwilę potrwać. O dziwo, pierwsza uaktywniła się młodsza z sióstr. Wbiegła w końcu do pokoju i porwała w objęcia misia z łóżka pod oknem. Starsza podążyła za nią i wyrwała jej zabawkę.

– Ten będzie mój! Ty weź tego drugiego! – krzyknęła.

– Ja chcę tego! – Tania była bliska płaczu.

Próbowałam ratować sytuację.

– Taniu, zobacz, tamten miś też jest bardzo ładny. Ma taki śmieszny czarny nosek.

– Nieee – rozbeczała się mała. – Ja chcę tego!

Mieliśmy pierwszy problem wychowawczy. Artur spoglądał zdezorientowany, nie wiedząc, co począć. Ja grzebałam w pamięci, żeby przypomnieć sobie porady psychologów ze szkoleń rodzicielskich, które przeszliśmy podczas starań o dzieci. Najważniejsza jest miłość, cierpliwość i wyrozumiałość, dudniło w głowie. Nasze dziewczynki pochodziły z tak zwanej trudnej rodziny; pijąca matka nie była w stanie wskazać, kto jest ich ojcem. Trafiły do domu małego dziecka razem, kiedy młodsza miała rok, a starsza trzy lata. Od tej pory nikt ich nie odwiedzał, nie zaznały rodzinnego ciepła, od małego musiały walczyć o miejsce w grupie. Należało dać im miłość, a wszystko przy odrobinie cierpliwości miało się ułożyć.

Naładowana teorią postanowiłam podeprzeć ją intuicją i ciepłym traktowaniem zaleczyć rany. I obłaskawić. Po długich pertraktacjach udało się podzielić misie pomiędzy siostry i zachęcić je do zjedzenia obiadu. Tu, na szczęście, nie natrafiliśmy na rafę. Obie były głodne i nie stawiały oporu, kiedy na talerze nałożyłam im po porcji pulpetów w sosie koperkowym z ziemniakami, które przygotowałam zgodnie z sugestią kucharki z domu małego dziecka.

– Niech je pani zrobi na pierwszy posiłek – poradziła. – Dzieci je lubią.

Do kisielu z własnoręcznie usmażoną konfiturą wiśniową siostry podeszły jednak z większą rezerwą, bardziej zainteresowane kostkami cukru w cukiernicy. Nie przejęłam się, wiedząc, że dzieci z domów dziecka lubią chomikować, ale postanowiłam, że nigdy nie doprowadzę do sytuacji, w której czegokolwiek im zabraknie. Dyskretnie usunęłam cukiernicę i zastąpiłam ją miseczką z cukierkami. Dziewczynki rzuciły się na nie, skwapliwie chowając upolowany łup do kieszeni.

Po intensywnym dniu w końcu udało mi się je uśpić. Zasypiały wtulone we mnie, jedna z jednej, druga z drugiej strony.

– Masz się odwrócić do mnie – strofowała mnie Mirka, kiedy przytuliłam się do Tani.

– Jestem tutaj, kochanie – wyszeptałam szczęśliwa, że mnie potrzebuje. – Śpij dobrze.

Od chwili kiedy dziewczynki zawitały pod nasz dach, świat stanął na głowie. Małe były niesforne i zahukane, ale widocznie tak musiało być. Przygotowaliśmy święta Bożego Narodzenia – był tato przebrany za Mikołaja, pod choinką spoczywał worek prezentów. Przez okno wypatrywaliśmy pierwszej gwiazdki. Nasze małe gwiazdeczki pląsały szczęśliwe po podłodze, rozpakowując prezenty.

„Ewuniu, nawet nie wiesz, jaka jestem szczęśliwa!", pisałam do przebywającej u rodziny przyjaciółki, zasłuchana w dziecięcy szczebiot. „Mam je przy sobie. W domu miły rozgardiasz i ciepło wigilijnej nocy, czego i tobie życzę. Pozdrawiam serdecznie i świątecznie. Bożena".

Na pierwsze dwa tygodnie po sylwestrze wzięłam urlop, by spędzić czas z dziewczynkami. Spacerowałyśmy po Bydgoskim Przedmieściu, zahaczając o park, ogród zoobotaniczny i pokryte szronem błonia nad Wisłą. Małe biegały z sankami po pobliskich górkach, a kiedy wracałyśmy do domu, robiłam dla nich gorącą czekoladę.

Jednak wieczory nadal były trudne. Dziewczynki nie potrafiły zasnąć beze mnie i nie przestawały się kłócić, która zasługuje na miejsce bliżej mamy. Kiedy już zasypiały, umęczona łagodzeniem konfliktów wracałam do Artura i ciężko opadałam na fotel.

– Nie wiedziałam, że posiadanie dzieci jest tak wyczerpujące – zwierzałam się, prosząc o filiżankę herbaty.

– Wszystko się wyprostuje – uspokajał. – Niech no tylko małe zdobędą trochę pewności siebie. A my im ją damy, prawda, żonko? – Uśmiechał się.

Byłam zmęczona i zadowolona jednocześnie.

– Prawda – potwierdzałam, zasypiając szczęśliwa w fotelu.

Urlop się skończył, dziewczynki poszły do przedszkola, a my rozpoczęliśmy normalny cykl pracy i opieki nad dziećmi. Na początku, zajęta myśleniem o nich, nie potrafiłam skoncentrować się na pisaniu artykułów, z czasem jednak pojawiły się rutyna i codzienność. Powoli przywykaliśmy. Małe nie miały problemu z przystosowaniem się w grupie, a nawet radziły sobie całkiem nieźle. Zwłaszcza starsza Mirka, która zaliczała poziom starszaków i od września miała iść do szkoły.

– Proszę pani, czy moglibyśmy chwilę porozmawiać? – zaczepiła mnie pewnego dnia przedszkolanka.

Poinformowała mnie, że moja córka pobiła koleżankę.

– W jakich okolicznościach? – zapytałam.

– Kiedy tamta zabrała jej książeczkę.

– Sama pani mówi, że zabrała. Mirka musiała się zdenerwować – odparowałam.

– To nie było tak – ciągnęła przedszkolanka. – Dzieciaki często zabierają sobie zabawki, ale nie zawsze dochodzi do rękoczynów. Mirka uderzyła koleżankę ze złością i ogromną agresją. Proszę z nią o tym porozmawiać.

Próbowałam tłumaczyć, że małe spędziły trzy lata w domu dziecka i musi minąć trochę czasu, zanim odreagują traumatyczne przeżycia. I że potrzebują wyrozumiałości i cierpliwości. Obiecałam jednak, że porozmawiam z Mirką.

– Rozumiem sytuację, ale nie możemy pozwolić, żeby inne dzieci były bite. Takie z normalnych rodzin – odparła przedszkolanka.

Doprowadziła mnie do wściekłości.

– To znaczy, że moja córka nie jest z normalnej rodziny? – uniosłam się. – Zastanawiam się, czy pani w ogóle nadaje się na przedszkolankę!

Wątpliwościami podzieliłam się z Arturem, który jednak nie sprzyjał moim planom doniesienia na babę do wydziały oświaty.

– Uspokój się – przekonywał. – Przecież oboje wiemy, że dziewczynki potrzebują czasu na wyciszenie. Cierpliwości.

Uległam, a mając wsparcie męża, pracowałam nad córeczkami, żeby jak najszybciej zapomniały o samotności w domu dziecka. Oboje otoczyliśmy je kokonem miłości i serdeczności, poświęcając im cały swój wolny czas, zapewniając rozrywkę, kształtując umiejętności, prowadząc na zajęcia dla maluchów. Tania poszła na balet, Mirkę posłaliśmy do ogniska muzycznego na naukę gry na pianinie, a jednocześnie rozglądaliśmy się za instrumentem. Próbowałam je przytulać, na każdym kroku okazywać miłość i akceptację, ale rzadko udawało mi się zyskać wzajemność. No, może czasem od Tatiany, ponieważ Mirka stroniła od bliższych kontaktów, wysupłując się z moich ramion, kiedy tylko udawało mi się do niej zbliżyć.

Pani psycholog, do której zwróciłam się z problemem, uspokajała, snując wizję szczęśliwej przyszłości.

– Proszę się nie niepokoić, że dziecko nie ma ochoty na bliższy kontakt. To przyjdzie z czasem. Teraz należy mu dawać poczucie bezpieczeństwa i miłość.

Słuchając po raz enty tych samych argumentów, straciłam ochotę na kontakt z psychologiem i postanowiłam poradzić sobie sama. Jeszcze bardziej zaangażowałam się w opiekę nad dziewczynkami, co czasem przynosiło radość, a czasami smutek.

Kiedy Tania powiedziała do mnie „mamusiu", urosły mi skrzydła. Ale gdy Mirka, której nakazałam sprzątnięcie zabawek, odparowała ze złością: „Ty nie jesteś moją mamą!", z trudem opanowałam płacz.

I tak właśnie wyglądało nasze życie: piękne wspólne chwile, zdjęcia z rodzinnych imprez, na których nasze córki, wystrojone w uszyte przeze mnie sukienki à la pszczółka Maja, pozują w tańcu, laurki na Dzień Matki i Ojca, uśmiechy na widok urodzinowych prezentów, budowanie zamków na plaży. Ale i momenty, kiedy nie pozwalały się do siebie przytulić, zajrzeć pod poduszkę, pod którą leżał zachomikowany batonik. Mimo że dziesięć takich samych spoczywało w dostępnej dla wszystkich szafce w kuchni.

– Czyż one nie są rozkoszne? – Przystanęłam w progu pokoju, skąd obserwowałam spokojny sen dziewczynek.

Spojrzałam na Artura. Objął mnie ramieniem i przyznał mi rację.

– Są kochane. Jeszcze trochę i przekonają się do nas w stu procentach.

– Przed nami całe życie. – Przytuliłam się do męża.

ROZDZIAŁ 44
DAGMARA

Muszę przyznać, że mecenasowi Grodzieńskiemu nie brakowało kindersztuby. W pierwszej kolejności zapytał, na co mam ochotę, potem wybrał restaurację, która wydawała mu się najbardziej odpowiednia.

– A więc typowo polskie jadło raczej nie na dzisiejszy wieczór – mruknął. – Odpadają pierogarnie i pełne pieczystego i grillowanych kiełbas patelnie szefa. Kuchnia arabska i tajska też. A najlepszą rybę na parze i sałatkę śródziemnomorską zjemy w bardzo przytulnej prowansalskiej restauracji przy Mostowej. To tylko kilka kroków stąd – powiedział i spojrzał, co ja na to.

– Wiem, gdzie jest Mostowa – roześmiałam się. – Dopóki nie poszłam na studia, mieszkałam w Toruniu.

– A prawda, przepraszam. Wprawdzie ulice pozostały te same, ale knajpy zmieniają się jak w kalejdoskopie. Tylko niektóre trwają w tych samych miejscach, jak pani księgarnia.

Gawędziliśmy na temat toruńskiej gastronomii, podążając w kierunku Mostowej w tłumie turystów.

Podziwiałam wieczorną żywotność miasta, zadzierałam głowę i z przyjemnością obserwowałam odnowione fasady kamieniczek. Patrzyłam na eleganckie oświetlenie deptaka na Szerokiej i na ulicznych grajków porozstawianych na każdym rogu.

– Ma pan rację – powiedziałam. – Ostatnimi czasy rzadko bywałam w Toruniu i nie znam gastronomicznej mapy miasta. Kiedy przyjeżdżałam z Wrocławia i chciałam z kimś się spotkać, biegłam do jednej z nielicznych znanych mi knajpek, do Kurantów przy Rynku. Kiedyś, za czasów licealnych, często trafialiśmy tam z kolegami, ale wtedy nosiła ona nazwę Pod Kurantami.

– Doprawdy? – zainteresował się mecenas. – Ja też tam chodziłem ze swoją paczką!

– Nie wiem, czy mogliśmy się wówczas spotkać. Ja zdawałam maturę dwadzieścia lat temu. – Dałam mu oględnie do zrozumienia, ile mam lat, chociaż informację tę mógł wyczytać w testamencie.

– Doprawdy? Ja również jestem dwadzieścia lat po maturze! Które liceum pani kończyła?

– Piątkę.

– A ja czwórkę.

– No proszę! Jaki ten świat mały – podsumowałam, przekraczając próg lokalu.

Jak zwykle wybrałam stolik przy oknie i rozejrzałam się dokoła. Dostrzegłam jasne wnętrze wypełnione białymi stolikami i krzesłami na drewnianych bukowych nogach, kilka luster w ramach o pastelowych barwach i szereg dodatków tworzących może i popularny obecnie, ale zawsze elegancki, a jednocześnie swojski klimat Toskanii czy południowej Francji. Stoliki zdobiły niewielkie doniczki z lawendą, której zapach, wsparty zapewne rozproszonym sztucznym aromatem, unosił się w całej restauracji.

– Dobry wybór – pochwaliłam szczerze. – Podoba mi się tutaj.

Z pomocą imponującej karty udało mi się skonfigurować zestaw dań, na które postanowiłam naciągnąć pana mecenasa. Zamówiłam krem z dojrzewających na słońcu pomidorów ze świeżą bazylią, łososia z awokado i grejpfrutem, polanego sosem z mango, oraz sałatkę z rukoli i roszponki z pieczonymi burakami, orzechami i pleśniowym serem.

– Dla mnie to samo. – Grodzieński zdecydował się pójść w moje ślady.

– Widzę, że łączy nas nie tylko wiek – roześmiałam się, kiedy złożył zamówienie.

– Oczywiście, że nas nie łączy – odparł z udawaną powagą. – Pani jest ode mnie dziesięć lat młodsza – dodał z galanterią i promiennym uśmiechem.

Był miły, choć zdawałam sobie sprawę, że mój wygląd po ostatnim pełnym pracy tygodniu i dzisiejszym wyczerpującym dniu pozostawia dużo do życzenia. Nie byłam wypoczętą trzydziestolatką po urlopie, a raczej tą, którą jestem naprawdę – zmęczoną, dobiegającą czterdziestki kobietą. Mogłam chociaż, zanim zasiadłam przy stoliku, przeczesać włosy i podmalować usta, westchnęłam w duchu.

Za to mecenas, w eleganckiej sportowej lnianej marynarce i czarnym T-shircie, prezentował się nienagannie. Miał klasę i luz, który tak podobał mi się u mężczyzn.

Oby tylko nie szła za tym próżność człowieka sukcesu i niewątpliwie przy kasie, na jakiego wygląda, pomyślałam.

I natychmiast zbeształam się w duchu.

W końcu to tylko kolacja z wdzięczności za *Buddenbrooków*, tłumaczyłam sobie. A komplement jest jedynie formą grzeczności w stosunku do kobiety. Pewnie pan mecenas ma wprawę w tej materii.

Rozmyślania przerwała mi kelnerka, która przyniosła do stołu butelkę białego wina.

– Może być? – zapytała Grodzieńskiego, kierując w jego stronę nalepkę.

Ten z aprobatą skinął głową.

– Mam nadzieją, że pije pani wino?

Nie wypadało odmówić. Poza tym wystarczył łyk, żebym nie żałowała decyzji.

Wino z pewnością nie było tanie, za to bardzo dobre. Obawiałam się jedynie, że uderzy mi do głowy i poplącze język, ale w towarzystwie mojego towarzysza zapomniałam o obawach. Pan mecenas okazał się bardzo bezpośrednim i ciepłym mężczyzną. Lody zostały przełamane. Zanim zdążyliśmy posmakować dania głównego, zdążyliśmy omówić kilka historii z licealnej przeszłości, obgadaliśmy wspólnych znajomych, których – jak się okazało – mamy. A przed deserem zaczęliśmy sobie mówić po imieniu.

Z inicjatywą wystąpił on.

– Mam na imię Adam. Jeżeli pani nie przeszkadza, to może porzucimy oficjalną formę?

– Jestem Dagmara. – Podałam mu rękę przez stół.

Wstał, nachylił się i pocałował mnie w policzek.

– Żeby tradycji stało się zadość – wytłumaczył swoje zuchwalstwo. – To co, teraz po kawie i coś słodkiego? – zaproponował.

– Tylko kawa. Niczego już nie przełknę.

Siedzieliśmy na Mostowej całkiem długo, zatopieni w rozmowie, która z każdą minutą nabierała rumieńców. Nie pamiętałam już, kiedy ostatnio tak dobrze konwersowało mi się z własnym mężem i dlaczego właściwie straciliśmy tę umiejętność. Czy pozbawiły nas jej codzienne kłopoty, brak czasu, czy zagonienie i problemy z dziećmi? W rozmowach mnie i Zbyszkowi zazwyczaj towarzyszył telewizor. A kiedy wreszcie udawało się nam z okazji urodzin lub rocznicy ślubu znaleźć sam na sam, niewiele mieliśmy sobie do powiedzenia.

Kiedy poznał Sarę, posypało się wszystko.

Za to Adam okazał się wspaniałym rozmówcą. Tak dobrym, że zaczęłam się zastanawiać, czego spodziewa się po dzisiejszej kolacji. Nie byłam przygotowana na dalszy ciąg ani zainteresowana przelotnym seksem, chociaż pochlebiała mi jego adoracja i cieszyła dyskusja o książkach, filmach, spojrzeniu na życie. Im jednak lepiej czułam się w towarzystwie Adama, tym bardziej uparty chochlik drążył w mojej głowie niewielki korytarzyk obawy o to, że niebawem czar pryśnie, a pan mecenas zniknie, kiedy jego inwestycja w kolację nie zaowocuje upojną nocą.

– Dagmara, jesteś nieobecna. Nudzę cię? – przerwał moje rozważania.

– Wręcz przeciwnie! – zaprotestowałam. – Dawno nie miałam tak miłego wieczoru – odparłam zgodnie z prawdą.

– Przepraszam za mały odlot, ale są pewne sprawy, które przypomniały o sobie. Już wracam na ziemię.

Adam zamilkł i zajął się dolewaniem wina do kieliszków. Wykazał się dyskrecją, ale w moim mniemaniu należało mu się wyjaśnienie. Wprawdzie do tej pory nie rozmawialiśmy o rodzinach, lecz chyba nadszedł czas, by poruszyć ten temat.

– Odpłynęłam trochę... – przystąpiłam do zwierzeń. – Bo sporo się u mnie ostatnio dzieje. Jak wiesz, przejęłam księgarnię, co jest dla mnie dużym wyzwaniem. Od niedawna jestem rozwiedziona. Mąż porzucił mnie z najbardziej trywialnego powodu na świecie, czyli dla młodszej. Nasze wspólne dzieci pozostały przy mnie. Michałek ma pięć lat, a Zosia... – Zawahałam się. – Zosia powinna iść do klasy maturalnej, ale postanowiła wyjechać ze swoim chłopakiem do Anglii i zawalić szkołę. Wybacz, że nie potrafię się do końca wyluzować, choć nie chciałabym ci psuć wieczoru – dokończyłam i gestem dałam do zrozumienia, że czas opuścić lokal.

– Zostań. – Adam przytrzymał moją dłoń w silnym uścisku, nie pozwalając wstać od stolika. – Chcę wiedzieć o tobie wszystko – powiedział nadspodziewanie poważnie. – To dobre i to złe – dodał dobitnie. – I wcale nie psujesz mi wieczoru. Zostań, proszę. Choć jeśli chcesz, odwiozę cię do domu.

– Przecież piłeś!

– Taksówką, głuptasie – roześmiał się.

– To może już pójdźmy na postój? – zaproponowałam. Dopadło mnie zmęczenie.

Szliśmy ruchliwą Szeroką, noga za nogą przemierzaliśmy Chełmińską, kierując się w stronę placu Teatralnego. Wsparta na ramieniu Adama, układałam poplątane i zmierzwione winem myśli, marząc o łóżku.

– Gdzie jedziemy? – zapytał Adam, otworzywszy przede mną drzwiczki.

Podałam adres.

– Było mi bardzo miło, Dagmaro – pożegnał się ze mną przed furtką domostwa moich gospodarzy. – Nie pogniewasz się, jeśli pocałuję cię na dobranoc? – zapytał, delikatnie kładąc mi dłoń na szyi.

Nie odpowiedziałam, tylko pocałowałam go w usta. Gdyby chciał wejść, chyba nie byłabym w stanie odmówić. Na szczęście on tylko odwzajemnił mój pocałunek i przygarnął mnie do siebie.

– Taksówka czeka – powiedział. – Do zobaczenia.

– Dziękuję za wieczór! – Pomachałam.

Obserwowałam, jak wsiada do samochodu, z nadzieją, że się odwróci.

Odwrócił się.

Skinął dłonią i odjechał, a ja natychmiast zaczęłam za nim tęsknić.

ROZDZIAŁ 45
BOŻENA

Mijały miesiące.

Mirka poszła do szkoły, Tania znalazła się w przedszkolu w grupie pięcioletnich „Biedronek". Przeżyliśmy pierwszy rodzinny rok, dzieląc się obowiązkami i kochając nasze gwiazdeczki bez reszty, chociaż one nie zawsze odwdzięczały się tym samym.

Mirka wciąż nie pozwalała się przytulać, często okazując agresję i ośli upór w dążeniu do celu.

– Chcę tę lalkę! – Potrafiła zrobić nam karczemną awanturę, kiedy odmawialiśmy zakupu kolejnej zabawki.

Łagodniejsza z usposobienia Tania brała przykład z siostry i zanosiła się płaczem, kiedy usiłowaliśmy wyjść ze sklepu.

Szukaliśmy porady.

– Proszę się nie dziwić – tłumaczyła pani psycholog. – Dzieci w poprzednim życiu nauczyły się walczyć o to, by zaspokajano ich potrzeby. Robią to, jak potrafią.

– Ale przecież nie możemy kupować im wszystkiego, czego zapragną – wtrąciłam.

– Dzieci, które doznały traumy, mają wysoki poziom stresu i w związku z tym zwiększone wydzielanie hormonów. A to objawia się nadmierną energią, która pozwala im wywierać na rodzicach silniejszą i dłuższą presję.

– Nie rozumiem.

– To znaczy, że powinni się państwo nastawić na różne zachowania córek, które wcale nie są związane z ich złą wolą, a z traumatycznym wspomnieniem porzucenia. Może upłynąć dużo czasu do chwili, kiedy ulegnie zatarciu.

Wywód pani psycholog nieco mnie przeraził, bo sugerował wiele problemów, wśród których była między innymi mała odporność dziewczynek. Kolejne dwa lata okazały się pod tym względem tragiczne. Mirka rozpoczęła trzecią klasę zapaleniem oskrzeli, które od razu podłapała młodsza siostra. Z powodu kolejnych licznych infekcji u obu córek często zawalałam pracę, biorąc zwolnienie za zwolnieniem. Artur z coraz większym trudem próbował mnie bronić przed centralą, jednak „Gazeta Codzienna" nie akceptowała braku dyspozycyjności. Po trzech latach pracy zostałam wezwana na dywanik przez Grażynę, warszawską szefową mojego działu. Musiałam się zdeklarować, co zamierzam zrobić, żeby uzdrowić sytuację.

– Bożena, znasz powód, dla którego cię wezwałam? – zadała retoryczne pytanie. – Rozumiem cię, masz dzieci, ale niestety twoje zaabsorbowanie sprawami rodzinnymi przekłada się na pracę. Napisałaś szesnaście artykułów w pół roku, a powinnaś napisać przynamniej dziesięć razy więcej. Teksty są słabe, żaden z nich nie trafił na jedynkę.

Wiesz, że bardzo cię lubię, i Artura też, ale muszę dbać o gazetę. A poza wszystkim mamy nad sobą udziałowców, a oni spodziewają się efektów i nie są skłonni do wywalania pieniędzy w błoto.

W pełni zgadzałam się z tą argumentacją. Od jakiegoś czasu byłam beznadziejną dziennikarką, która nie potrafiła w pracy odciąć się od rodziny. Mówiąc kolokwialnie – pieprzyłam robotę.

– Dasz mi jeszcze trochę czasu? – zapytałam, czując usuwający się spod nóg grunt w postaci etatu.

– Bożena, ogarnij się. Daję ci pół roku. Ale jeżeli wówczas podsumowanie wypadnie tak jak teraz, będziemy musiały się pożegnać.

Nie próbowałam tłumaczyć, że dziewczynki nie tylko chorują, ale i sprawiają kłopoty wychowawcze, tym bardziej że pod drzwiami stała już kolejna osoba, z którą Grażyna miała porozmawiać. Ponadto skład domagał się tekstów na jutrzejszą rozkładówkę, a szef wzywał do siebie.

– Będzie dobrze! – rzuciła na pożegnanie Grażyna, niedwuznacznie spoglądając w stronę drzwi.

Podróż z Warszawy spędziłam na rozmyślaniach, w jaki sposób przeorganizować swoje życie, żeby nie tracąc pracy, która niewątpliwie podpierała nasz budżet, zapewnić właściwą opiekę dziewczynkom. Wieczorem przedstawiłam swój plan mężowi.

– Musimy zatrudnić opiekunkę – stwierdziłam. – Jeżeli w ciągu pół roku nie przyłożę się do roboty, szefowa mnie zwolni. Tymczasem za kilka dni rozpoczyna się drugi semestr w szkole. Mirka niebawem pójdzie do czwartej klasy, Tania do drugiej. Już mają różne godziny nauki, a po świetlicy są rozdrażnione. Powinniśmy znaleźć kobietę, która przyprowadzi je do domu i zajmie się nimi do czasu, aż wrócimy z pracy. Albo posiedzi z nimi w razie choroby.

Artur zgodził się, choć z pewną powściągliwością.

– I odrobi z nimi lekcje? – powątpiewał. Dotknął problemu, z którym zmagaliśmy się od pewnego czasu. – Przecież wiesz, że od tego nie uciekniemy.

Niestety, w głębi duszy musiałam przyznać mu rację. Nasze córki potrzebowały pomocy w nauce. Mirka była wprawdzie bystrzejsza od siostry, ale opierała się systematycznej pracy, zaś mniej zdolna Tania wymagała stałego nadzoru. Artur każdego dnia starał się wysupłać godzinę, by posiedzieć z Mirką przy pianinie, ja rysowałam szlaczki z Tanią i mobilizowałam ją do stawiania pierwszych liter i cyferek. Krótko mówiąc, wszystkie zadania domowe musieliśmy wykonywać razem z nimi. Nasza konsekwencja przynosiła rezultaty w postaci przyzwoitych ocen, nie pozwalała jednak uciec od obaw o przyszłość.

Pani psycholog tłumaczyła, że nasza sytuacja nie odbiega od normy, a poświęcenie dzieciom czasu i uwagi przyniesie w końcu rezultaty.

– Dzieci po urazach mają trudności w nauce i cierpią na zaburzenia koncentracji – mówiła. – Konieczne jest ich uspokojenie i wyciszenie. Czy dziewczynki mają kłopoty ze snem? – zapytała.

– Zdarza się – potwierdziłam.

– Właśnie. Dlatego też w szkole sprawiają wrażenie marudnych i nieuważnych, mają problemy z zapamiętywaniem, a nawet potrafią być agresywne, kiedy im się zwraca uwagę. Potrzebują konsekwentnego i opiekuńczego podejścia.

– Co to znaczy, pani doktor? – pytałam, pragnąc konkretnych wskazówek. – Kiedy wreszcie nauczą się samodzielności?

– Nie wiem. Dużo zależy od państwa.

Powiem szczerze, że wywód pani psycholog nie do końca mnie przekonał. Już bardziej argumentacja Ewy, która wyraziła się wprost, nie używając języka terapeutów.

– Bożena, ty się nie przejmuj. Może one są po prostu mniej zdolne i tyle. Przecież nie musicie z Arturem wykształcić ich na noblistki. Wrzuć trochę na luz i pilnuj tylko, żeby się uczyły i nie zawalały szkoły. A że jadą nie na piątkach i czwórkach? Moja Iga też nie jest orłem, a mamy się dobrze.

Przerwałam te ponure rozmyślaniach i powróciłam do rzeczywistości.

– Ale możemy spróbować z tą opiekunką – dodał Artur, zanim zdążyłam odpowiedzieć. – Chociaż wiesz, że lepiej by było, gdybyś sama ich przypilnowała. Ale to już zależy od ciebie.

– Artur…

Wiedziałam, do czego pije. Bynajmniej nie do kłopotów dziewczynek z koncentracją.

Dwa zgłoszone przez dyrektorkę szkoły przypadki kradzieży dokonanych przez Mirkę zwaliły nas z nóg. Po raz pierwszy przywłaszczyła sobie batona, ale kolejny przypadek był już bardziej spektakularny. Nasza dziesięcioletnia córka ukradła drobne pozostawione przez koleżanki w szatni, dokładnie przeszukawszy wszystkie kieszenie. Została nakryta przez woźną.

– Pani Zawistowska, mam nadzieję, że rozumie pani powagę sytuacji – zakończyła naszą rozmowę dyrektorka, przedstawiwszy mi wykroczenia Mirki. – Prawdę mówiąc, powinnam wyciągnąć daleko idące konsekwencje. Po prostu zgłosić kradzież.

Udało mi się ją ubłagać. Oddałam skradzione pieniądze, przeprosiłam rodziców poszkodowanych uczniów, prosząc, by zapomnieli o sprawie.

Lecz podczas pogadanki o incydencie moja córka nie poczuwała się do okazania skruchy.

– To dlatego, że nie dajecie mi kieszonkowego! – prychnęła, patrząc wyzywająco.

– Nie wspominałaś...

– Przecież ja mam już dziesięć lat. To chyba normalne, że powinnam dostawać kieszonkowe – odparła arogancko.

– Przecież możesz poprosić nas o wszystko, czego potrzebujesz – powiedział Artur. – Odmawialiśmy ci czegoś?

Mirka nie uznała za stosowne odpowiedzieć. Wyszła z pokoju, pozostawiając mnie w stanie, delikatnie mówiąc, totalnego wzburzenia.

– Chyba jej przyleję! – krzyknęłam i poderwałam się z fotela.

– Daj spokój – powstrzymał mnie Artur.

Udał się za naszą córką do pokoju.

Wrócił po dobrej godzinie, uspokojony, i postawił przede mną filiżankę melisy.

– Porozmawialiśmy, będzie dobrze. Kajała się, przeprosiła i nigdy więcej tak nie zrobi – wyjaśnił. – Obiecałem jej kieszonkowe, dwadzieścia złotych na miesiąc. Masz coś przeciwko temu?

Z bezsilności machnęłam ręką. Może mój mąż ma rację? – pomyślałam. A przynajmniej wówczas chciałam tak sądzić.

Teraz staliśmy przed dylematem: utrata pracy czy zatrudnienie opiekunki.

– To jak uważasz? Opiekunka nie da sobie rady? – zapytałam.

– Spróbujemy – powiedział Artur. – Zawsze można zrezygnować.

ROZDZIAŁ 46
DAGMARA

W niedzielę obudził mnie dźwięk esemesa. Poderwałam się z łóżka w poszukiwaniu komórki. Może odezwała się Zośka?

Pewnie coś się stało, że komunikuje się o tak wczesnej porze! – pomyślałam, z trwogą zerkając na ekran. Przy okazji zorientowałam się, która jest godzina. Minęła jedenasta.

Nie pamiętałam, kiedy spałam tak długo.

Wiadomość pochodziła nie od córki, a od Adama.

„Dziękuję Ci za przemiły wieczór", pisał, „i mam nadzieję na kolejne spotkanie. Znam jeszcze dużo miejsc, które mogą Ci się spodobać. Czy mogę zadzwonić?"

„Oczywiście", odpowiedziałam bez zastanowienia. „Będę w domu wieczorem. Skontaktujmy się po dwudziestej. To ja dziękuję. D.".

W dobrym nastroju spakowałam do torby kilka łaszków i innych drobiazgów na wyjazd na wieś, w odwiedziny do Michasia i rodziny Marleny.

Powinnam chyba upiec jakieś ciasto, żeby nie jechać z pustymi rękami? – zbeształam się w duchu za brak wyobraźni.

Niestety, było już za późno, żeby brać się do wypieków. Nieoczekiwanie w sukurs przyszła mi moja gospodyni, pani Kotańska. Zapukała dokładnie w chwili, gdy zastanawiałam się, jak rozwiązać problem.

– Przepraszam, że zachodzę rano, ale dostrzegłam u pani ruch i postanowiłam zapukać – przywitała się. Trzymała pokaźną blachę z pachnącą, obsypaną kruszonką drożdżówką ze śliwkami. – Pomyślałam, że lubicie drożdżowe ciasto. Upiekłam dzisiaj.

Niemal rzuciłam się jej na szyję, jednocześnie robiąc sobie wyrzuty, że w ogóle do niej nie zaglądam. Do tej pory nie wspomniałam jej nawet o wyjeździe dzieci. Postanowiłam natychmiast to nadrobić, więc zaprosiłam ją do środka.

– Pani Gabrysiu, nie wiem, jak pani dziękować! Napije się pani ze mną kawy?

Weszła i rozejrzała się wokół.

– Ładnie się urządziliście – pochwaliła.

Machnęłam ręką.

– Bałagan, ale tyle się ostatnio dzieje – usprawiedliwiłam nieład. – W sobotę otwierałam księgarnię, ale zanim to nastąpiło, przez cały tydzień niemal tam spałam. A tak w ogóle to powinnam zaprosić państwa na otwarcie. Przepraszam!

– Zajdziemy, zajdziemy. Przy okazji. Czasami kupowałam książki u pani mamy – dodała.

Czy ja jej kiedykolwiek wcześniej wspominałam o księgarni? – przemknęło mi przez głowę.

Pani Kotańska szybko ujawniła źródło swojej wiedzy.

– Dziwi się pani, skąd wiem, że odziedziczyła pani księgarnię po mamie? Znałam Tereskę, ale kiedy się tutaj sprowadzaliście, nie wiedziałam, że pani jest jej córką. Uświadomiła mi to nasza wspólna znajoma, teściowa Marlenki Szulc. Od lat mieszkamy po sąsiedzku.

– Świat jest jednak mały! – roześmiałam się. – A skoro jesteśmy tak blisko, to może zgodzi się pani mówić mi po imieniu? – zaproponowałam.

– Bardzo chętnie, Dagusiu. Będę taką twoją zastępczą drugą mamą.

Pomyślałam o mojej biologicznej matce. I obiecałam sobie solennie, że gdy tylko nieco się ustabilizuję, zajmę się jej odszukaniem.

Pani Gabrysia zauważyła spakowaną torbę i poderwała się z miejsca.

– Ja ci przeszkadzam, a ty pewnie gdzieś się wybierasz! – Skierowała się w stronę drzwi.

– Jadę na wieś, do Szulców. Sprzedałam Michałka na dwa tygodnie i chcę go odwiedzić.

– To jedź, jedź! I wyściskaj małego od sąsiadki.

Żegnając się, zapytała o Zośkę.

– Wyjechała do Anglii – wyjaśniłam, nie wprowadzając jej w szczegóły.

– To dobrze. Przecież ma wakacje.

A zatem problem ciasta rozwiązał się sam.

Wpakowałam bagaż do samochodu, blaszkę umieściłam na tylnym siedzeniu i po niecałych czterdziestu pięciu minutach przejechałam przez otwartą bramę na posesji przyjaciółki. Rozglądając się za maluchami, weszłam do domu.

Marlenę zastałam przy kuchni.

Na mój widok otarła ręce w fartuch i podbiegła do mnie z otwartymi ramionami.

– Kogo to moje piękne oczy widzą?

Niemal wytrąciła mi z rąk ciasto.

– Gdzie dzieciaki? – zapytałam, stęskniona za synkiem.

– Są z Karolem nad jeziorem. Przyjdą na obiad. Chcesz do nich jechać?

Zrezygnowałam i zaproponowałam pomoc w kuchni.

– Pulpeciki rybne mam, sos koperkowy właśnie doprawiam, surówkę kończę – wyliczała Marlena. – Ale możesz obrać ziemniaki. A potem pogadamy, dopóki mamy trochę spokoju – zadysponowała, podając mi nóż i nalewając wody do miski. – Ziemniaki leżą w koszyku na półce regału w spiżarni. Znajdziesz?

Kiedy skończyłam skrobanie, kawa już pachniała na ganku, a Marlena raczyła się drożdżówką.

– Siadaj. – Wskazała mi miejsce. – I mów, co z Zosią.

Wobec braku kontaktu z córką nie miałam wiele do powiedzenia. Nie licząc wyrażenia obaw.

– Cały czas nie odbiera. Postaram się dodzwonić do tego Konrada, kolegi Kamila. Liczę, że tak jak mówiłaś, Zośka wkrótce się znudzi i wróci pod koniec wakacji. A jeżeli zabraknie jej pieniędzy, to z pewnością znajdzie sposób, żeby do mnie dotrzeć.

Siedziałam rozparta, obserwując płynącą leniwie Wisłę i rozkoszując się błogostanem. Zanim wrócili chłopcy, zdążyłam jeszcze podzielić się z Marleną wrażeniami z otwarcia księgarni i wspomnieć jej o kolacji z Adamem. Bardziej szczegółowe opowieści musiały zaczekać, ponieważ trójka malców opanowała ganek, wrzeszcząc o picie.

– Michasiu! – Porwałam synka w ramiona. – Daj buzi! Kąpałeś się?

Cmoknął mnie w policzek, potwierdził, że się kąpał, i wyrwał się czym prędzej.

– Doczekałam się! – westchnęłam. – Własny syn nie zwraca na mnie uwagi – skomentowałam ze śmiechem. – Bardzo jestem wam wdzięczna za Michasia – szepnęłam Marlenie do ucha. – Kolejny tydzień jest aktualny? Dacie radę z trójką?

Wracałam do domu podbudowana szczęściem synka, którego opaloną buzię długo jeszcze miałam przed oczami. Jednak za tydzień jego czas na wsi miał się skończyć. Szulcowie wracali do Torunia. Musiałam postarać się o opiekę, a najlepiej o przedszkole.

Postanowiłam nie martwić się na zapas i w oczekiwaniu na telefon od Adama wykorzystać wieczór dla siebie. Zafundowałam sobie gorącą kąpiel, maseczkę z ogórka pod oczy, manikiur i dobrą książkę.

Przejrzałam lektury zwiezione z Wrocławia, ale nie znalazłam wśród nich nic ciekawego. Doszłam do wniosku, że oddając Agacie inicjatywę na polu zamawiania beletrystyki, pozbawiłam się możliwości poznania tego rynku.

Zdecydowanie powinnam zainteresować się współczesną prozą, uświadomiłam sobie pomiędzy malowaniem jednego a drugiego paznokcia.

Nie bacząc na mokry lakier, próbowałam połączyć się z Kajtkiem, kolegą Zośki i Kamila, ale bez skutku. A potem zasiadłam przed komputerem, nie wiedząc jeszcze, że penetracja beletrystyki zajmie mi niemal całą noc. Surfowałam po książkowych i literackich blogach, analizowałam oferty hurtowni i wydawnictw, docierałam do list bestsellerów. Szukałam coraz głębiej i głębiej, robiłam notatki, zapisywałam spostrzeżenia. Dotarło do mnie, jak niewiele wiem i ile powinnam nauczyć się o zainteresowaniach czytelników, żeby z powodzeniem prowadzić księgarnię. Ale byłam zadowolona, że mnie oświeciło.

Nie zauważyłam, kiedy minęła dwudziesta druga i kolejna godzina. Po jedenastej komórka zasygnalizowała nadejście esemesa.

Adam!

Popędziłam, uświadamiając sobie, że dwudziesta minęła już jakiś czas temu.

„Przepraszam, że nie zadzwoniłem, ale sprawy rodzinne pokrzyżowały mi plany. Będę musiał wyjechać na tydzień. Jeżeli pozwolisz, to skontaktuję się po powrocie. Powodzenia z księgarnią. *Buddenbrooków* czytam z zapamiętaniem. Adam".

Zrezygnowana odłożyłam telefon i powróciłam do internetu.

– I czego się spodziewałaś, głupia? – powiedziałam do siebie na głos.

Zainteresowanie pana mecenasa nie przetrwało nawet jednej doby. Nie spodziewałam się, że zadzwoni kiedykolwiek.

Kiedy jednak usłyszałam znajomy brzęczyk, pognałam do dużego pokoju z nadzieją, że jednak się zdecydował.

– Cześć, Dagmara – zabrzmiał głos Zbyszka. – Nie za późno?

– Nie, nie – odparłam zrezygnowana.

– Mam dla ciebie wiadomość – obwieścił wesoło. – Znalazłem kupca!

– Kiedy? Przecież dopiero co wróciłeś z Toskanii – zdziwiłam się.

– A jednak. Chciałbym jutro przyjechać do ciebie i omówić szczegóły. Może nawet załatwimy transakcję na miejscu.

– Mógłbyś uchylić rąbka tajemnicy?

– Będę w Toruniu jutro około jedenastej. Znajdziesz czas, żeby się spotkać? – zapytał, unikając odpowiedzi.

– Postaram się. Może jednak jakieś szczegóły?

– Wszystkiego dowiesz się jutro. Jak dzieciaki?

– Jutro będziesz miał okazję się dowiedzieć – zastosowałam jego własną broń. – Szukaj mnie w księgarni. Zapraszam.

Postanowiłam wytrwać, mimo palącej ciekawości, i cieszyć się potencjalnym kupcem, chociaż radość tłumił esemes od Adama. Odpędziłam precz niespokojne myśli i zajęłam się rynkiem księgarskim.

Kiedy kładłam się spać, wstawało słońce.

ROZDZIAŁ 47
BOŻENA

Zatrudnienie opiekunki okazało się strzałem w dziesiątkę. Polecona mi przez Ewę pani Łucja była oazą spokoju i miała doświadczenie w zajmowaniu się dziećmi. Niestara jeszcze, choć emerytowana nauczycielka gwarantowała nie tylko fachową opiekę, ale i pomoc w lekcjach.

Mogłam odetchnąć z ulgą i przystąpić do obrony swojej pozycji w gazecie.

Rezultaty były widoczne już niebawem. Tekst gonił tekst, a ja, podbudowana sukcesami, nie czułam zmęczenia. Ochoczo rzucałam się w wir domowych obowiązków po powrocie z pracy, Artur, w miarę swoich możliwości czasowych, też się od nich nie migał.

Wyglądało na to, że nasza rodzina trafiła na właściwe tory. I chociaż nasze córki nie stały się z dnia na dzień przymilne, przynajmniej przestały chorować tak często, jak dawniej. A jeśli już tak się zdarzało, ja szłam do pracy, a doglądała ich pani Łucja.

Rok szkolny dziewczynki zakończyły z przyzwoitymi ocenami. Spędziłam z nimi dwa tygodnie nad morzem, na kolejne dwa wyjechały z Arturem w góry. Pozostały czas staraliśmy się wypełnić krótkimi wypadami za miasto naszym nowym polonezem; odwiedzaliśmy znajomych w ich letnich hacjendach, jeździliśmy nad jezioro. Udało się nam nawet wyskoczyć do Lucyny, która po raz pierwszy miała okazję zobaczyć nasze dzieci.

– Tyle lat się nie widziałyśmy! – Wybiegła z domu, serdecznie witając się ze mną. – A wy to pewnie Tania i Mirka. – Wyciągnęła dłoń do stojących za mną dziewczynek.

Bałam się, że swoim zwyczajem zjeżą się i nastroszą, jednak nic takiego się nie stało. Ochoczo podbiegły do Lucyny, fundując nam obu pokaz dobrego wychowania i wylewności, jakiej ja nie zaznałam nigdy.

– Jakie miłe dziewczynki! – Moja przyjaciółka tuliła siostry, które wyjątkowo nie stawiały oporu.

Wprost przeciwnie, oddawały uściski.

Niebawem moje córki zaznajomiły się z ośmioletnią Agatką i dziesięcioletnim Jasiem. Weekend spędziły w domku na drzewie, zaszczycając nas swoją obecnością wyłącznie w czasie posiłków.

Lucyna była zachwycona dziewczynkami i ze zdziwieniem przyjmowała moje żale na trudności wychowawcze i rezerwę, jaką okazywały nam córki.

– Mam żal, że lgną do każdego, a nas traktują jak wrogów – zwierzyłam się przyjaciółce. – Poświęcamy im dużo czasu i kochamy je, a one często patrzą na nas wilkiem. Tania może i byłaby inna, ale jest pod wpływem siostry, która ciągle ma do nas o coś pretensje. Wiesz, Lucyna, czasami myślę, że po prostu nie nadaję się na matkę – zakończyłam ze łzami w oczach.

Nie pozwoliła mi się rozkleić.

– Głupia. Wszystkie dzieciaki zawsze najwięcej pretensji mają do rodziców – stwierdziła, jak gdyby to była oczywistość.

– Wiem, ale co byś powiedziała, gdyby twoja córka znienacka sprzedała ci tekst, że nie jesteś jej matką i nie masz nic do gadania? – zacytowałam jedną z licznych kwestii Mirki.

Lucyna zasępiła się w poszukiwaniu odpowiedzi.

– Może powinnaś je przekonywać, że co prawda nie urodziłaś ich, ale przyjęłaś pod swój dach, kochasz i zawsze będziesz kochać?

– A myślisz, że tak nie mówię?! – podniosłam głos. – Niedawno oglądałyśmy z Tanią zdjęcia mojej siostry ciotecznej w zaawansowanej ciąży. Prezentowała pokaźny brzuch. „Czy ty też nosiłaś mnie w takim brzuszku?", usłyszałam pytanie. „Nie, kochanie", odparłam zgodnie z prawdą. „Ale kocham cię tak bardzo, jak gdybym cię urodziła".

Lucyna nie wydawała się przekonana.

– I co ty na to? – zapytałam.

– Cóż, przykro mi, że masz problemy. Poniekąd czuję się za nie odpowiedzialna. Swego czasu namawiałam cię na adopcję.

– To nie twoja wina, Lucynko. – Machnęłam ręką. – Nie pomyśl tylko, że z Arturem żałujemy decyzji, ale nie spodziewaliśmy się, że zadanie okaże się aż tak trudne. Wiesz, jak bardzo chciałam mieć dziecko…

– I masz. Dwoje swoich dzieci – podkreśliła, przytrzymując moją rękę.

– Czasami myślę, że nie swoich.

Zaległa cisza. Chyba nadszedł czas na szczerość, pomyślałam.

– Gdybym nie oddała córeczki, wszystko byłoby inaczej – powiedziałam.

– Jak to?

– Nigdy nie mówiłam ci o nastolatce, która w liceum urodziła dziecko i oddała je do adopcji. Masz ją przed sobą. Tak, oddałam dziecko do adopcji. Moja córka wychowuje się u obcych ludzi. Ma teraz osiemnaście lat.

– O Boże!

– Nie, nie zamierzam jej szukać – ciągnęłam. – Co się stało, to się nie odstanie. Postanowiłam naprawić swój błąd, biorąc Tanię i Mirkę, ale jak widać, zmagania z oporem materii są jak pokuta za grzech. Wierz mi, bardzo się staram. Ja je naprawdę kocham, ale one nie kochają mnie. Artura zresztą też nie.

Lucyna była wstrząśnięta i zaskoczona. Żeby zyskać na czasie, zaproponowała kawę i poszła do kuchni, by po kilku minutach pojawić się z tacą. Usiadła naprzeciwko i obdarzyła mnie przenikliwym spojrzeniem.

– To nieprawda, że dziewczynki was nie kochają – powiedziała. – Sama mówiłaś, że przeżyły w domu małego dziecka trzy lata. Tania trafiła tam, kiedy miała rok, Mirka trzy lata. Całym ich dobrym życiem, jakie znają, jesteście wy i wasz dom. Ale żeby zapomnieć o przeszłości, trzeba dużo czasu. Ty do tej pory pamiętasz…

Rzuciłam się Lucynie w ramiona, wdzięczna za tak plastyczne, a jednocześnie proste porównanie. Miała rację, wszystko wymaga czasu. A zatem mamy jeszcze z Arturem szansę na wyprowadzenie naszych dziewczynek z traumy i na ich serdeczne uściski! – pozwoliłam sobie na optymizm. Być może w przyszłości, ale warto poczekać.

– Dziękuję ci, Lucynko. Bardzo mi pomogłaś.

Kiedy opowiedziałam o tej rozmowie mężowi, ucieszył się jeszcze bardziej ode mnie. A ja uświadomiłam sobie, że od samego początku tkwiła w nim wiara w naszą czwórkę.

Po wakacjach z jeszcze większą pasją rzuciliśmy się w wir organizowania życia rodzinnego. Rozpisaliśmy grafik zajęć dodatkowych dziewczynek, biorąc oczywiście pod uwagę ich zainteresowania. Mirka nadal miała brać lekcje gry na pianinie i jazdy na łyżwach, Tania wybrała balet, który jednak przestał ją interesować po kilku miesiącach. Jej starsza siostra również chciała poniechać zajęć, ale byliśmy stanowczy.

– Uczysz się już ponad półtora roku, wytrwaj do końca szkoły. – Artur wcielił się w rolę konsekwentnego ojca, pilnującego córki przy każdym ćwiczeniu.

Pani Łucja opiekowała się dziewczynkami jeszcze przez rok, do czasu kiedy buntująca się przeciwko dozorowi Mirka skończyła czwartą klasę, a Tania drugą. Od września w kwestii chodzenia do szkoły i odrabiania lekcji obie miały być samodzielne. Na szczęście moja sytuacja unormowała się na tyle, że mogłam wygospodarować więcej czasu na zajmowanie się dziećmi, które powoli stawały się nastolatkami. A już na pewno zaczynała się tak czuć jedenastoletnia Mirka.

Coraz częściej domagała się modnych ciuchów i podmalowywała oczy, kiedy nie miałam jak jej skontrolować.

Kiedy po raz kolejny zostałam wezwana do szkoły, spodziewałam się informacji o złych ocenach. Tymczasem spadła na mnie lawina uwag.

– Pani Zawistowska, Mirka jest zagrożona z trzech przedmiotów – zakomunikowała mi dyrektorka. – Poza tym, mimo naszych próśb, córka nadal przychodzi do szkoły w nieodpowiednim stroju i makijażu, nie uważa na lekcjach, a nawet z nich wychodzi. Doszły mnie słuchy, że przeklina i używa słów jak z rynsztoka. Wagaruje i nic nie robi sobie z napomnień nauczycieli. Proszę pamiętać, że do końca roku pozostały tylko dwa miesiące.

Ubłagałam ją o wyrozumiałość. A w domu, nie zważając na awantury i opór, przerabialiśmy z Mirką materiał z biologii, matematyki i języka polskiego, odprowadzaliśmy ją do szkoły, w miarę możliwości przyprowadzaliśmy. Jednym słowem, pilnowaliśmy, by poprawiła oceny, choć narażaliśmy się na jej złość.

W końcu przeszła do szóstej klasy. Odetchnęliśmy z ulgą i przystąpiliśmy do planowania kolejnych wakacji z nadzieją na poprawę w kolejnym roku.

Tania ukończyła trzecią klasę na słabych trójkach.

Gdy jednak po raz któryś zaczęły znikać pieniądze z mojej portmonetki, powiedziałam o tym Arturowi.

– Podbierasz mamie pieniądze?! – Wpadł do pokoju Mirki, zajętej malowaniem paznokci niebieskim lakierem.

– Nie! – poszła w zaparte.

– To skąd wzięłaś na lakier? – krzyknął.

– Moja sprawa – odparła butnie, nie przerywając czynności.

– W tej chwili masz mi powiedzieć! I przestań malować pazury, kiedy mówię do ciebie!

– Okej. Tania, idziesz ze mną? – Mirka spokojnie zwróciła się do siostry, która wstała natychmiast. – Idziemy – zakomenderowała tonem nieznoszącym sprzeciwu.

Wyszły obie, pozostawiwszy nas w osłupieniu.

Artur próbował je zatrzymać, ale wybiegły z klatki schodowej i znikły za rogiem.

Tego dnia po raz pierwszy uciekły z domu. A my poczuliśmy, co to znaczy kompletna bezradność. Dziewczynki przepadły jak kamień w wodę. Szukaliśmy ich na osiedlu, spenetrowaliśmy sąsiednie. Pozostało nam tylko czekać, aż wrócą.

Wróciły o jedenastej wieczorem. Tania nieco speszona, Mirka niezamierzająca okazywać skruchy. Udała się do kuchni po butelkę wody, a po chwili zamknęła się w pokoju.

– Zostaw! – powstrzymałam Artura.

Wprawiona w emocjonalny rezonans nie chciałam kolejnej awantury.

– Może do jutra jej przejdzie – stwierdziłam. – Taniu, idź się umyć, przygotuję kolację – zwróciłam się do młodszej córki. – Jesteś głodna?

– Tak.

Pozwoliła się przygarnąć i usiadła na kuchennym taborecie, by towarzyszyć mi w trakcie przygotowywania kolacji. Po chwili postawiłam przed nią talerz z kanapkami.

– Nie przejmuj się – uspokajałam, widząc, że ucieczka z siostrą wiele ją kosztowała. – Mirka miała zły dzień. Pamiętaj, że niedługo wyjeżdżamy na wakacje nad morze. Cieszysz się?

– Tak, mamusiu.

Kiedy wypowiedziała to słowo i przytuliła się do mnie, popłakałam się.

– Moja dziewczynka! Moja kochana! – powtarzałam, nie próbując opanować łez.

Wzruszenie odebrało mi zdolność ruchu. Zamknęłam Taniulkę w ramionach.

Wieczorem, gdy opowiedziałam jej bajkę, poprosiła, żeby ją pocałować.

Mirka natomiast zażyczyła sobie, żeby zostawić ją w spokoju. Wycofałam się, myśląc naiwnie, że jutro będzie inaczej.

Podbudowana niespodziewaną przemianą Tani, miałam nadzieję na cud.

Nie wiedziałam, jak bardzo się mylę.

ROZDZIAŁ 48
DAGMARA

Poniedziałek powitał mnie słońcem, zwiastującym kolejny pogodny dzień. Pomyślałam o Michałku, który miał przed sobą jeszcze tydzień rajskiego życia na wsi, ale przyjemność zakłócił mi niepokój o córkę.

Nie dość, że Zośka nie odbiera, to jeszcze telefon Kajtka milczy jak zaklęty! – denerwowałam się brakiem kontaktu.

Nie bacząc na wczesną porę, zaatakowałam po raz kolejny. Tym razem z sukcesem.

– Halo – usłyszałam zaspany męski głos, który z pewnością nie należał do Kamila.

– Tu Dagmara Rudzka, matka Zosi. Córka podała mi telefon do pana. Czy ona jest gdzieś w pobliżu? Mogłabym z nią porozmawiać?

– Tu Kajtek. Młoda jeszcze śpi, ale ją zawołam – odparł lakonicznie.

Po chwili miałam dziecko przy telefonie.

– Wszystko w porządku?! Gdzie mieszkasz? Jak sobie radzicie? – Nie mogłam powstrzymać lawiny pytań.

– Mamuś, obudziłaś mnie, daj się ogarnąć – ziewnęła moja córka.

Powoli wracała do rzeczywistości.

– Niepokoję się.

– Nie ma powodu – odparła, już nieco bardziej przytomnie.

– A jednak. Wyjeżdżasz znienacka, stawiasz mnie przed faktem dokonanym, nie odbierasz telefonów. To nie są powody do niepokoju? – Zaperzyłam się mimo woli.

Na szczęście posłuchałam wewnętrznego głosu, szepczącego, że z nastolatką krzykiem nic się nie wskóra.

Opanowałam się, wzięłam kilka głębokich wdechów i starając się zachować spokój, rozpoczęłam od nowa.

– Powiedz mi, córciu, co to za pomysł z tym wyjazdem.

Słuchałam wyjaśnień, a moje nadzieje, że młodzi zafundowali sobie wakacje za granicą, powoli odpływały w niebyt. Lęk przed przyszłością narastał. Zosia z Kamilem postanowili zostać w Anglii przez rok i „posmakować życia". „Sprawdzić swój związek", jak to ujęła, „w stanie niezależności od rodziców". Ja miałam niczym się nie przejmować, bo przecież za rok wrócą i zrobią maturę. No, chyba że uda im się przystąpić do niej w Anglii. Mieszkają u Kajtka, który załatwi im pracę, a ta leży na ulicy.

Mogłam się spodziewać, że moja nagła decyzja o wyprowadzce do Torunia i rozdzieleniu tych dwojga wywoła taką reakcję. Kochają się i chcą być razem, a w Polsce nie mogą, dlatego znaleźli inne rozwiązanie.

Wpadałam w coraz większe przerażenie. Nie przerywałam, szukając w głowie sposobów, które pozwoliłyby mi sprowadzić ich do kraju i do szkoły. Postanowiłam nie przypominać Zośce, że kilka tygodni temu rozstała się z Kamilem. Łapałam się wszystkiego, by wróciła zrobić maturę, zdając sobie sprawę, jak trudno jej będzie podjąć naukę po przerwie.

– Zosiu, a może na ten rok zamieszkasz we Wrocławiu z tatą, o ile zostanie w Polsce? Bylibyście z Kamilem razem – zdecydowałam się zaproponować wbrew sobie.

– Z ojcem?! I z dzidziusiem? Jak ty to sobie wyobrażasz? – wykrzyknęła.

– Z jakim znów dzidziusiem? – Nie udało mi się powstrzymać zdziwienia.

– To ty nie wiesz o niczym? Sara jest w ciąży. Z całą pewnością nie będę mieszkała z ojcem – dodała moja córka tonem nieznoszącym sprzeciwu.

Nie byłam w stanie prawić jej kolejnych kazań. Zadzwonię do niej za jakiś czas, postanowiłam. Po rozmowie ze Zbyszkiem, który na dzisiaj zapowiedział się z wizytą w Toruniu.

Upewniwszy się, że Zośka ma dość pieniędzy na przeżycie, pożegnałam się.

– Trzymaj się i dzwoń – zakończyłam. – Jeszcze porozmawiamy.

Z ciężkim sercem dotarłam do księgarni. Agata krzątała się już pomiędzy półkami, pełna werwy i zapału do pracy.

– Za kilka godzin przyjedzie dostawca z książkami – zakomunikowała mi, robiąc miejsce na regale przy oknie. – Tu wystawimy bestsellery. – Wskazała na półkę opatrzoną napisem „TOP Flisaka”. – Zrobiłam sama – wyjaśniła, żeby ubiec pytanie, kto wykonał reklamę.

Pochwaliłam, być może zbyt lakonicznie, zaabsorbowana Zośką i nieodległą wizytą Zbyszka, o której niezwłocznie poinformowałam moją pracownicę.

– Pięknie. Naprawdę pomysłowo. Będę musiała wyjść około jedenastej w sprawach rodzinnych. Dasz sobie radę? – zapytałam.

– Oczywiście. Mam nadzieję, że nic złego się nie dzieje?

– Nie, nie. Sprzedaję mieszkanie we Wrocławiu i mam spotkanie.

Zajęłam się przeglądaniem papierów, pozostawiwszy Agacie obsługę klientów. Co chwila zerkałam na zegarek, sprawdzając, ile mam jeszcze czasu do jedenastej. Mój były mąż, dumałam. Nie potrafiłam, nawet w myślach, wypowiedzieć jego imienia. Nie zdawałam sobie sprawy, że tak bardzo dotknie mnie wiadomość o mającym przyjść na świat potomku jego i Sary. Zarzuciłam plany pokazania mu księgarni.

Zadzwoniłam do niego i wyznaczyłam spotkanie w jednej z kafejek na Starym Rynku.

Zdziwił się, ale nie pytając o nic, pojawił się we wskazanym miejscu o określonej porze. Był wypoczęty, opalony po pobycie we Włoszech i jak gdyby nieco stremowany. Przywitałam się z nim na dystans wyciągniętej ręki i z marszu przystąpiłam do rzeczy.

– Podobno znalazłeś kupca.

– Taaak... – odparł przeciągle. – Może jednak najpierw coś zamówimy?

– Woda z cytryną – odparłam, nie zaglądając do karty.

Zbyszek złożył zamówienie.

– Widzę, że nie jesteś w dobrym humorze, dlatego załatwmy najpierw sprawę mieszkania. A potem może porozmawiamy – zaczął. – Otóż oboje z Sarą chcemy je kupić od ciebie – obwieścił.

A potem zamilkł.

– Za ile? – zapytałam, starając się ukryć zaskoczenie.

– Za dwieście osiemdziesiąt tysięcy. Z czego dwieście pięćdziesiąt dla ciebie, a trzydzieści odbiorę w ramach spłaty kredytu. Oczywiście nie musisz się zgadzać.

Oczywiście nie musiałam.

A zatem Zbyszek ma chrapkę na nasze stare mieszkanie. Dlaczego? Bo jest tanie? Przez dwa miesiące przekonywał mnie, że ceny we Wrocławiu spadły i jedynym rozwiązaniem, żeby szybko sprzedać, jest upust. A jeżeli całą transakcję ukartował?

– A więc tak sprawa wygląda... Będę musiała się zastanowić – odparłam. – Dam ci znać.

Na moment zapadła cisza. Wpatrywałam się w szklankę z wodą, obserwowałam reakcję Zbyszka i po raz pierwszy w życiu poczułam, że obok mnie siedzi zupełnie obcy człowiek. A jeszcze do niedawna byłam przekonana, że on stara się mi pomóc. Nie pozostawało nic innego, jak na zimno rozważyć jego propozycję. Zanim to jednak zrobię, zadam to pytanie, postanowiłam.

– Nie dość, że mnie zostawiłeś, to jeszcze chcesz na mnie zarobić?

– Wręcz przeciwnie, Dagmara. Jeżeli się nie zdecydujesz, nie ma sprawy. Myślałem, że transakcja przyniesie korzyść obu stronom.

– Zgadzam się – odparłam nieoczekiwanie dla samej siebie.

Nie miałam czasu. Ani chęci, żeby utrzymywać kontakt ze Zbyszkiem.

– Słyszałam, że spodziewacie się dziecka? – zapytałam, zdziwiona własną odwagą.

– Tak. Sara jest w ciąży. A co u Zosi? – zmienił temat. – Masz jakieś wieści?

– A jesteś ciekaw?

– Dagmara… Proszę.

Najchętniej umówiłabym się z nim u notariusza, dokonała transakcji i pożegnała na zawsze, ale pozostawały dzieci. A przede wszystkim palący problem z Zośką.

– Nasza córka postanowiła pozostać na rok w Anglii – wykrztusiłam, zwilżając wodą zaschnięte gardło.

– Że co?! A matura?

– Za rok albo w Anglii. Albo nigdy? Nie wiem.

– Rozmawiałaś z nią?

– A myślisz, że wyczytałam te wieści w internecie?

Opanowaliśmy się oboje na tyle, żeby w miarę spokojnie omówić problem. I nawet jeżeli przez chwilę wydawało mi się, że mój były mąż stara się być psychicznie obecny i zaangażowany, to kilka telefonów od Sary odebrało mi tę nadzieję. Postanowiliśmy zatem „być w kontakcie w sprawie Zosi" i „postarać się ściągnąć ją do Polski" przed pierwszym września. Nie ustaliliśmy jednak, w jaki sposób.

Zbyszek wprawdzie nie miał planów co do córki, za to bardzo konkretne plany dotyczące mieszkania. Okazało się, że na trzynastą jesteśmy umówieni u notariusza na podpisanie umowy kupna-sprzedaży. Zgodziłam się, żeby definitywnie zamknąć za sobą ten etap w życiu.

Przestało mnie wiązać z Wrocławiem cokolwiek. Żeby jeszcze Zośka zdołała się w porę opamiętać! – westchnęłam w duchu.

ROZDZIAŁ 49
BOŻENA

Kolejne trzy lata z Mirką i Tanią okazały się bardzo trudne, a jedynym sukcesem, jakim mogliśmy się pochwalić, było ukończenie przez starszą córkę podstawowej szkoły muzycznej. O podjęciu dalszego kształcenia w tym kierunku nie było jednak mowy. Mirka ponad naukę przedkładała włóczenie się w podejrzanym towarzystwie i co gorsza, wciągała doń pozostającą pod jej silnym wpływem Tanię.

Obie panny już nie tylko mnie i Arturowi podbierały pieniądze, ale posuwały się do wyciągania drobnych ze skarbonek dzieci naszych znajomych, do których chadzaliśmy z wizytą.

Zasygnalizowanie tego faktu przez Wojtka, kolegę z redakcji, zwaliło nas z nóg. Tym bardziej że w tonie jego głosu wyczuliśmy wątpliwości co do naszych zdolności wychowawczych.

– Niezręcznie mi o tym mówić, ale Michalina (córka Wojtka) straciła sto pięćdziesiąt złotych – powiadomił.

W pierwszej chwili nie chcieliśmy uwierzyć.

– Jesteś pewien, że to stało się podczas naszej wizyty? – szukaliśmy potwierdzenia.

– Bez żadnych wątpliwości. Dzień wcześniej Michasia dostała pieniądze od dziadków i włożyła je do szuflady. Przykro mi.

Rozmowa wyjaśniająca nie przyniosła oczekiwanych rezultatów. Dziewczyny, jak zwykle w trudnych momentach, poszły w zaparte, zarzucając nam brak zaufania i miłości.

Kiedy jednak otrzymaliśmy kolejny sygnał, tym razem ze szkoły, że kolegom naszych córek giną drobne z pozostawionej w szatni odzieży, zdenerwowałam się nie na żarty. Usadziłam Mirkę przed sobą z mocnym postanowieniem, że nie dam się jej omamić.

– Kradniesz pieniądze. Dlaczego to robisz? – zapytałam kategorycznym tonem.

– Nie kradnę.

– I do tego kłamiesz. Powiedz, dlaczego kradniesz, a obiecuję, że postaramy się rozwiązać ten problem – nalegałam.

– Przecież muszę w szkole coś jeść! – krzyknęła.

– Nie rozumiem. Przecież codziennie przygotowuję ci kanapki, dostajesz owoce. Co z nimi robisz?

Tknięta przeczuciem podbiegłam do jej plecaka, na dnie którego znalazłam stertę zepsutych kanapek.

– Co to jest?

– Wszyscy kupują w sklepiku, a ja mam zażerać się syfiastym chlebem?

Tłumaczyłam cierpliwie, że po pierwsze, dostaje kieszonkowe, a po drugie, gdyby poprosiła o kilka złotych więcej na zakupy w szkolnym sklepiku, nie odmówilibyśmy.

Nie wydawała się przekonana. Kazanie przyjęła w milczeniu, czekając, aż skończę i wyniosę się z pokoju. A wieczorem znikła na kilka godzin z domu bez podania przyczyny.

Na domiar złego zaprzyjaźnieni sąsiedzi donosili, że widują nasze córki w parku w towarzystwie rosłych chłopaków o podejrzanej reputacji. Czternasto- i dwunastolatkę!

Prowadziliśmy z Arturem niekończące się dyskusje o środkach zaradczych, które jednak często kończyły się kłótnią.

– Jesteś zbyt nerwowa! – zarzucał mi mąż.

– A ty zbyt pobłażliwy! – rewanżowałam się oskarżeniem.

Nieustannie korzystaliśmy z pomocy psychologów z poradni i domu dziecka. Ba, nawet nawiązaliśmy kontakt z innymi rodzinami adopcyjnymi, żeby dzielić się doświadczeniami.

Mirka kończyła ósmą klasę, Tania szóstą. Ja wzięłam sześciomiesięczny urlop w gazecie, żeby dopilnować ich w drugim półroczu. Byłam z nimi od rana do wieczora, siadałam do lekcji. Wynajęliśmy korepetytora, żeby uchronić córki przed powtarzaniem klas. Nie mogłam spuścić ich z oczu, bo wykorzystywały każdy moment luzu, żeby spotykać się ze swoim towarzystwem.

Od Mirki nierzadko czułam alkohol.

Prośby i groźby nie robiły na żadnej wrażenia, a tym bardziej zakazy i nakazy. Obie szukały luki w naszym rodzinnym systemie, by wymknąć się do własnego świata.

Miałam nadzieję, że sytuacja poprawi się wskutek szczęśliwego zbiegu okoliczności, jakim była propozycja przeniesienia się do Warszawy.

Tamtego dnia Artur wrócił z pracy wcześniej niż zwykle. Z zadowoloną miną uścisnął mnie w progu i z miejsca ujawnił powód radości.

– Dostałem propozycję objęcia stanowiska szefa działu w stołecznej gazecie. Jak się zapatrujesz na powrót do naszego mieszkanka na Żoliborzu?

Przyznam, że byłam zachwycona. Do tego stopnia, że nie obchodziło mnie, co stanie się z moją pracą. Niejednokrotnie rozmawialiśmy z Arturem o zmianie miejsca zamieszkania w kontekście dziewczynek i zbawiennym wpływie przeprowadzki na ich prowadzenie się, więc propozycja przenosin spadła nam jak z nieba.

– Wspaniale! Tylko co na to dziewczynki?

O dziwo, nie stawiały oporu. A nawet miałam wrażenie, że przyłożyły się do nauki.

W lipcu zakończyliśmy przeprowadzkę, w sierpniu wyjechaliśmy na podwarszawską działkę przyjaciół, którzy przekazali ją nam na dwa tygodnie pod opiekę. Znałam okolice Zegrza i czułam, że lasy, woda i wakacje dobrze zrobią nam wszystkim.

Trzeba przyznać, że Tomek i Jola wystawili sobie całkiem pokaźny bungalow z kilkoma sypialniami, dwiema łazienkami i salonikiem z dobrze wyposażonym aneksem jadalnym. Posadowiony w miejscu starego siedliska, tkwił w otoczeniu gęstych tawuł i bukszpanów, ponad którymi powiewały wiotkie gałęzie dorodnych brzózek. Lipa rzucała kojący cień na całe podwórko.

Artur znalazł w garażu rowery i ponton.

Na początku wydawało się nawet, że dziewczynki są zadowolone i gotowe na naprawdę fajne wspólne wakacje.

Jednak krótko po przyjeździe zaczęły znikać po kolacji i wracać przed północą, tłumacząc się potrzebami towarzyskimi. Denerwowałam się każdym wyjściem, odliczałam godziny do powrotu. Nie muszę chyba wspominać, że wszelkie próby powstrzymania ich przed wycieczkami w niewiadomym kierunku były lekceważone przez Mirkę. A Tania podążała za siostrą.

Dwutygodniowy pobyt nad zalewem zmienił się w jedno wielkie wyczekiwanie na córki i niepokój o nie. Na szczęście wszystko skończyło się dobrze, bo nie potopiły się, nie przepadły. A pod koniec sierpnia wróciliśmy do Warszawy: Artur do pracy w redakcji, Tania do pierwszej klasy gimnazjum, Mirka do fryzjerskiej zawodówki.

To, że Mirka nie będzie pilną uczennicą, okazało się już po pierwszym tygodniu nauki, kiedy odebrałam telefon od jej wychowawczyni w sprawie wagarów. Z Tanią mieliśmy spokój przez cztery miesiące, jednak po feriach świątecznych i ona zaczęła opuszczać lekcje. Rok szkolny przebiegał pod znakiem ciągłego niepokoju, telefonów ze szkoły, rozmów uświadamiających, wizyt u psychologa, wyjazdów na weekendy w celu pobycia razem i niestety, narastającego napięcia pomiędzy mną a Arturem.

Oskarżaliśmy się nawzajem o klęskę wychowawczą i kiepski stan naszej rodziny. Mój mąż coraz więcej czasu spędzał w pracy, a ja, nie mogąc sobie znaleźć miejsca, zaczęłam pisać książkę, której bohaterka stawała się z każdą stroną coraz bardziej podobna do mnie samej.

Mimo to lepiej lub gorzej radziliśmy sobie do kolejnych wakacji Tani. Mirka nie ukończyła pierwszej klasy zawodówki, komunikując nam, że nie zamierza tego dokonać. Żeby dosadniej wyartykułować swoją decyzję, pewnego dnia zameldowała się w domu dziecka.

Kiedy zadzwoniono do mnie stamtąd, ugięły się pode mną nogi.

– Dzwonię z domu dziecka – usłyszałam. – Zgłosiła się do nas Mirosława Zawistowska. Czy rozmawiam z jej opiekunem?

Po dziesięciu latach wspólnego życia dowiedziałam się, że jestem zaledwie opiekunką mojej córki.

– Tak. Przy telefonie Bożena Zawistowska. Matka – podkreśliłam.

– Pani córka postanowiła u nas zostać. I prosi o kontakt z młodszą siostrą. A ja proszę o spotkanie. Może pani przybyć?

Rozpoczął się horror: wyjaśniania, przekonywania, rozmowy z pracownikami domu dziecka, poszukiwanie rozwiązań. Mirka nie chciała wracać do domu.

Ale największy cios dopiero nastąpił. Do siostry dołączyła Tania.

Obie zdecydowały się wynieść.

Pakowałam ich rzeczy wśród potoków łez nad dekadą trudów, upokorzeń, bezsilności i klęsk. Wyciągałam drobiazgi z każdego kąta, żeby nie pozostał zapomniany żaden miś, żadna lalka. Przy okazji wygarnęłam spod łozka kilka papierosów, jakieś drobne, zapewne ukradzione, kilka szminek…

Wychowawczymi z domu dziecka nie przestawała mnie wspierać, podnosić na duchu, poszukiwać rozwiązań. Nie oceniała, nie krytykowała za brak miłości.

– To się zdarza. Niektóre dzieci wracają – tłumaczyła.

– Ale dlaczego? – Płakałam, nie starając się hamować łez. – Przecież tak się z mężem staraliśmy!

– Wie pani, jak odpowiedziały na pytanie, czego im u państwa brakowało? – zapytała. Nadeszła chwila prawdy, pomyślałam. – Wolności.

– Nie rozumiem. Nie trzymaliśmy ich w domu na siłę. Chodziły, gdzie chciały. Jak wszystkie dzieci w ich wieku.

– Proszę pani, to są dzieci z trudnej rodziny, z przeszłością. A obciążenia, niestety, często ujawniają się po latach. Ale mam pewien pomysł.

– Tak?

– Możemy zrobić eksperyment i zawieźć je do ich biologicznej matki i babki, żeby zobaczyły, co tracą, odcinając się od państwa. Proszę mi wierzyć, dostrzegą znaczącą różnicę.

Zgodziłam się, bo co mi pozostało? Zawsze warto spróbować.

Po kilku tygodniach dziewczynki przyjechały w odwiedziny. W domu nie było wiele do jedzenia, ponieważ zajęta pisaniem nie zachodziłam zbyt często do sklepu.

– Jesteście głodne? – zapytałam. – Może zamówię pizzę? A może wolicie coś z KFC? Picie przyniosę.

Pognałam do kuchni po ich ulubiony sok, który kupowałam z przyzwyczajenia.

Siedziałyśmy naprzeciwko siebie w milczeniu i przyglądałyśmy się sobie nawzajem. Buzie dziewczynek poszarzały nieco od chwili, kiedy widziałyśmy się po raz ostatni. A może tylko mi się wydawało? Podświadomie czekałam, że moje córki rzucą mi się w ramiona i zapytają, czy mogą wrócić do domu. Nic takiego jednak nie nastąpiło.

– Byłyśmy u mamy i babci – zaczęła twardo Mirka. – One żyją w kiepskich warunkach. A my myślimy, że możecie im pomóc.

Nie tego się spodziewałam.

– Dlaczego tak uważasz? – zadałam pytanie, żeby podtrzymać rozmowę.

– Bo macie pieniądze, a one nie.

Patrzyłam na jej kamienną twarz i nie pytałam, czy zamierza do nas wrócić, jeśli zdecydowalibyśmy się pomóc jej biologicznej rodzinie. Szkoda mi było Tani, która siedziała skulona w sobie i przyglądała się nam szeroko otwartymi oczami. Miałam ochotę ją przytulić.

– Posłuchaj… – podjęłam się odpowiedzi, uważając, żeby była szczera i odpowiedzialna, a jednocześnie niepozostawiająca wątpliwości. – Przykro mi, że twoi krewni żyją w niedostatku, ale my z ojcem nie mamy wobec nich żadnych zobowiązań. Dla ciebie jednak i Tani zawsze znajdzie się miejsce w naszym domu. Pamiętajcie o tym. Możecie wrócić w każdej chwili.

Mówiąc o „naszym domu", dokonałam pewnego nadużycia – Artur praktycznie już ze mną nie mieszkał. Nasze małżeństwo nie przetrwało dziesięcioletnich problemów.

Jak się dowiedziałam później, matka moich córek żyła z kolejnym notowanym partnerem, a babka prowadziła pijacką melinę.

Dziewczynki wyjechały, ja zasiadłam do pisania następnego rozdziału, starając się nie myśleć o ich wizycie. Czy jeszcze kiedyś je zobaczę? Cóż, czas pokaże, westchnęłam.

ROZDZIAŁ 50
DAGMARA

Przepraszam, Agatko, że to trwało tak długo – biłam się w piersi po kilku godzinach nieobecności w księgarni. – Sprawy rodzinne spadły na mnie jak jastrząb na polną mysz! Już ci pomagam! – Dostrzegłam na ulicy wycieczkę, która najwyraźniej kierowała się w naszą stronę.

– Nie ma sprawy, szefowo. Sporo dzisiaj sprzedałam – relacjonowała Agata. – Pojawił się jakiś facet zainteresowany obrazem Minotaura, który wisi nad biurkiem. Powiedział, że jeszcze wpadnie.

– Okej – odparłam, przejmując obsługę części grupy, która po zwiedzeniu muzeum Kopernika wtargnęła do księgarni.

Nie miałam czasu zastanawiać się nad jakimś miłośnikiem mitologii.

Sprzedałam kilka przewodników, ktoś zainteresował się beletrystyką, jakiś dzieciak namówił mamę na książeczkę do kolorowania.

Przed szóstą ruch ustał, więc zajęłyśmy się przygotowaniami do zamknięcia. Oglądane przez klientów książki trafiły na swoje miejsca. Agata przecierała ladę, ja zabrałam się do podliczania utargu, zerkając, kiedy zegarek wskaże szóstą.

Pięć minut przed końcem pracy pojawił się ostatni klient.

– Czym mogę służyć? – usłyszałam głos Agaty.

– Ja do właścicielki.

– A, to pan!

Po głosie pracownicy zorientowałam się, że zapowiadany facet właśnie nadszedł.

Na pierwszy rzut oka domyśliłam się artystycznej bohemy, o czym świadczyły nonszalancki strój, dłuższe, spięte w kitkę włosy i kilka zwojów koralików na nadgarstku. Mężczyzna wyglądał na trzydziestkę plus i musiałam przyznać, że miał całkiem miłą aparycję. Kiedy się przedstawił, przestałam mieć wątpliwości. Musiał być artystą.

– Joachim Iwo Popiel – padło po krótkim „dzień dobry".

– Dagmara Rudzka – usłyszałam swój głos i po raz pierwszy po rozwodzie zastanowiłam się, dlaczego właściwie zachowałam nazwisko Zbyszka.

Trzeba będzie pomyśleć o zmianie na panieńskie, przemknęła myśl, którą przepędziła druga, że przecież nie znam swoich prawdziwych korzeni. Ani biologicznej matki. I nie mam pojęcia, jak bym się nazywała, gdybym nie trafiła do adopcji.

Sprawa musiała jednak chwilę poczekać. Przynajmniej do czasu, kiedy wrócę do domu i zbiorę siły, żeby zastanowić się, jak odnaleźć kobietę, która mnie porzuciła.

– Czym mogę służyć? – zapytałam, wstając od stolika znad buchalterii.

– Interesuje mnie obraz, który wisi w pani księgarni. – Pan Popiel wskazał na ścianę.

Minęła szósta. Agata czekała na sygnał do wyjścia.

– Możesz już iść, ja jeszcze chwilę zostanę. – Machnęłam ręką na pożegnanie, po czym zamknęłam drzwi i wskazałam miejsce w fotelu przy niewielkim stoliku w rogu księgarni. – Napije się pan kawy? – zapytałam.

Nie wiem, skąd przyszedł mi do głowy pomysł goszczenia obcego faceta po godzinach pracy.

Prawdopodobnie sama miałam ochotę przed wyjściem do domu odpocząć chwilę.

Nie odmówił.

– Ładnie tu u was. Widać dbałość o klientów – docenił. – Dobry pomysł.

– Na razie to skromne początki – tłumaczyłam, nieco zażenowana nieoczekiwanym komplementem. – Myślę o zorganizowaniu kącika czytelniczego i serwowaniu naprawdę dobrej kawy. Ale to musi poczekać na środki. Może nawet otworzę w podwórku niewielki letni ogródek?

Nie miałam pojęcia, dlaczego tak rozgadałam się przed obcym facetem. Chyba odreagowywałam wizytę Zbyszka.

– Gdyby pani potrzebowała pomocy kogoś z artystycznym zacięciem, służę swoją osobą – zadeklarował pan Popiel, rozglądając się wokół. – Myślę, że niewielkim nakładem można by jeszcze upiększyć wnętrze.

– Rozumiem, ale pan chyba nie w tej sprawie?

– Nie, nie. To tylko dygresja. Chodzi mi o obraz, który wisi nad biurkiem. Namalował go mój ojciec.

– Ciekawe – powiedziałam. – Wisiał tu od zawsze. Odkąd sięgam pamięcią. Przepraszam, ale nigdy nie interesowałam się, kto jest jego autorem.

– Był. Ojciec nie żyje.

– Przykro mi.

– Powiem wprost. Przyszedłem, żeby go od pani kupić.

– Pan wybaczy, ale Minotaur nie jest na sprzedaż. To rodzinna pamiątka. Po matce – odparłam.

Z mojego punktu widzenia temat był wyczerpany. Wystarczy, że Laura pozbawiła mnie większości rzeczy, do których miałam sentyment, pomyślałam gorzko. A ten obraz oparł się zachłanności mojej siostry. Nawiasem mówiąc, nie płakała po nim. Nigdy się jej nie podobał.

– Rozumiem. Ale... Naprawdę nie możemy ponegocjować?

– Proszę pana, rozumiem pana intencje, ale moje są podobne. Podobnie jak pan, pragnę go mieć, bo jest pamiątką po mamie. Nie zamierzam pozbywać się go dla pieniędzy.

– Jestem w stanie dużo zapłacić. – Nie śmiałam pytać ile. Proponuję pięćdziesiąt tysięcy. Co pani na to?

Byłabym hipokrytką, gdybym powiedziała, że kwota nie zrobiła na mnie wrażenia. W myślach przeliczyłam ją na zamówione książki, porządny ekspres do kawy i resztę, którą mogłam dołożyć do zakupu mieszkania w Toruniu. Wystarczyłoby na trzeci pokój. Czy jednak byłam gotowa rozmienić Minotaura na drobne? Na pewno nie w tej chwili.

– Bardzo mi przykro, ale muszę panu odmówić.

– Rozumiem. – Mój gość podniósł się z fotela. – Gdyby jednak zmieniła pani zdanie, proszę zadzwonić. Mam galerię kilka kamienic dalej. Oto moja wizytówka.

Żegnając się, wręczył mi kartonik z nazwiskiem i profesją „artysta malarz".

Jego wizyta wytrąciła mnie z równowagi i dała do myślenia, ile warte są wspomnienia. A może nie tylko o nie chodzi? Postanowiłam rozeznać się w temacie i dać obraz do wyceny. Być może mam w księgarni prawdziwe dzieło? – dumałam.

Dojechałam do domu po krótkiej wizycie w lokalnym Polomarkecie, z którego wytaskałam paczkę makaronu, torebkę sosu carbonara i kilka plasterków boczku. Po paru minutach zapychałam się pastą, by jak najszybciej powrócić do listów ciotki Katarzyny. To w nich tkwiły wskazówki. Skoro dla pana Popiela jego przeszłość jest aż tyle warta, tym bardziej powinnam wreszcie dowiedzieć się czegoś o własnej. Na razie niewiele mnie to będzie kosztować, pomyślałam.

Uważnie czytałam każde zdanie i notowałam informacje mogące pomóc odkryć tajemnicę.

„Sprawdzić, do jakiego zakonu należała ciotka Katarzyna w siedemdziesiątym szóstym i w której szkole zakonnej pracowała", zapisałam.

„Moja prawdziwa mama ma na imię Bożena!", zakończyłam zdanie wykrzyknikiem.

Musi mieć teraz pięćdziesiąt sześć, siedem lat, policzyłam. O ile żyje.

Na myśl, że mogłabym jej nigdy nie zobaczyć, zrobiło mi się słabo. Chwyciłam za telefon i ponownie zadzwoniłam po nocy do Laury.

– Cześć. Chciałabym się z tobą spotkać – wypaliłam. Nie obchodziły mnie ani nasze napięte stosunki, ani jej niechęć do mnie. – Kiedy będziesz mogła?

Chyba ją zaskoczyłam, bo nie starała się ociągać i stroić fochów.

– A o co chodzi? – zapytała.

– Chciałabym się dowiedzieć czegoś o zakonie ciotki Katarzyny. – Nie bawiłam się w ceregiele

– Wpadnij. – Moja siostra nieoczekiwanie zaprosiła mnie do siebie. – Mam jakiś karton ze starymi papierami ciotki. Może coś w nim znajdziesz.

– Mogę jutro po pracy?

– Będę czekać.

Kładłam się spać z marzeniami pod rękę. Jeżeli tylko znajdę, co chcę, reszta powinna pójść jak po maśle!

ROZDZIAŁ 51
BOŻENA

Od kiedy dziewczynki wyprowadziły się do domu dziecka, żyłam w ciągłej gotowości, że w każdej chwili zechcą wrócić. Zaglądałam do nich, spotykałam się z Tatianą. Mirka nie miała zamiaru utrzymywać ze mną kontaktu. Również aktualni opiekunowie mieli z nią spore problemy. Włóczyła się wieczorami, często nie wracała na noc. Nierzadko przyprowadzały ją policyjne patrole.

Tania próbowała dotrzymywać kroku siostrze, ale w jej przypadku wystarczył zakaz samodzielnego wychodzenia na miasto i ścisły nadzór. Kilka razy nasza młodsza córka, jak w dalszym ciągu ją nazywałam, odwiedziła mnie na Żoliborzu. Zajrzała do swojego starego pokoju, do którego z czasem przyniosłam z piwnicy kilka jej ulubionych pluszaków. Czułam, że istnieje szansa na ponowne nawiązanie więzi, więc najdelikatniej, jak mogłam, pielęgnowałam każdy przejaw jej pozytywnego nastawienia. Podczas kolejnych wizyt przygotowywałam jej ulubione dania, zabierałam ją do kina, wsuwałam do kieszeni kilka groszy, robiłam drobne prezenty.

Szkoda, że nie było przy mnie Artura.

Dzień, w którym sąd orzekł nasz rozwód, należał do najgorszych w moim życiu. Gdyby chociaż mój mąż znalazł sobie inną kobietę, na którą mogłabym zrzucić winę za rozpad małżeństwa! Gdyby okazał się świnią, źle mnie potraktował, dał powód do tego, by go znienawidzić! Nic takiego jednak się nie stało. Po prostu odszedł, przygnieciony problemami, nie mogąc dłużej znieść huśtawki nastrojów. W tym również moich.

– Bożenko, przepraszam cię za wszystko – powiedział. – A przede wszystkim za to, że musiałem cię zostawić. Ale tak dalej żyć nie mogę – tłumaczył powody odejścia, kiedy wyszliśmy z sądu. – Nie potrafiłem znieść myśli, jak bardzo nam się nie udało. Potrzebuję spokoju i wyciszenia, bo zaczynam wariować. Przepraszam, ale jeżeli nie przeprowadziłbym zmian w swoim życiu, po prostu bym oszalał. Życzę ci tego samego, co i sobie. Rozpoczęcia nowego rozdziału.

Z licznych artykułów w gazecie sygnowanych jego nazwiskiem wynikało, że bez reszty oddał się pracy. Ja również starałam się nie poddawać i pisać książkę. Tak było łatwiej przełknąć gorzką pigułkę klęski i samotności oraz kolejne porzucenie przez najbliższą osobę, która wybrała wolność w miejsce dzielenia ze mną życia. Jak bardzo krok Artura przypominał mi decyzję matki o odejściu! Widać i dla niego nie byłam na tyle ważna, by pozostał przy mnie na zawsze…

Po raz kolejny musiałam pogodzić się z karmą. Widocznie pokuta za grzech młodości jeszcze się nie zakończyła.

Pierwsza książka, którą napisałam pod wpływem własnych przeżyć, okazała się prawdziwym hitem. Zapaliło się światełko nadziei na trochę wiary, że wszystko jakoś się ułoży. Maszynopis wysłałam do kilku czołowych polskich wydawnictw, z czego aż trzy zareagowały zaproszeniem na rozmowę. Zdecydowałam się na jedno z nich i pozostałam przy nim przez kolejne lata. Spory nakład i idące za nim honorarium mobilizowały do pracy nad kolejną książką, po której przyszły trzecia i czwarta. Polubiłam swój kącik pisarski w kuchni, codzienną rutynę pracy, zaakceptowałam fakt, że jestem cywilną odmianą mniszki z determinacją wykonującej obowiązki w przeświadczeniu, że jej życie jest uporządkowane i celowe. Starałam się odnaleźć w sobie ład i spokój, niezależnie od okoliczności.

Moja pracowitość przyniosła konkretne rezultaty.

Nie zważałam na świat zewnętrzny. Pogrążyłam się w książkowym świecie fikcji, który po kilku latach przyniósł mi popularność i przyjemność z kontaktów z czytelnikami. Zaczęłam jeździć na spotkania autorskie, udzielać wywiadów. Jednym słowem, wychodzić do ludzi. A i Tania odwiedzała mnie częściej. Nie zaniedbywała również ojca, który nie szczędził jej pieniędzy i dobrego słowa.

Nie chciałam myśleć, że składa nam wizyty wyłącznie dla kasy. Bywało, że została na święta, czasami przedłużając pobyt o kolejny miesiąc lub trzy. Skończyła gimnazjum, po którym zahaczyła się w technikum hotelarskim.

Wszelkie pytania o Mirkę zbywała milczeniem. Jedyne, co udało mi się wydobyć, to informacja o pobycie naszej starszej córki w ośrodku Monaru.

Na szczęście Tania wciąż rokowała, a ja jej sekundowałam. Moja cierpliwość została nagrodzona, niestety, w niezbyt szczęśliwym momencie.

Kilka miesięcy wcześniej poznałam Wiktora, redaktora w moim wydawnictwie. I popełniłam błąd, wdając się w romans z kolegą z pracy. Staraliśmy się ukrywać wzajemne uczucie, by nie prowokować podejrzeń o kumoterstwo i plotek niechętnych nam osób.

Po kilku miesiącach znajomości Wiktor sprowadził się do mnie, zajmując pokój niegdyś należący do Tani. Moja młodsza córka od ponad pół roku nie pojawiała się w domu. Ponadto skończyła osiemnaście lat, więc jako jednostka pełnoletnia zerwała kontakt z domem dziecka. Wszelkie próby zasięgnięcia tam informacji spełzały na niczym.

– Tania wprowadziła się do lokalu socjalnego i to by było na tyle. Nie skończyła szkoły, ale słyszałam, że zatrudniła się w jakimś hotelu. Nie kontaktowała się z panią? – zapytała mnie opiekunka po przekazaniu informacji.

– Niestety nie. Może mi pani podać jej adres?

– Przykro mi. Musi pani zaczekać, aż zechce się odezwać. Nie sprawujemy już nad nią kurateli.

Musiałam uzbroić się w cierpliwość, chociaż nie przestawałam tęsknić.

Wiktor nie potrafił zrozumieć mojej determinacji.

– Przecież to jest jakiś chory układ! – podsumował, kiedy opowiedziałam mu o dziewczynkach. – Jak możesz je kochać po tym wszystkim, co ci zrobiły? Jesteś Matką Teresą czy co? Nie widzisz, że to wredne małe siksy z patologicznej rodziny, nastawione wyłącznie na branie i na deptanie wszystkich, którzy chcą być dla nich dobrzy? Daj sobie spokój, dziewczyno!

Może i ma rację? – myślałam. Układałam sobie w głowie nowy plan odcięcia się od przeszłości, a tymczasem całkowicie pochłonął mnie związek z Wiktorem, który okazał się wspaniałym kompanem na co dzień i od święta. Wyjeżdżaliśmy razem poza Warszawę, nie odpuszczając żadnego weekendu, kochaliśmy się, gdzie popadło, jadaliśmy w eleganckich knajpach i szpetnych sieciówkach. Przynosił mi kwiaty, a ja mu robiłam na śniadanie jajecznicę. Zaczynałam kochać jego luz. Obłaskawił mnie, wydobył na światło dzienne cechy, o które nigdy bym się nie podejrzewała. Mimo swoich czterdziestu siedmiu lat czułam się jak nastolatka. Atmosferę między nami podgrzewały jeszcze nakłady moich książek, które stawały się prawdziwymi bestsellerami, przynosząc mi satysfakcję i pieniądze.

I pewnie taki stan trwałby długo, gdyby nie fakt, że któregoś lutowego dnia przed moimi drzwiami stanęła Tatiana. W ciąży.

– Czy mogę wejść? – zapytała.

Była okutana w cienki paltocik i obwiązana równie marnym szalikiem.

– Oczywiście! Wiktor, mamy gościa! – zawołałam.

Wyszedł do przedpokoju, ale nie wyglądał na zachwyconego.

Przygotowałam kolację, po której szybko usunął się do siebie.

Dowiedziałam się, że Tatiana mieszka w jednym z pokojów marnego socjalnego baraku na obrzeżach

Warszawy, bez własnej łazienki i kuchni. I że za trzy miesiące spodziewa się dziecka.

– Czy mogę przechować się tutaj przez jakiś czas? – zadała pytanie.

Przez moment byłam w kropce. Mieszkałam z facetem, którego kochałam, a naprzeciwko mnie siedziała moja młodsza córka w potrzebie. Nie spodziewałam się, że obie kwestie da się pogodzić. I niestety, nie myliłam się.

– Albo ona, albo ja! – Z ust Wiktora padła alternatywa. – Zmądrzej, dziewczyno, bo inaczej nie widzę przed nami przyszłości!

Ze ściśniętym sercem patrzyłam, jak wynosi z mieszkania swoje walizki. A następnego dnia pomogłam Tatianie przewieźć do siebie jej skromny dobytek, zajmujący dwie niewielkie torby.

Pozostał żal do Wiktora i niekomfortowa sytuacja, bo musieliśmy mijać się w wydawnictwie. Rekompensowała mi ją Tatiana. I nadzieja, że konsekwencja i niewygasająca miłość mogą jednak doprowadzić do czegoś dobrego. Za kilka miesięcy miał narodzić się mój wnuk.

Tak chciałam to widzieć i już.

ROZDZIAŁ 52
DAGMARA

Nie udało mi się zajrzeć do Laury w poniedziałek, musiałam odpuścić również dwa kolejne dni. Ruch w księgarni, ostatnie formalności związane ze sprzedażą mieszkania i próby załatwienia przedszkola Michałowi pochłaniały mnie bez reszty. Wracałam do domu późno, przełykałam niewielkie co nieco i rzucałam się do łóżka. Na szczęście pieniądze od mojego byłego wreszcie wpłynęły na konto, syn mógł iść do przedszkola od przyszłego tygodnia, a za kolejną dostawę książek z hurtowni miałam z czego zapłacić.

Umówiłam się z Laurą na czwartek po pracy.

Przywitała mnie jakaś odmieniona i podejrzanie życzliwa. Nastawiona na krótką wizytę, mile się rozczarowałam. Na stole dostrzegłam paterę z ciastem, misę z owocami. Moja siostra zaserwowała mi aromatyczną kawę.

– Siadaj i mów, jak ci idzie w księgarni – zaczęła, stawiając przed nami po pucharku lodów.

Wyglądało to mocno podejrzanie, postanowiłam zatem nie odkrywać się zanadto i zachować umiar w zwierzeniach.

– Trudne początki. Ale jak pewnie wiesz od Aśki, od niemal tygodnia działamy. Z jakim skutkiem, czas pokaże. A u was w firmie? – zrewanżowałam się zainteresowaniem.

– Wielka mi firma! – Zrezygnowana Laura machnęła ręką. – Niby panuje moda na zdrową żywność, a klientów w sklepie mało.

– Może powinnaś zainwestować? Albo zmienić branżę? – podsunęłam delikatnie.

– A niby z czego? – obruszyła się. – Kasa za dom poszła na remont willi. Wymieniliśmy samochody, bo stare graty do niczego się nie nadawały, i po pieniądzach ani śladu.

Jeżeli serdeczne przyjęcie jest wstępem do pożyczenia kasy, to nic z tego, pomyślałam. Sama jestem bez mieszkania, bez porządnego samochodu. A przede wszystkim muszę inwestować w książki.

Znałam własną siostrę jak zły szeląg, więc spodziewałam się, że jeśli odmówię, moja wizyta może się zakończyć w każdej chwili. Tematy finansowe zbyłam milczeniem i przeszłam do sprawy ciotki Katarzyny.

Laura przyniosła niewielkie tekturowe pudełko z resztą listów do mamy i dwiema zachowanymi kopertami z adresem.

– Pomyślałam, że o to ci chodzi.

Z ulgą dostrzegłam, że mimo upływu lat adres jest widoczny i nietrudny do odczytania. A to dawało szansę, że trafię do szkoły katolickiej, do której chodziła moja biologiczna matka.

– Dziękuję ci bardzo! – W przypływie radości ucałowałam Laurę. – Czy mogę je zabrać? – Wskazałam na pudełko.

– Bierz wszystkie. Nie są mi do niczego potrzebne, może z wyjątkiem tych z Francji. Ech, wybrać się kiedyś do Paryża… – rozmarzyła się. – Najpierw na grób ciotki, oczywiście, ale zaraz potem na podbój stolicy świata! O ile Marcin weźmie się do roboty i zarobi trochę kasy. – Zeszła na ziemię. – Jak do tej pory tylko dokładam do naszego małżeństwa!

Było z czego, miałam ochotę podsumować. Mama i tata za życia dbali o status materialny ukochanej córki i zięcia, a teraz źródełko wyschło!

Na wszelki wypadek zainteresowałam się dzieciakami.

– Tak cichutko u ciebie… Jarek i Asia na wakacjach?

– A tak! – ożywiła się Laura. – Jarusia wysłałam na obóz konny, a Asia wyjechała z koleżanką i jej rodzicami nad morze. A mój małżonek, oczywiście, traci pieniądze na polu golfowym. Coraz bardziej mnie to wkurza! Ale mniejsza o to.

Laura porzuciła złość i zaproponowała mi kieliszek wina. Pod jego wpływem nareszcie okazało się, że miłe przyjęcie nie jest zupełnie bezinteresowne. Po chwili dowiedziałam się o planach względem mojej osoby.

– Asia chciałaby w kolejnym roku szkolnym wziąć udział w olimpiadzie polonistycznej – zagaiła moja siostra. – Lubi czytać i pisuje do szuflady. Do niedawna myślałam, że to geny po tobie. – Niezbyt delikatnie przypomniała mi, że nie należę do rodziny.

Pominęłam tę uwagę milczeniem.

– I co w związku z tym?

– Może byś pomogła jej w przygotowaniach do tej olimpiady?

– Nie wiem, czy będę w stanie.

– Zosi chyba będziesz pomagać przed maturą? Mogłyby się uczyć razem.

Pomagałabym, gdyby moja córka nie wybrała wolności w Anglii, przemknęło mi przez myśl, ale o tym fakcie nie miałam ochoty informować. Do końca wakacji wiele mogło się jeszcze wydarzyć.

Postanowiłam dać Laurze nadzieję, a sobie trochę czasu na zastanowienie.

– Pozwól, że to przemyślę – powiedziałam. – Kilka dni temu otworzyłam księgarnię, wynajmuję mieszkanie, myślę o kupnie jakiegoś niewielkiego lokum. Nie chcę obiecywać, ale jeżeli uda mi się ustabilizować do jesieni, chętnie popracuję z Asią. Przecież wiesz, jak ją lubię.

Moja siostra wzięła tę deklarację za dobrą monetę.

– To wspaniale. W zaufaniu powiem ci, że ona też pała do ciebie sympatią. Jednak rodzina to rodzina – podsumowała, tym razem włączając mnie do kręgu bliskich.

Nie oponowałam, nie przypominałam jej całkiem niedawnych zachowań, machnęłam ręką na przeszłość. Pożegnałam się serdecznie. Obdarowana pękiem niebieskich ogrodowych hortensji i podbudowana przebłyskami ludzkich uczuć u mojej siostry pojechałam do domu, z nowymi listami ciotki Katarzyny pod pachą. Zanim jednak zabrałam się do ich lektury, zadzwonił telefon.

– Joachim Iwo Popiel – usłyszałam. – Nie przeszkadzam?

Oczywiście, że przeszkadzał. W kwestii Minotaura nic się nie zmieniło. Wciąż nie był na sprzedaż.

– Słucham pana? Ale z góry mówię, że z kupna obrazu nici – odparowałam.

Miałam nadzieję, że szybko spławię natręta.

– Domyślam się. Niemniej jednak bardzo proszę o spotkanie. Nie chciałbym wyjaśniać przez telefon. Czy mogłaby pani poświęcić mi kilka minut?

– Teraz?!

– Gdyby to było możliwe...

Bóg jedyny wiedział, jak bardzo ta jego propozycja była mi nie na rękę. Zerknęłam łakomie na mikrofalówkę, w której zamierzałam odgrzać sobie mrożoną pizzę, i na kanapę z włochatym ciepłym kocem, obok której leżał pilot do telewizora. I na listy ciotki.

– Może spotkamy się jutro? – spróbowałam negocjacji.

– Nalegam. Wyślę nawet po panią taksówkę. Proszę tylko podać adres. – Nie odpuszczał.

– To gdzie się spotkamy? – Zrezygnowałam z walki.

Zgodziłam się po raz kolejny tego dnia przemieścić się na Starówkę.

Pan Popiel podał mi nazwę knajpki przy Ducha Świętego i zapewnił, że bardzo cieszy się na nasze spotkanie.

A ja odświeżyłam się, podmalowałam, sprawdziłam stan gotówki w portmonetce i zamówiłam taksówkę.

O tej porze na mieście zaczynało się nocne życie. Rozbłysły latarnie, knajpiane ogródki wypełniły się gośćmi. Szłam od placu Teatralnego, spoglądając na majestat podświetlonego ratusza, wokół którego kwiaciarki nie zamknęły jeszcze straganów.

Odnalazłam lokal, w którym umówiliśmy się z Joachimem Iwo Popielem. Mieścił się w piwnicy jednej z kamieniczek. Zeszłam po stromych schodach i pogrążyłam się w mrocznym wnętrzu niewielkiego pomieszczenia, udekorowanego figurkami aniołów, ryb i papug.

Artystyczny wystrój komponował się z muzyką dobiegającą od baru, przy którym dostrzegłam mojego malarza.

– Dziękuję, że pani przyszła – powitał mnie i zaproponował kieliszek wina.

– Poproszę – zdecydowałam się, mimo zmęczenia.

Przesiedliśmy się do stolika w kącie sali, żeby nikt nam nie przeszkadzał.

Zauważyłam, że mój towarzysz czuje się jak u siebie, odprowadzany wzrokiem wielu osób przypatrujących się mojej osobie.

A zatem spotykamy się na jego gruncie, pomyślałam. Nie zamierzałam poddawać się presji.

– Podoba się pani tutaj? – zapytał, stawiając przed nami kieliszki z winem.

– Owszem. Ale do rzeczy, panie Joachimie. Chciałabym raz na zawsze rozwiać pana nadzieje związane z odzyskaniem obrazu.

Być może miał zamiar mnie upić, zachwycić lokalem czy zbajerować w inny sposób, lecz moja zdecydowana postawa sprowokowała go do zarzucenia socjotechnik. Przeszedł do meritum.

– Widzę, że jest pani nieprzejednana, ale mimo to wyjaśnię, dlaczego się tak upieram – zaczął. – Pragnie go moja matka, która jest bardzo chora. Prawdopodobnie niewiele jej pozostało.

Milczałam, czekając na ciąg dalszy.

– To sprawa dość intymna i niezręcznie mi o niej mówić, ale widzę, że bez wyjaśnień nic nie wskóram.

Skinęłam głową.

– Mój ojciec i pani mama mieli swego czasu długotrwały romans, w trakcie którego on podarował jej obraz Minotaura. Nie tylko obraz zresztą…

– A co jeszcze? – zainteresowałam się.

– Być może coś znacznie cenniejszego. Pani matka urodziła jego dziecko.

– Laurę? – Niemal wykrzyknęłam.

– Tak. Laurę. Sam dowiedziałem się o tym dopiero kilka tygodni temu, kiedy matka się rozchorowała i zaczęła mnie męczyć o Minotaura. Proszę mi wierzyć, ona nigdy nie przebolała zdrady, i zawsze chciała odzyskać ten obraz. Za wszelką cenę. Ja nigdy nie dałbym za niego tyle kasy.

Zawiłość ludzkich losów sprawiła, że osłabłam. A może sprawił to jeden kieliszek wina po ciężkim dniu?

Niemniej jednak poprosiłam o drugi. A przy trzecim siedzieliśmy już z Joachimem i jego towarzystwem, sącząc wino z karafki. Temat obrazu poszedł w odstawkę, ustępując miejsca bardzo miłej adoracji, której specjalnie się nie opierałam. Zanurzyłam się w atmosferze imprezy *ad hoc* i odpuściłam sobie problemy. Dałam porwać się trunkom i muzyce, którą serwował nam na żywo wirtuoz pianina.

Kiedy bawiłam się tak po raz ostatni? Nie pamiętałam.

Odprowadzana przez Joachima, którego postanowiłam nazywać Iwem, deklarowałam chęć kolejnego spotkania. Był przystojny, elokwentny, nonszalancki. I taki artystyczny! Podobał mi się. A może byłam pijana?

No, z pewnością przynajmniej nietrzeźwa.

Temat obrazu musiał zaczekać.

Tuż przed postojem taksówek zerknęłam w okno jednej z knajpek. Choć była wypełniona ludźmi, zauważyłam kogoś, kto wydał mi się znajomy.

– Zaczekaj, muszę się przyjrzeć. – Przytrzymałam Iwa za rękaw.

I upewniłam się, że przy jednym ze stolików siedzi Adam w towarzystwie kobiety. I sądząc po jego uśmiechu, nieźle się bawi.

– Ktoś znajomy? – Iwo przypalił papierosa.

– Nie. Wydawało mi się – odparłam, trzeźwiejąc gwałtownie.

– Pojechać z tobą? – zapytał, pakując mnie do taksówki.

– Do zobaczenia. – Pomachałam mu na pożegnanie. – A w sprawie Minotaura jeszcze się spotkamy. Dzięki za wszystko.

Wprawdzie Adam mnie oszukał, ale przynajmniej nieźle się ubawiłam z facetem, którego ojciec zrobił dziecko mojej matce! – pomyślałam buńczucznie.

ROZDZIAŁ 53
BOŻENA

Puste miejsce po Wiktorze powoli zaczęła wypełniać mi Tania.

Przyznam szczerze, że zmiana była dla mnie trudna. Ciężko mi było w jej obecności skupić się na pisaniu. A ona celebrowała ciążę, nie ruszając się z domu, oczekując obiadu i pełnej obsługi, żeby nie wspomnieć o finansowym wsparciu.

Poza wszystkim tęskniłam za Wiktorem.

Jakiekolwiek próby poruszenia tematu nauki w szkole hotelarskiej rodziły jedynie konflikty.

Moja córka miała przed sobą wiekopomną misję urodzenia dziecka, a nie dalsze kształcenie. Poza tym, jak twierdziła, źle się czuła i potrzebowała spokoju. Ustaliłyśmy, że o szkole pomyślimy, kiedy mały (miał się urodzić chłopiec) nieco podrośnie.

Trzy miesiące, jakie upłynęły do jego narodzin, minęły w napięciu, którego starałam się nie okazywać. Wręcz przeciwnie – odkrywałam w sobie nieznane mi dotąd pokłady entuzjazmu i wsparcia, nosiłam zakupy, gotowałam i znosiłam niekończące się korespondowanie Tani z całym światem przez komórkę. Chwilami tylko zastanawiałam się, czy naprawdę jestem jej jedyną ostoją na tym trudnym świecie, skoro ma z kim gadać bez końca i zaśmiewać się do rozpuku.

Mimo to postanowiłam wytrwać do rozwiązania. Potem miało się znaleźć wyjście.

Kiedy Tania dostała bólów, byłam przy niej, gotowa zawieźć ją do szpitala.

– Boję się, Bożena! – Chwyciła mnie za rękę, kiedy odpaliłam silnik.

Od kiedy zawitała ponownie w moim domu, mówiła mi po imieniu. Zaakceptowałam to, chociaż jej prośba, by zarzucić zwracanie się per mama mocno mnie ubodła.

Oczywiście, że mogłam się nie zgodzić, a nawet kazać jej wynieść się do socjalnego pokoiku, jednak nie zrobiłam tego. Czasami, nie mogąc zasnąć, zastanawiałam się, czy wciąż ją kocham. Jakie właściwie żywię wobec niej uczucia? Bo każdy człowiek ma swoją godność, a już zwłaszcza ten tyle razy urażany i odepchnięty. Myślałam o Arturze i naszym małżeńskim niepowodzeniu. W duszy płakałam po nim i tęskniłam za czasami, kiedy zaczynaliśmy wspólne życie. Niestety, nie byłam wtedy wobec niego szczera. Niestety, popełniłam kiedyś ciężki grzech i musiałam go odpokutować.

Jednak zajmowanie się Tanią nie sprowadzało się wyłącznie do pokuty. Naprawdę byłam ciekawa tego małego chłopczyka, który miał się pojawić na świecie. I bez względu na to, przez co przeszłam z dziewczynkami, byłam gotowa go pokochać.

– Jestem z tobą, wytrzymaj – powiedziałam, dojeżdżając do szpitala, podobnie jak kiedyś siostra Aniela do mnie. – Wszystko będzie dobrze.

Momentu, kiedy pielęgniarka pokazała mi maleństwo, nie zapomnę do końca życia. Pomarszczona czerwona buzia wystająca spod kokonu z ciuszków i kocyków wydała mi się taka piękna i bliska!

– Proszę potrzymać wnuka. – Położna przekazała zawiniątko w moje ręce, drżące z obawy, że mogę je upuścić.

Czyżbym została babcią? Czy wciąż byłam tylko Bożeną?

Po wyjściu Tani ze szpitala odsunęłam na bok te wątpliwości, całkowicie oddając się opiece nad małym Jasiem, który rósł jak na drożdżach. A gdy patrzył na mnie z głębi swoich granatowych oczu, miałam ochotę fruwać.

Zapomniałam na jakiś czas o pisarskich zobowiązaniach, dumnie tłumacząc się narodzinami wnuka, i pozwoliłam porwać się babcinym obowiązkom. Nie chciałam widzieć, że te mamine ograniczają się wyłącznie do karmienia. Wyręczałam Tanię we wszystkim, z nocnym czuwaniem włącznie.

Młoda mama musiała dobrze się odżywiać, wysypiać, nie stresować, żeby mieć pokarm, który, jak wiadomo, jest najważniejszy dla małego człowieka. A ja starałam się zapewnić jej to wszystko. Chodziłam z Jasiem na spacery, robiłam z nim zakupy, gotowałam.

Minęło pół roku i kolejne pół. Jasiek zaczynał chodzić, wydawnictwo dopominało się o kolejną książkę. Tania, oględnie mówiąc, czasami pomagała mi przy dziecku, zajęta głównie siedzeniem przed telewizorem i oglądaniem ulubionych seriali.

Postanowiłam porozmawiać z nią o przyszłości.

– Taniu, muszę wrócić do pracy – powiedziałam. – A i ty powinnaś chyba pomyśleć o skończeniu szkoły i znalezieniu sobie jakiegoś zajęcia.

– Wyrzucasz mnie?

– Nie. Ale czas najwyższy na pewne ustalenia. Jaś skończył rok, a ty urlop macierzyński. Co zamierzasz?

Wbrew moim obawom okazało się, że Tania ma przygotowaną odpowiedź. Poznała Stefana, z którym chciała zamieszkać w socjalnym lokum. Stefan miał pracować, ona siedzieć z Jasiem.

Przypomniałam sobie obdrapane ściany, uszkodzoną wykładzinę PCV, zdezelowaną umywalkę.

– Kim jest ten Stefan? – zapytałam.

– W porządku gość. Nie zamierzam od razu za niego wychodzić, ale postanowiliśmy spróbować razem – wyjaśniła.

– Pokój wymaga remontu – powątpiewałam. – Pomyśleliście o tym?

– Rozmawiałam z ojcem. Ma coś rzucić na ten cel.

Oboje z Arturem powróciliśmy do punktu wyjścia. Nie mając nadziei na wdzięczność, wyszukaliśmy młodym komunalne mieszkanko, on „coś rzucił", ja dołożyłam się również. Dopilnowałam remontu i przeprowadziłam Tanię z Jasiem do ich nowego gniazdka. Zaoferowałam pomoc.

Na początku zgłaszała się często. Zostawiała u mnie małego na noc. Uczucie do Stefana kwitło i wymagało dużo czasu bez dziecka, które nie miało wyrozumiałości dla potrzeb dorosłych. Wieczorami nie chciało iść spać, płakało, zawracało głowę, bywało nieznośne.

Tak było do czasu, kiedy Tania ze Stefanem wpadli na pomysł wyjazdu do pracy do Anglii i jak wspomniała, odbicia się od tej nędznej zapomogi z opieki społecznej, za którą żyją. Cóż, „przedsiębiorczy" Stefan nie potrafił sobie w Polsce znaleźć pracy…

Dałam im na bilet i pierwsze miesiące pobytu, pożegnałam się z Jaśkiem. Serce do Tani traciłam z każdym dniem bardziej.

Być może tam się odnajdą, pomyślałam ze słabą nadzieją.

Niestety. Anglia okazała się zbyt wymagająca i ciężka. Minęło kilka miesięcy, skończyła się kasa, zamierzali wracać. O ile, oczywiście, wyślę im pieniądze na bilet.

Byłam załamana.

Moja córka po raz kolejny wpadła w tarapaty. Tyle że teraz miała pod opieką półtorarocznego synka.

Odebrałam ją i Jasia z lotniska. Wrócili bez Stefana, który tymczasem postanowił zostać w Anglii z nową dziewczyną. Tania sprowadziła się do mnie tylko na kilka miesięcy, a została rok, po którym wymeldowałam ją do jej lokum, próbując zmobilizować do czegokolwiek. Jasiek kwalifikował się już do przedszkola.

Nie wnikałam, czy Tania wróci do szkoły, czy znajdzie sobie jakąś pracę. W mieszkaniu na Żoliborzu pozostały zabawki, ubranka i książki mojego wnuka, a także jego łóżeczko. Kiedy jego mama wyrażała taką wolę, zabierałam go do siebie. Prywatne życie mojej córki przestało mnie obchodzić. Nie miałam sił o nią walczyć. Wiedziałam, że kontaktowała się z Arturem i wyciągała od niego pieniądze. Nie wnikałam w to. Wystarczał mi Jaś, uroczy dzieciak, który zawsze cieszył się ze spotkania ze mną, a z czasem też z moim partnerem.

Bo ułożywszy sobie relacje z Tanią, która potrzebowała mnie akcyjnie, ale nie odmawiała mi kontaktów z Jasiem, zaczęłam umawiać się z mężczyznami. Uważałam jednak, żeby nie zaangażować się zanadto. Na wypadek gdyby któremuś przyszło do głowy kwestionować obecność mojego wnuka.

Życie biegło utartym torem: pisanie, spotkanie autorskie, jakaś randka, wyjazd z facetem, weekend z Jasiem, pisanie, weekend z Jasiem, spotkanie autorskie, miły wieczór z przyjacielem w teatrze, jakaś kolacja, spanie. Czasami telefon od Artura.

Nie miałam nadziei, że przydarzy mi się coś spektakularnego. Realizowałam swoją karmę, byłam dosyć znana i miałam za co żyć. A w dodatku los obdarzył mnie wnukiem, który był do mnie autentycznie przywiązany. A ja do niego.

Nie przestawałam jednak myśleć, że gdzieś w świecie żyje osoba, której istnienie nigdy nie przestało mnie obchodzić. Moja teraz już trzydziestodziewięcioletnia córka.

Ilekroć ściskałam wnuka, tylekroć wyobrażałam sobie, że kiedyś uścisnę i ją. Czekałam na czas, kiedy będę gotowa ją odnaleźć.

ROZDZIAŁ 54
DAGMARA

Kac po wczorajszej imprezie z Joachimem wziął we władanie całe moje ciało, które bez skutku próbowałam zwlec z łóżka. Nigdy nie pozwalałam sobie na dłuższe polegiwanie, nawet jeśli poprzedniego dnia zdarzyło mi się nieco przeholować z alkoholem, więc spięłam się w sobie i doczłapałam do łazienki. Kilkuminutowa zimna kąpiel zrobiła swoje. Poparta mocną kawą i polopiryną pozwoliła mi stanąć na nogi.

Nie bacząc na utrzymujący się zamęt w głowie i niechęć do przyjmowania posiłków, dla zdrowia przegryzłam sucharka, by pozwolić popracować sfatygowanemu żołądkowi.

Wczorajsze rewelacje Joachima na temat mamy i jej kochanka zaczęły docierać do mojej powoli wracającej świadomości. Zatem Laura jest córką z nieprawego łoża! Przyjęcie tego faktu do wiadomości przychodziło mi z trudem, jak każdemu dziecku, które nie jest w stanie pojąć, że jego rodzic może dopuścić się zdrady.

Mama? To niemożliwe! – myślałam o kobiecie, która każdego dnia po odprowadzeniu mnie do przedszkola i podaniu śniadania mężowi podążała do księgarni, w soboty piekła ciasto, a w niedziele szła z nami na rodzinny spacer. Kiedy znajdowała czas na romans z ojcem Iwa? A może jego matka się myli? – ogarnęły mnie wątpliwości. Przecież śmiertelnie chora osoba ma prawo do imaginacji.

Musiałam przemyśleć, czy powinnam porozmawiać o tym z Laurą. Na razie na pierwszym planie znalazła się kwestia sprzedaży obrazu, na co nie miałam ochoty. Wręcz przeciwnie, w dalszym ciągu chciałam go zachować.

Przy trzeciej filiżance kawy postanowiłam spotkać się z panią Popiel i z nią porozmawiać. Być może Iwo mija się z prawdą i cała sprawa jest jednym wielkim nieporozumieniem?

No i oddać Minotaura do fachowej wyceny! – przypomniałam sobie. Jeżeli jest wart o wiele więcej niż zaproponowane przez Iwa pięćdziesiąt tysięcy, bajka o jego ojcu i mojej matce może być jedynie przykrywką, żeby go ode mnie wyłudzić poniżej wartości.

Druga polopiryna i półtora litra wypitej wody całkowicie postawiły mnie na nogi. Nie zaryzykowałam jednak jazdy samochodem i wzięłam taksówkę.

Przed księgarnią stawiłam się o dziesiątej.

Starałam się nie myśleć o Adamie i wczorajszej kolacji w lokalu, którą tak miło spędzał w towarzystwie eleganckiej damy. Choć nie było mi przyjemnie, że nasza znajomość zakończyła się tak szybko, kładłam sobie do głowy, że są rzeczy ważniejsze. Lepiej rozstać się wcześniej, niż gdy człowiek się zaangażuje, powtarzałam sobie w duchu.

Nie należałam do flirciar, już prędzej byłam wiecznie zajętą matką Polką, obarczoną dziećmi i sprawami rodzinnymi.

Choć było miło, a przez chwilę może nawet zaiskrzyło między nami, przemknęło mi przez głowę, gdy mijałam knajpę, w której wczoraj dostrzegłam pana mecenasa. O święta naiwności! Pal licho, że mnie oszukał, ale że ja pomyślałam, że może mi się trafić jeszcze w życiu ktoś dobry?

Dyskretnie wyjęłam lusterko. Fakt, wyglądałam mało zachęcająco. Tylko czego się spodziewałam? Czterdziestka na karku, dwoje dzieci, wynajęty domek gospodarczy i kupa problemów. A mój szczęśliwy „były" spodziewa się dziecka.

– Agata, jestem! – Opanowałam dekadencki nastrój i porzuciłam nieprzyjemne myśli. – Co mamy zaplanowane na dzisiaj? Przyjeżdża transport z hurtowni?

– Szefowo, to było wczoraj… – sprowadziła mnie na ziemię. – Ale mam pewien ciekawy pomysł. Może ci się spodoba – dokończyła z filuternym mrugnięciem. – Kawy? – zaproponowała.

Lusterko kłamało. Najwyraźniej wyglądałam znacznie gorzej.

– Dziękuję. Wypiłam już trzy. Chyba mi serce wyskoczy. Mów.

Agata sięgnęła po notatki i ułożyła je przed sobą na stoliku, przy którym przysiadłam.

– Patrz. Tu jest lista autorów, których mam zamiar zaprosić do podpisywania książek. – Wskazała kilka nazwisk. – Raz w miesiącu będziemy organizować spotkania z pisarzem i tym przyciągać czytelników. Wiesz, taka działalność popularyzatorska i sprzedażowa jednocześnie. Przygotujemy spotkanie, poczęstujemy kawą i piernikami, będzie fajnie. Poprosimy o autografy, będziemy sprzedawać podpisane egzemplarze. Myślę, że to zaskoczy.

– Podoba mi się. Ale nie sądzisz, że ściągnięcie pisarza sporo kosztuje? – wyraziłam wątpliwość.

– Tysiąc złotych. Sprawdziłam w agencji literackiej. Chyba nie aż tak dużo?

– Sama nie wiem…

– Jasne, że na jednym nie zarobimy. Ale jeżeli klienci przywykną do cyklicznych spotkań, będą przychodzić. Tak myślę.

Mam jeszcze kilka tysięcy na księgarnię, pomyślałam. Może rzeczywiście gra jest warta świeczki?

– A gdybym się zgodziła, kogo proponujesz na pierwszy ogień? – zapytałam ostrożnie.

– Myślałam o Bożenie Zawistowskiej. Napisała ponad dwadzieścia książek, jest znana i lubiana. Pozwoliłam sobie nawet porozmawiać z jej agentem. – Agata zerknęła na mnie niepewnie. – Oczywiście niezobowiązująco! – zapewniła.

– Ty diablico! – Po raz pierwszy od rana poczułam dobry nastrój.

Idea była ciekawa. A poza tym lubiłam Zawistowską i czytałam sporo jej powieści. Chętnie poznałabym ją osobiście. Nawet gdyby inwestycja w pisarzy nie przyniosła oczekiwanych rezultatów, rozważałam przeznaczenie na nią kilku tysięcy. W końcu to zaledwie jeden, co najwyżej dwa metry kwadratowe mieszkania w Toruniu, kombinowałam. Tyle jestem w stanie poświęcić.

Agata czekała na decyzję.

– Zgadzam się. Jak najszybciej zapraszaj Zawistowską.

Niestety, terminu nie udało się ustalić od ręki. Pisarka była chora, a spotkania autorskie odłożone na nie wiadomo kiedy. Mogło się zdarzyć, że zawita do nas dopiero za kilka miesięcy.

– Szkoda. A kogo jeszcze masz w zanadrzu? – zapytałam zawiedziona.

– Może Karpińską?

– Czemu nie? Ale pani Bożena byłaby lepszym strzałem.

Nie ukrywam, że inicjatywa Agaty dodała mi sił. Nie wiedziałam, czy inne księgarnie działały w ten sposób, ale nie byłam tym zainteresowana. Poczułam biznesowy zew krwi i chęć pracy na własny rachunek.

Poznam autorki, zacznę jeździć na targi, rozmarzyłam się.

Powiało innym światem, na który miałam ochotę. Zaczęłam wyobrażać sobie naszą księgarnię jako miejsce spotkań ludzi lubiących literaturę, która będzie u nas na wyciągnięcie ręki, na podpis znanego pisarza. A ja będę czynić honory uczynnej gospodyni, nie tylko domowej. Ubiorę się, uczeszę, podejmę, ugoszczę. A po takiej uczcie z przyjemnością wrócę do domu, by zająć się rodziną.

Plan był dobry.

– A zatem trzymam rękę na pulsie – zadeklarowała Agata. – Zaproszę panią Zawistowską w najbliższym możliwym terminie.

– Też myślę, że chciałabym ją mieć jako pierwszą – podsumowałam.

Na salę weszli pierwsi klienci.

– Załatwione!

Kolejne godziny okazały się pracowite, nawet za bardzo jak na moje leniwe samopoczucie. Po czternastej zrobiłam sobie chwilę przerwy, wciskając się w kącik kanciapy na tyłach księgarni z zamiarem krótkiej drzemki na niezbyt wygodnym siedzisku. Sen jednak rozproszyła myśl o telefonie, który powinnam wykonać.

Który chciałam wykonać.

Wyciągnęłam kopertę z adresem ciotki Katarzyny, włączyłam komputer i pomodliłam się w duchu, żeby szkoła u sióstr wciąż istniała.

Miałam szczęście. Po chwili miałam przed sobą numer telefonu, który mogłam wystukać w komórce.

Jeżeli nawet przez chwilę zastanawiałam się, czy to zrobić, moje palce były szybsze.

– Liceum katolickie, siostra Aniceta, słucham – usłyszałam po drugiej stronie.

– Tu Dagmara Rudzka – przedstawiłam się. – Mam sprawę…

Wyjaśniłam, że jestem córką dziewczyny, która trzydzieści dziewięć lat temu była uczennicą, urodziła w klasie maturalnej i oddała mnie do adopcji. Zapewniłam, że bardzo mi zależy, by odnaleźć matkę, i poprosiłam o kontakt albo wskazanie jakiegoś śladu, żebym mogła ją poznać.

– Bardzo mi przykro, ale nie mogę pani pomóc. – Padło kilka twardych słów. – Nie udzielamy takich informacji.

– Pani nie rozumie. Bardzo mi zależy – nalegałam.

– Nie mogę pani pomóc.

– A do kogo mogę się zgłosić w tej sprawie? – spróbowałam inaczej.

– Przykro mi, ale chyba do nikogo. Obowiązuje nas tajemnica. Przepraszam – zakończyła siostra i odłożyła słuchawkę.

A zatem pierwsze podejście okazało się klęską. Trudno, trzeba będzie wynająć detektywa, pomyślałam, machnąwszy ręką na koszty.

Ale dopiero po powrocie Michałka, postanowiłam. A może nawet i Zosi?

Coraz bardziej tęskniłam za dziećmi.

ROZDZIAŁ 55
BOŻENA

Piąte urodziny Jasia, zgodnie z wolą jego i Tani, postanowiłam wyprawić w kąciku dziecięcym jednego z centrów handlowych, chociaż nie przepadałam za duchotą panującą w tego rodzaju przybytkach i komercją zaaranżowanych imprez, na których dzieciaki głównie wariowały do nieprzytomności na różnego rodzaju machinach do zabawy, jadły słodkie torty i poddawały się malowaniu twarzy niczym indiańscy wojownicy. Jeżeli jednak mój wnuk miał być zadowolony, to zamówiłam salę z animatorem na dwie godziny i zaprosiłam gromadkę jego przedszkolnych kolegów.

Wyłożyłam na tę przyjemność kilka ładnych stów.

Miałam nadzieję, że w trakcie oczekiwania na Jasia wypijemy z córką kawę, jednak Tania zostawiła mnie w kawiarni i powędrowała zwiedzać butiki w poszukiwaniu nowych zimowych botków.

Zamiast się stroić, lepiej pomyślałaby o lepszym lokum, dumałam, odprowadzając ją wzrokiem.

Problem już od jakiegoś czasu spędzał mi sen z powiek. Minęły niemal dwa lata, od kiedy wyprowadziła się ode mnie z dzieckiem do komunalnego mieszkania. Ponowne sprowadzenie jej do siebie, z powodu jej lenistwa, opieszałości i niechęci do wykonywania jakichkolwiek zajęć, nie wchodziło w rachubę, ale pozostawienie jej z małym w nędznych warunkach również nie było dobrym rozwiązaniem. Jeżeli nie ona, to przynajmniej Jaś powinien mieć odpowiednie miejsce do życia i rozwoju.

Niestety, moje dochody z książek nie pozwalały myśleć o kupnie dla nich mieszkania w Warszawie. Zapewniały godziwe życie, jednak nie wystarczały na zgromadzenie znaczących oszczędności. W pewnym momencie zaczęłam nawet niechętnie myśleć o kredycie, ale powstrzymywał mnie brak zaufania do Tatiany i jej lekka ręka do wydawania kasy. Obawiałam się, że jeżeli kupię jej mieszkanie, być może sprzeda je, a pieniądze zagospodaruje w inny, jej zdaniem lepszy sposób.

Dylemat rozstrzygnął się niespodziewanie.

Siedziałam nad kawą i szarlotką, gdy do stolika podszedł Artur. Trzymał pod pachą torbę z wizerunkiem Kubusia Puchatka. Domyśliłam się, że przyniósł prezent dla wnuka.

– Kupiłem lego ze strażakiem Samem. Spóźniłem się? Dzieciaki są już w środku? – zasypał mnie pytaniami.

Znałam go. Próbował zatuszować skrępowanie.

Zaprosiłam go gestem i przyglądałam się, jak z tego samego powodu powoli zdejmuje płaszcz, składa go starannie i odwiesza na poręcz krzesła.

– W zestawie są dwie figurki strażaka, śmigłowiec, motocykl strażacki i remiza. A do tego wąż gaśniczy, mapa, barierka, ogień i światła. Myślisz, że mu się spodoba?

– Na pewno. A tak poza tym, co u ciebie?

– W porządku. Toczy się. Gratuluję ci nowej książki.

– Dziękuję. Już niemal o niej zapomniałam. Kończę następną.

– Podziwiam cię, Bożenko.

Szkoda, że nie na tyle, żeby ze mną być, pomyślałam.

Nie warto było wracać do przeszłości i niedobrych wspomnień. Widocznie nasze uczucie nie było wystarczająco silne, by przetrwać burze i stres. Dobrze, że dzisiaj potrafiliśmy już utrzymywać poprawne stosunki i wspólny front wobec Tatiany i jej dziecka.

Po raz kolejny miałam się o tym przekonać za chwilę. Artur wystąpił z propozycją.

– Od jakiegoś czasu myślę o mieszkaniu dla Tani i małego – zaczął, jak gdyby odgadł moje myśli. – Może udałoby się nam kupić im coś niedużego na spółkę? Dzieciak za rok idzie do zerówki, musi mieć przyzwoite warunki do nauki.

Zgodziłam się bez wahania. Artur zaproponował, że wyłoży dwieście tysięcy. Ja miałam dołożyć setkę, czyli dokładnie tyle, ile zdołałam zgromadzić na koncie. Tyle wystarczało na dwupokojowe mieszkanie z drugiej ręki. Postanowiliśmy zapisać je na Jasia, z zastrzeżeniem, żeby po uzyskaniu pełnoletniości sam zdecydował, co z nim zrobić.

Niestety, znaliśmy naszą córkę i nie mogliśmy postąpić inaczej.

Przyznam szczerze, że obawiałam się rozmowy z Tanią na ten temat. Oczami wyobraźni widziałam ją w złości, szafującą argumentami, że nie mamy do niej zaufania i staramy się kupić wnuka, nad którym tylko ona ma władzę rodzicielską. I w każdej chwili może zrobić z niej użytek, odcinając od nas małego.

Pierwszy argument byłby całkowicie uzasadniony, ale pozostałe nietrafione zupełnie. Wcale nie zamierzaliśmy przywłaszczać sobie Jasia, a jedynie zapewnić dwudziestoczterolatce z dzieckiem i bez stałego źródła dochodu godziwe warunki mieszkaniowe.

W najbliższą sobotę zaprosiłam Tatianę z Jasiem na obiad, nie zdradzając, że przybędzie również Artur. Postanowiliśmy przekazać jej wiadomość razem.

Widok ojca zdziwił ją i chyba nawet ucieszył.

– O! Kogo widzę! Zaprosiłaś tatę? – spytała zaskoczona.

Nie umknęło mojej uwadze, że wciąż zwraca się do Artura per tato.

– Jak widzisz. Pomożesz mi nakryć do stołu? – zaprosiłam ją do kuchni.

Panowie pozostali razem. Budowali remizę z klocków Lego.

– Ulubione gołąbki taty – zauważyła Tania, zaglądając do garnka. – Coś się między wami kroi? – dopytywała z miną Sherlocka Holmesa.

– Daj spokój. Twoja ulubiona lazania też jest. – Odwróciłam jej uwagę od gołąbków. – I Jasia klopsiki w sosie koperkowym. Zadowolona? Dla każdego coś dobrego.

O mieszkaniu wspomnieliśmy przy kawie i deserze, siedząc rozparci w fotelach i przyglądając się Jasiowi radośnie szczebioczącemu w otoczeniu rodziny.

Chyba po raz pierwszy tamtego dnia dostrzegłam u Tani przebłysk zadowolenia z naszej obecności. Wykorzystując dobrą atmosferę, przedstawiłam plan zakupu mieszkania na Jasia, a jego matka, o dziwo, przyjęła to ze spokojem. A nawet zdobyła się na wdzięczność.

– Dziękuję wam bardzo – powiedziała. – Macie już coś na oku?

W ciągu kilku miesięcy dobiliśmy targu ze starszym małżeństwem zajmującym zaniedbane czterdzieści osiem metrów w kamienicy, niezbyt odległej od mojego mieszkania. Na szczęście starsi państwo nie oczekiwali kokosów, dlatego zaplanowany budżet wystarczył również na remont i zakup niezbędnych mebli i sprzętów. Z radością przeprowadzaliśmy nowych lokatorów, ale powodem naszej największej satysfakcji był fakt, że Tania znalazła stałą pracę w hotelu i postanowiła wrócić do technikum.

Sprawcą nieoczekiwanej przemiany okazał się mężczyzna, którego obdarzyłam wdzięcznością i pokochałam miłością czystą od chwili, kiedy mi go przedstawiła. Paweł pracował w warsztacie samochodowym i był poważnym jak na swoje dwadzieścia pięć lat młodym człowiekiem, w dodatku zapatrzonym w Tatianę jak w obraz. Lecz najważniejsze, że ona kochała go również. Odniosłam wrażenie, że pokochała kogoś naprawdę po raz pierwszy w życiu. Bez obciążeń, roszczeń, zastrzeżeń, wymagań. Po prostu było im dobrze i zamierzali spędzić ze sobą życie, nie odsuwając Jasia na boczny tor.

Nie poznawałam własnej córki. Wprawdzie nasze relacje nie przypominały serdecznych więzi pomiędzy matką i dzieckiem, ale stały się na tyle przewidywalne, że nie musiałam spodziewać się ze strony Tani nieoczekiwanych ciosów i nieprzyjemności. Tym bardziej że udało mi się zjednać sobie Pawła.

Sekundowałam temu związkowi i chwała Bogu, tym razem się nie zawiodłam. Po dwóch latach znajomości moja córka i przyszły zięć zaprosili mnie na ślub.

Przepłakałam noc z radości, że lata cierpliwości opłaciły się jednak i warto było się pomęczyć. Szkoda jedynie, że nasze małżeństwo z Arturem poległo na ołtarzu walki o dziewczynki, myślałam.

Na weselu bawiliśmy się świetnie, z satysfakcją obserwując ośmioletniego wnuka i szczęśliwą Tanię u boku Pawła.

– Pozwolisz zaprosić się na ostatni tej nocy kieliszek wina? – zapytał Artur, kiedy po oczepinach wymykałam się do domu.

Nie czułam się najlepiej, dlatego pożegnawszy nowożeńców, postanowiłam po angielsku opuścić towarzystwo.

– Przepraszam, ale nie dzisiaj – odmówiłam. – Jestem zmęczona.

– To może kiedyś? – spróbował.

– Może. Dobranoc. Bardzo się cieszę, że Tania wreszcie… – Ze wzruszenia załamał mi się głos.

– Ja też. Do usłyszenia. Śpij dobrze.

– Ty również – szepnęłam szczerze, pamiętając, jakie problemy miał swego czasu z bezsennością.

Po weselu mogłam ze spokojną głową wrócić do pracy nad kolejną książką i do codziennych obowiązków. Moja córka była w dobrych rękach, Jasiek mnie odwiedzał i dawał się rozpieszczać. Odzyskałam spokój, chociaż myśl, by odnaleźć biologiczną córkę, wracała jak bumerang.

Tęskniłam do niej, byłam ciekawa, jak i gdzie żyje, jak ma na imię ta moja już teraz niemal trzydziestodziewięciolatka, czy ma rodzinę, dzieci. Jak wygląda, co robi, co ją zajmuje? Czy jest do mnie podobna? Czy wie, że została adoptowana?

Niejednokrotnie przymierzałam się, żeby temat adopcji poruszyć w książce, zawsze jednak rezygnowałam w obawie, że nie powstrzymam się od osobistych zwierzeń. Bezpieczniejsza była fikcja literacka, bajka, którą opowiadałam czytelniczkom, nie odkrywając się zanadto. „Ona" żyła w moim sercu i tylko dla mnie.

Prawdopodobnie tkwiłabym w tym stanie trwałej i niezaspokojonej ciekawości, i wewnętrznej tęsknoty za „moją wielką porzuconą", gdyby nie utrzymujące się od dwóch lat kiepskie samopoczucie, które wreszcie doprowadziło do wizyty u ginekologa.

Usłyszałam wyrok.

– Rak trzonu macicy. Trzeba natychmiast operować, choć nie ukrywam, że choroba jest zaawansowana.

– Ile mi zostało? – zapytałam, powstrzymując łzy.

– Tego nie jestem w stanie pani powiedzieć. Zapraszam na operację. – Doktor zerknął w kalendarz. – Dwunastego września. Czyli za cztery tygodnie.

– Już za cztery tygodnie? – zdumiałam się, ni w pięć, ni w dziewięć.

– Tak. A ma pani inne plany?

– Nie, skąd. Oczywiście, że będę.

Wieczór z Gabrysią, którą musiałam reanimować po wieści o mojej chorobie, zakończył się telefonem do detektywa. Miałam niewiele czasu, żeby odnaleźć córkę, więc zebrałam się w sobie. Nie wiem, czy podziałała na mnie wizja ostatniej szansy, czy też całkowite rozklejenie się przyjaciółki. W każdym razie poczułam siłę. Sprawdziłam harmonogram spotkań autorskich – kilka na południu Polski i jedno w Toruniu, w Księgarni pod Flisakiem. Z uwagi na sentyment do miasta, w którym niegdyś mieszkałam, miałam dużą ochotę tam pojechać.

Lecz w tej sytuacji? – pomyślałam. Nie ma mowy.

Postanowiłam zadzwonić i odwołać wizytę. Teraz najważniejszy był detektyw. Miałam nadzieję, że Wolski szybko zdoła odnaleźć moją córkę.

Zanim zabraknie czasu.

ROZDZIAŁ 56
DAGMARA

Nasza nowa aktywność, czyli spotkania autorskie, nakręciła pozytywnie mnie i Agatę. Wizyta Bożeny Zawistowskiej, zaplanowana jako pierwsza, wydawała się celnym strzałem. Znałam twórczość autorki. Nie ulegało wątpliwości, że takie nazwisko ściągnie gromadę ciekawych czytelniczek. Wprawdzie informacja o jej chorobie nieco podcięła nam skrzydła, ale nie pozbawiła nadziei. Liczyłam, że Agata dopnie swego i Zawistowska zasiądzie przy stoliku Księgarni pod Flisakiem w jeden z najbliższych piątkowych wieczorów.

W tej kwestii całkowicie zdałam się na moją pracownicę, a sama skoncentrowałam się na prywatnych sprawach, z których wiele wciąż czekało na załatwienie. Jutro miałam pojechać na wieś po Michałka, a od poniedziałku umieścić go w przedszkolu. Zdając sobie sprawę, że przejście z krainy swobody do rygorów życia w grupie okaże się dla niego trudne, postanowiłam poświęcić mu niedzielę. By złagodzić skutki zakończenia pewnego etapu słodkiego życia, zaplanowałam wycieczkę do ogrodu zoobotanicznego, może pizzę i lody. Liczyłam po cichu, że za kilka tygodni uda mi się wygospodarować kilka dni na wspólny wypad nad morze. Końcówka sierpnia zapowiadała się pogodnie.

Wbrew oczekiwaniom, że „niedziela będzie dla nas", rankiem natknęłam się na niespodziewany opór.

– Chcę jeszcze tutaj zostać z Kacprem i Leszkiem! – rozpłakał się Michał na wieść o wyjeździe.

– Ale ciocia i wujek też wyjeżdżają dzisiaj wieczorem – tłumaczyłam, kusząc wizją wspólnego spędzenia popołudnia.

– To ja też chcę wyjechać wieczorem! Wujek obiecał iść z nami nad jezioro!

Mojego syna nie interesowały powrót do domu, stare zabawki ani atrakcje, jakie starałam się mu zapewniać po powrocie z pracy. Wystarczył tydzień w przedszkolu, by zatęsknił za wyjazdem z Torunia, najlepiej z Szulcami na wieś. Dopytywał o Zośkę.

Nie mogłam pozwolić sobie na urlop i zostawienie księgarni na głowie Agaty. Zbyt wiele spraw wymagało natychmiastowej reakcji, finansowych decyzji i zabiegów o klienta. A zatrudnienie kolejnego pracownika nie wchodziło w rachubę.

Stojąc pod murem, zdecydowałam się zadzwonić do Zbyszka i poprosić go o pomoc.

– Zapytam wprost – zaczęłam bez wstępów, gdy odebrał. – Mógłbyś zająć się Michałkiem przez tydzień, dwa? Wrócił ze wsi i niezbyt dobrze znosi przedszkole, a ja nie mogę sobie pozwolić na przerwę w pracy. Nie teraz.

Na łączach zapadła cisza. No tak, mogłam się spodziewać, że ta propozycja będzie mu nie na rękę…

– Jesteś tam? – spytałam, zastanawiając się, czy połączenie nie zostało przerwane.

– Jestem. Myślę. Kiedy miałbym go odebrać?

Ton był obiecujący.

– Jutro, pojutrze – odparłam. – Bylebyś zdążył przed poniedziałkiem.

– Dobrze. Zabiorę Michałka na tydzień, ale na dłużej nie obiecuję. Niebawem zaczynam remont mieszkania i będę dość zajęty – wyjaśnił.

Na szczęście nie musiałam mu przypominać o jego powinnościach ustalonych przez sąd rodzinny, czyli dwóch tygodniach z dzieckiem podczas wakacji. To ja nie dopilnowałam opracowania harmonogramu wakacyjnej opieki, nie mając ochoty na bratanie się Michała z Sarą, na szczęście Zbyszek się nie migał. Wobec faktów i braku czasu byłam bezradna.

– W takim razie będę po małego w niedzielę po południu – poinformował mnie mój eks.

Przygotowałam Michała, spakowałam jego rzeczy i wyprawiłam w podróż nad morze, gdzie przebywał aktualnie Zbyszek wraz z kolejną panią Rudzką. Rozstawałam się z synkiem z ciężkim sercem i wyrzutami sumienia, że nie jestem najlepszą matką.

To się musi zmienić! – postanowiłam, porządkując mieszkanie. Jeszcze tylko kilka miesięcy, do chwili gdy księgarnia stanie na nogi i zatrudnię kogoś do pomocy Agacie. Jesienią Michaś pójdzie do przedszkola bez gadania, Zośka wróci do domu. Życie powróci na właściwe tory.

Moje optymistyczne wizje niebawem miały ulec weryfikacji.

Ledwie Zbyszek odjechał, zadzwoniła moja córka.

– Cześć, mamuś! – usłyszałam radosny głos.

– Co słychać, córuś? Nareszcie dzwonisz! Jak sobie radzicie?

– Wspaniale! Wczoraj przenieśliśmy się z Kamilem do Manchesteru i szukamy pracy.

– Nie masz już pieniędzy? – zapytałam, gotowa przesłać jej skromne wsparcie.

– Mam. Szukamy pracy na rok – odparła tonem, który znałam aż nazbyt dobrze.

Nie znosił sprzeciwu.

Mimo wszystko po raz kolejny spróbowałam odwieść Zośkę od decyzji pozostania w Anglii.

– Zosiu, czy ty ten krok przemyślałaś? Jak sobie wyobrażasz powrót do szkoły za rok? Przecież musisz zrobić maturę. Co najmniej maturę. Dziecko, te parę zarobionych funtów nie ustawi cię w życiu. Pomyślałaś o tym? Proszę cię, wróć do szkoły.

– Mamuś, nie mogę za długo rozmawiać. To kosztuje. – Moje dziecko uciekło się do finansowych argumentów. – I zaakceptuj wreszcie, że tutaj zostaję.

A zatem porażka.

Moja córka całkowicie wymknęła się spod mojej kontroli. Straciłam ją na rok, a może i na dłużej. Gdzie popełniliśmy błąd? – myślałam, przełykając łzy goryczy.

Czy przyczynił się do tego nasz rozwód, czy przeoczyłam jakiś ważny sygnał?

– Marlena, możesz przyjść do mnie na chwilę? – zadzwoniłam do przyjaciółki, nie bacząc na niedzielną, popołudniową, przeznaczoną dla rodziny porę.

– Stało się coś? – zapytała zaniepokojona, deklarując, że zaraz wpadnie.

Przesypałam do czarki zawartość torebki z mieszanką studencką, do drugiej nałożyłam garść chipsów. W kredensie znalazłam butelkę wina i nie czekając na przyjaciółkę, nalałam sobie kieliszek.

Weszła bez pukania, naciskając klamkę w drzwiach, których nigdy nie zamykałam na klucz.

– Co się dzieje, Daga? Masz doła? – zainteresowała się od progu, zobaczywszy mnie na kanapie, z nogami na ławie.

– Michał wyjechał ze Zbyszkiem i aktualną żoną nad morze, Zośka zostaje w Anglii – wyrzuciłam z siebie jednym tchem.

– Tak to bywa. Zostałaś sama i odczuwasz syndrom pustego gniazda – podsumowała.

Ulokowała się w fotelu i nalała sobie kieliszek malagi.

– Marlena! Zoś-ka nie wra-ca i nie skoń-czy li-ce-um! – sylabizowałam podniesionym tonem. – Nie mam żadnego syndromu pustego gniazda, tylko targają mną obawy o przyszłość córki! I syna, którego z braku czasu musiałam podesłać tatusiowi i nowej mamusi! – Niemal krzyczałam.

– Odstaw kieliszek – poleciła moja przyjaciółka. – Porozmawiajmy. Niepotrzebnie się nakręcasz. Michałek wróci za tydzień i niebawem będziesz miała go dość. A Zosia jest pełnoletnia i niestety może o sobie stanowić, z czego korzysta w pełni. Na razie w taki sposób, a z czasem może w inny. Nie pozostaje ci nic innego, jak uwierzyć w jej rozsądek. Bo przy pomocy policji jej tu nie ściągniesz.

– Ciekawe, czy tak byś gadała, gdyby sytuacja dotyczyła twoich córek.

Pokazowy rozsądek Marleny wkurzał mnie do łez.

– Nie. Ale wtedy ty byś mnie pocieszała – roześmiała się, rozładowując napiętą atmosferę. – Lepiej zastanów się, jak wykorzystać czas bez Michasia. Załatw zaległe sprawy, zanim spadnie ci na głowę jesień, przeziębienia i ogólny galimatias.

– Ty masz rację! – przyznałam z przekonaniem.

Kulczyński! – oprzytomniałam.

Tą sprawą postanowiłam jednak na razie nie dzielić się z Marleną. Pogadałyśmy jeszcze o tym i owym, starając się omijać trudne tematy. Żegnałam ją podniesiona na duchu.

Gdy tylko zamknęłam drzwi, sięgnęłam po telefon.

– Czy rozmawiam z panem Kulczyńskim, detektywem? – odezwałam się, usłyszawszy niski męski głos.

– Tak. Przy aparacie.

– Przepraszam, że w niedzielę. Czy mogę zająć panu kilka minut?

– Słucham?

W trakcie relacji zorientowałam się, że dobrze trafiłam. Detektyw notował, od czasu do czasu zadawał pytania. Wydawał się wyważony, konkretny i kompetentny. Wzbudził moje zaufanie. Obiecał, że zajmie się odnalezieniem mojej biologicznej matki niezwłocznie. Na pytanie, czy miewał podobne zlecenia, odpowiedział twierdząco.

– Będziemy w kontakcie – zadeklarował. – Prosiłbym jedynie o spotkanie jutro, w celu podpisania umowy zlecenia.

– Wpadnę przed dziesiątą do pana biura – zgodziłam się.

– Zapraszam. I proszę przynieść ze sobą listy ciotki, o których pani mówiła, oraz wszelkie inne zapiski. I twarde dane. Na przykład adres i numer telefonu szkoły, w której uczyła się pani matka.

– Oczywiście. Jak długo potrwa jej odnalezienie? – Nie mogłam powstrzymać ciekawości.

– Tego nie jestem w stanie powiedzieć – odparł Kulczyński. – Ale jeżeli nie będzie większych komplikacji, sądzę, że niezbyt długo.

Maszyna ruszyła. Mimo wątpliwości, jakie mnie opanowały, nie zamierzałam jej zatrzymywać. Co ma być, niech się stanie.

– A zatem do zobaczenia jutro – powiedziałam.

Pożegnałam się z uczuciem, że otworzyłam puszkę Pandory.

Skłamałabym, twierdząc, że towarzyszyły mi wyłącznie strach i niepewność. Bez względu na to, kim dzisiaj była kobieta, która mnie urodziła, miałam wielką ochotę ją poznać i spojrzeć jej prosto w oczy. I dowiedzieć się, dlaczego mnie oddała. Byłam ciekawa, kim jest i gdzie żyje. Jak wygląda, co robi, co ją interesuje, czy ma rodzinę, dzieci, czy jestem do niej podobna.

Zgodnie z zapewnieniami detektywa, miałam się tego dowiedzieć niebawem.

ROZDZIAŁ 57
BOŻENA

W obliczu choroby, która mogła mnie pokonać, przeliczyłam się z dobrym nastrojem i postawą *iron lady*. Po wyjściu Gabrysi przepłakałam całą noc. Przez moment zastanawiałam się nawet, czy nie powiadomić Artura.

Zrezygnowałam, bojąc się rozkleić i wpaść w kompletny dół. W pionie trzymała mnie wyłącznie myśl o odnalezieniu córki, a z tym mój były mąż nie miał nic wspólnego. Kiedy nazajutrz obudziłam się na kanapie z rozmazanym makijażem na opuchniętych powiekach, postanowiłam wziąć się w garść.

Zimna kąpiel, kilka kaw i świeże powietrze sierpniowego poranka zrobiły swoje.

Wprawdzie wciąż nie mogłam rozpoznać się w lustrze, ale nie miało to żadnego znaczenia. Do spotkania z detektywem Wolskim pozostały mi trzy godziny. Wykorzystałam je na wykonanie kilku telefonów.

– Kornel, chciałabym cię prosić, żebyś odwołał wszystkie moje spotkania autorskie w najbliższym czasie – poinformowałam mojego agenta. – Z wyjątkiem tego w księgarni w Toruniu. Tam zadzwonię sama. Zrobisz to dla mnie?

– Gorzej się poczułaś? – próbował się czegoś dowiedzieć.

W ciągu ostatnich dwóch lat miał, biedak, wiele problemów ze mną i moimi zdrowotnymi kłopotami. Postanowiłam nie ukrywać prawdy.

– Za cztery tygodnie idę na poważną operację. Mam nowotwór, Kornel, i tyle – wyrzuciłam z siebie, pozbawiając go na kilka sekund głosu.

– To jeszcze nie koniec świata…

– Nie wiem. W każdym razie do operacji rezygnuję ze spotkań. I proszę cię, załatw to jakoś.

– Oczywiście. Niczym się nie martw. I trzymaj się. Do Torunia zadzwonisz na pewno? – przypomniał.

– Tak. Dostałam od nich takie miłe zaproszenie i obiecałam, że przyjadę. Nie chcę załatwiać tej sprawy za twoim pośrednictwem. Odwołam sama.

– Jak sobie życzysz, Bożenko. I nie daj się. Będzie dobrze. To jeszcze nie koniec świata.

Dla kogo nie, dla tego nie, pomyślałam. Kornel, młody wilczek, podpora opiekującej się mną agencji, z pewnością znajdzie kolejne pisarki na moje miejsce…

Otrząsnęłam się ze złych myśli i wystukałam numer Waldka, redaktora w wydawnictwie, orientując się, że próbował się do mnie dodzwonić wczoraj. Zupełnie zapomniałam, że mieliśmy się spotkać w sprawie podpisania umowy na drugi tom powieści! Numer był „aktualnie niedostępny". Widocznie Waldek odbywa jedno z tych swoich licznych spotkań, westchnęłam w duchu.

Telefon Tani, z którą postanowiłam się skontaktować w następnej kolejności, również nie odpowiadał.

Nie miałam dzisiaj szczęścia do ludzi. Wszyscy byli zajęci albo mało zainteresowani rozmową ze mną.

Nie mogąc sobie znaleźć miejsca, pojechałam do Łazienek i przysiadłam na jednej z ławek, „przypadkowo" wybierając tę, którą lubiliśmy okupować z Arturem w czasach, kiedy jeszcze nie było z nami dziewczynek. Po powrocie z Torunia do Warszawy rozmawialiśmy w tym miejscu o rozwodzie. Jedna ławka, a tyle wspomnień… Teraz siedziałam na niej sama, jeśli nie liczyć ciężaru, który leżał mi na sercu. Przebijające przez gałęzie sierpniowe słońce grzało delikatnie.

Straciłam poczucie czasu.

Ocknęłam się, gdy w telefonie usłyszałam głos Wolskiego.

– Byliśmy umówieni na jedenastą. – Pobrzmiewała w nim lekka pretensja. – Czy mam się pani spodziewać?

– Przepraszam! Bardzo przepraszam! – Poderwałam się z miejsca, gotowa biec do jego biura. – Coś mi wypadło, zaraz będę – plątałam się. – Jestem teraz w Łazienkach. Czy może pan zaczekać kilkanaście minut?

– To może ja do pani dojdę? – zaproponował. – Za jakiś kwadrans. Gdzie pani dokładnie jest?

Mimo niezbyt składnego tłumaczenia, odnalazł mnie bez trudu.

Okazał się dojrzałym, wzbudzającym zaufanie mężczyzną. W kilka minut zebrał interesujące go informacje i obiecał dołożyć starań, by jak najszybciej odnaleźć moją biologiczną córkę.

– Za cztery tygodnie muszę zgłosić się na operację – dodałam. – Dobrze by było, żeby pan zdążył do tego czasu.

– Zrobię wszystko, co w mojej mocy – zadeklarował. Pożegnał się uprzejmie i zapewnił mnie, że o postępach śledztwa będzie mnie informował na bieżąco.

Wstałam z ławki dopiero wtedy, gdy słońce zaczęło solidnie przypiekać. Nie miałam ochoty wracać do domu, by kończyć pierwszy tom książki, ani iść do kawiarni. Gabrysia pracowała, z kontaktu z Tanią zrezygnowałam. Może oceniałam ją niesprawiedliwie, jednak przeczucie podpowiadało mi, że moją córkę bardziej zainteresuje scheda po mnie niż moja choroba.

Decyzję, gdzie się udać, rozstrzygnął telefon od Waldka.

– Dzwoniłaś. Oddzwaniam. Przepraszam, nie mogłem odebrać – powiedział. – Dlaczego wczoraj nie przyszłaś na podpisanie umowy? Mogę ci pogratulować zakończenia pierwszego tomu? – zapytał na jednym oddechu.

– Jeszcze nie. Ale w tej sprawie też chcę się z tobą spotkać. Zależy mi na czasie – wyjaśniłam.

– Skoro to takie pilne... To może za godzinę, w knajpce obok redakcji? Będziemy mieli spokój. U nas dzisiaj niesamowity ruch.

Kiedy przybyłam na miejsce, Waldek już był. Żeby nie tracić czasu, na mój widok natychmiast przywołał kelnerkę.

– Cappuccino, jak zwykle? – Zerknął, by się upewnić.

– Kieliszek białego wina.

– O, widzę, że dzisiaj jednak świętujemy! – zdziwił się, przyłączając się do zamówienia. – Przyznaj się! Jednak skończyłaś pierwszy tom? – próbował wydębić zeznania. – Podpisujemy umowę na drugi?

Dobry nastrój mojego towarzysza ani trochę nie poprawiał mi humoru.

– Mam jeszcze kilkadziesiąt stron do końca – oznajmiłam. – I nie wiem, czy zdążę w terminie – zaczęłam delikatnie, nie odkrywając wszystkich kart.

– Ty? To niemożliwe! – Waldek nie przyjmował moich słów do wiadomości.

– Jestem chora, redaktorze – powiedziałam. – Mam nowotwór. A za cztery tygodnie idę na operację – wyrzuciłam z siebie, upiwszy łyk wina.

– A kiedy wracasz?

Najwyraźniej niczego nie rozumiał. Choć zbytnio mnie to nie dziwiło. Młodzi ludzie nie dopuszczają do siebie myśli o ostateczności i problemach, których nie można pokonać.

– Nie wiem. Nie wiem, co czeka mnie po operacji – uściśliłam. – Chciałabym wierzyć, że będę kwalifikowała się do dalszego leczenia.

– No coś ty? Dlaczego miałabyś się nie kwalifikować?

– Bo na przykład ten cholerny rak za bardzo się rozwinął! – krzyknęłam, ściągając na siebie wzrok ludzi przy sąsiednich stolikach. – Przepraszam – bąknęłam. – Jestem zdenerwowana.

– Nie wiedziałem. To ja przepraszam. Czy to znaczy, że mam zdjąć książkę z planu wydawniczego? – zapytał. – Wiesz, szykowaliśmy ją na święta Bożego Narodzenia…

– Wstrzymaj się jeszcze. Dam ci znać, gdy tylko ochłonę. Dopiero wczoraj się dowiedziałam.

– Jezu... – Do Waldka powoli docierała powaga sytuacji.

– Będę się starać, o ile zdrowie pozwoli. Przynajmniej dokończyć pierwszy tom.

– Bożena, ty się nie wygłupiaj! – zdenerwował się nagle. – Dawaj umowę na drugi, podpisujemy! Co? Ja mam go napisać? – zdobył się na żart.

– Nie teraz. Pogadamy po operacji, gdy zobaczymy, jakie są rokowania. Takie życie.

Nie dałam się namówić na drugi kieliszek. Miałam do załatwienia jeszcze jeden ważny telefon.

Do księgarni w Toruniu.

Pani Agata, z którą rozmawiałam wcześniej, była wyraźnie zawiedziona, chociaż starałam się odmówić jak najdelikatniej. Nie wprowadzając jej w szczegóły, zasłoniłam się ważnymi sprawami rodzinnymi. Zadeklarowałam, że przyjadę najszybciej, jak to tylko będzie możliwe.

– Szefowej bardzo zależało, żeby to pani była naszym pierwszym gościem... – próbowała nakłonić mnie do zmiany zdania. – Jest pani wierną czytelniczką, ja zresztą również. Mamy wszystkie pani książki.

Spotkanie w Toruniu korciło. Tyle wspomnień, tyle sentymentów! – pomyślałam. Znałam Księgarnię pod Flisakiem w dawnych czasach i często w niej bywałam. Prowadziła ją wówczas miła ładna kobieta, mniej więcej w moim wieku, u której nieraz zaopatrywałam się w książki dla córek. Też miała córeczkę. Mieszkała chyba niedaleko nas, na Słowackiego. Dziewczynki czasami bawiły się razem przy stoliku w księgarni. Teraz podobno interes przejęła córka zmarłej właścicielki.

– Przykro mi – powiedziałam przygnębiona. – Będziemy w kontakcie.

– Jeżeli jednak zmieni pani zdanie, czekamy w piątek dwudziestego szóstego sierpnia. Lub w kolejny, drugiego września. Liczę na panią. Proszę... – Pani Agata nie odpuszczała.

– Być może się odezwę – zakończyłam.

Nie miałam pojęcia, dlaczego dałam jej nadzieję.

Byłam pewna, że już nie zadzwonię.

W oczekiwaniu na telefon od detektywa Wolskiego, zebrałam się w sobie i oddałam pracy nad zakończeniem pierwszego tomu powieści, odłożywszy na bok wszystkie inne zajęcia. Zrobiłam wyjątek tylko dla Jasia, którego zabrałam do aquaparku i na jakiś spektakl teatralny dla dzieci.

Mimo starań, dzieciak wyczuł mój nie najlepszy nastrój. Sprezentowałam mu zatem upragnioną grę i złożyłam obietnicę, zapewne bez pokrycia, wspólnego wyjazdu na zimowe ferie.

Tymczasem Tania z Pawłem na ostatni tydzień sierpnia zabrali go nad morze.

Z determinacją dopieszczałam końcówkę powieści. Pisanie przerwał mi telefon od Wolskiego.

– Mam dla pani informacje – usłyszałam i poczułam, że zaczyna mi łopotać serce.

– Słucham? Dobre czy złe?

– Odnalazłem pani biologiczną córkę. Czy możemy się spotkać?

– Już jadę. Gdzie? – Nie potrafiłam powstrzymać podniecenia.

– Jestem pod pani domem.

Nerwy nie tylko poderwały mnie z krzesła, ale i pognały do drzwi, które otworzyłam na oścież.

– Proszę, proszę. – Wskazałam mu drogę do pokoju, gdy tylko pojawił się w progu. – Proszę siadać i mówić! – Niemal siłą wcisnęłam go w fotel i zajęłam miejsce naprzeciwko.

Wolski milczał przez chwilę, dając mi czas na ochłonięcie. Być może i na zrobienie kawy, ale o tym jakoś nie pomyślałam.

– Nazywa się Dagmara Rudzka, ma dwoje dzieci, osiemnastoletnią Zosię i pięcioletniego Michała, jest rozwiedziona. Mieszka w Toruniu. Niedawno odziedziczyła po matce Księgarnię pod Flisakiem.

Zaniemówiłam.

– Ma pan jej zdjęcie? – wykrztusiłam zaszokowana zrządzeniem losu.

– Proszę.

Z fotografii patrzyła na mnie kobieta o spływających na ramiona ciemnoblond włosach.

Mimo woli dotknęłam swoich, może nie tak puszystych jak jej, ale jednak podobnych.

– Mówi pan, że ma na imię Dagmara? zapytałam, nie odrywając oczu od zdjęcia.

– Tak. Z domu Machoń.

– Z domu Machoń... – powtórzyłam i poczułam ukłucie w sercu.

Nie Wodzińska ani Zawistowska. Machoń.

Ogarnął mnie niewyobrażalny żal z powodu tego, co stało się w przeszłości. Miałam wrażenie, że oddałam córkę dopiero wczoraj.

– Przepraszam pana, muszę na chwilę wyjść – powiedziałam i pobiegłam do łazienki.

Obmyłam twarz, by nie zemdleć.

Wróciłam, ocucona zimną wodą, z dwiema filiżankami kawy. Sobie zaordynowałam podwójną porcję kofeiny. Detektyw przekazał mi zebrane informacje. Wychodząc, zapytał, czy dobrze się czuję.

– Tak. Dziękuję panu za wszystko – odparłam.

– Na pewno mogę panią zostawić samą?

Potwierdziłam. Chciałam zostać sam na sam z przeszłością.

Następnego dnia zadzwoniłam do pani Agaty z Księgarni pod Flisakiem i umówiłam się na spotkanie autorskie. Na piątek, drugiego września. Ucieszona, obiecała wynająć mi hotel.

Podniecona wyjazdem nie mogłam sobie znaleźć miejsca, lecz jak zwykle w sukurs przyszła mi praca. Końcówka książki była bardzo ważna, a ostatni rozdział pisałam tak, jakby naprawdę miał być ostatnim w moim życiu. Przecież moja córka nie może się za mnie wstydzić, myślałam gorączkowo.

– Waldek, przesyłam ci pierwszy tom – poinformowałam redaktora na dzień przed wyjazdem do Torunia. – Ale drugi być może będziesz musiał napisać sam…

– Nawet tak nie żartuj! – odparł. – To będzie hit. Chyba nie chcesz nas pozbawiać zysków? – zażartował.

Mimo nie najlepszego samopoczucia, wypuściłam się do Torunia samochodem. Pobolewało mnie podbrzusze, byłam niewyspana, od czasu do czasu kręciło mi się w głowie. Zapewne z emocji. Ale dojechałam bez przeszkód, zakwaterowałam się w hotelu i rzuciłam na łóżko, żeby chwilę odpocząć. Bez obiadu, którego zjedzenie napawało mnie odrazą, udałam się do księgarni, gdzie powitały mnie dwie kobiety.

Moją córkę rozpoznałam od razu.

– Dagmara Rudzka. – Wyciągnęła rękę, drugą ogarniając księgarnię. – Witamy w naszych progach.

A pode mną ugięły się nogi.

Jaka piękna! – pomyślałam. I jaki ma ciepły uścisk dłoni!

– Bożena Zawistowska – zrewanżowałam się. – Ładnie tu u was. Witam. – Podałam rękę pani Agacie.

– To zaszczyt, że zgodziła się pani do nas przyjechać. – Dagmara zaprosiła mnie do kącika ze stolikiem i fotelami. – Proszę się rozgościć. Mogę zaproponować kawę?

Rozkoszowałam się atmosferą, rozmawiałam, ani na chwilę nie spuszczając oczu z córki. Dagmara była tak naturalna, miła i przyjazna, że miałam ochotę przygarnąć ją do piersi.

Około siedemnastej zaczęli schodzić się pierwsi czytelnicy, którzy niebawem zajęli wszystkie przygotowane krzesła.

Rozpoczęło się spotkanie, na którym odpowiadałam na te same pytania, co zwykle: kiedy zaczęłam pisać, skąd biorę pomysły, jak piszę, gdzie piszę, czy sięgam do własnych doświadczeń, czy stworzę kiedyś bajkę dla dzieci, ile zarabiam, czy z pisania można się utrzymać? I tak dalej.

Po raz tysięczny mówiłam to samo, starając się zachować świeżość i sprawić wrażenie, że robię to po raz pierwszy. Z zachowaniem szacunku dla wszystkich.

Siedząca w ostatnim rzędzie Dagmara słuchała z zainteresowaniem. Nie miałam wątpliwości, że cieszy ją mój dobry kontakt z fanami moich książek.

Jednym słowem, wieczór autorski w Księgarni pod Flisakiem zakończył się sukcesem.

Odpowiadałam na pytania o przeszłość, ale myślałam o najbliższej przyszłości. O tym, że za godzinę, pół powiem Dagmarze, że jestem jej matką. Byłam zdecydowana.

W pewnym momencie wywołał ją na zaplecze dźwięk telefonu. Powróciła całkowicie odmieniona. Już nie patrzyła na mnie oczami właścicielki księgarni zadowolonej z interesującego przebiegu spotkania. Była zadziwiona i jak gdyby spłoszona.

– Kiedy wyjdzie pani następna książka? – usłyszałam ostatnie pytanie po zapowiedzi pani Agaty, że kończymy.

– Przed świętami Bożego Narodzenia.

– A kolejna? Czekamy!

– Tego nie wiem – odparłam zgodnie z prawdą. – Wszystko zależy od łaskawości losu...

Marzyłam o sam na sam z moją córką, lecz wcześniej musiałam uporać się z kolejką czytelników po autografy. Niektórzy prosili o wspólne zdjęcie, z innymi wymieniałam osobiste uwagi, umawiałam się na kolejne spotkania.

W końcu pozostałyśmy tylko we trzy.

– Pani Bożeno, jest pani niesamowita! – piała Agata, podsuwając mi kilka książek do podpisu. – Ta dla mamy, ta dla siostry. A te dwie dla mnie. – Podawała, ciesząc się jak dziecko.

Dagmara krzątała się po księgarni, zbierając filiżanki. Dolała wody do wazonu z bukietem powitalnych kwiatów.

– Agatko, już późno – powiedziała znienacka. W jej głosie pobrzmiewało zniecierpliwienie. – Idź do domu, zajmę się wszystkim.

Musiały się dobrze rozumieć, skoro pani Agata bez komentarza spakowała torebkę.

– Było mi miło panią poznać – pożegnała się ze mną i zostawiła nas same.

Wreszcie nastał ten moment. Nabrałam głęboko powietrza, ale moja córka mnie uprzedziła.

– Wiem, kim pani jest – powiedziała, patrząc mi prosto w oczy.

ROZDZIAŁ 58
DAGMARA

Przyjedzie! Naprawdę będzie u nas w najbliższy piątek! – Od progu witała mnie rozentuzjazmowana Agata.

– Kto przyjedzie? – próbowałam się dowiedzieć.

– Pani Bożena Zawistowska! Dzwoniła dzisiaj do mnie i potwierdziła. Udało się! A nie mówiłam, że mam zdolność perswazji?

– Bardzo dobrze. Gratuluję! Tylko zgromadź na półce wszystkie jej książki – poleciłam.

Okazało się, że mamy komplet.

W przerwach pomiędzy obsługą klientów planowałyśmy organizację spotkania. Trzeba było dokupić kawę, sprowadzić toruńskie pierniki i zorganizować kilka dodatkowych krzeseł. W domu dysponowałam jedynie dwoma, Agata również nie była specjalnie zasobna w siedziska. Wpadłam na pomysł, żeby zadzwonić do Joachima i poprosić go o pomoc w wypożyczeniu ich z zaprzyjaźnionego pubu, w którym bawiliśmy się pamiętnej nocy. Strzał okazał się trafiony.

– Jasne, że zapytam Ilonkę – powiedział.

A następnego dnia pojawił się przed księgarnią objuczony jak wielbłąd.

– Dwadzieścia wam wystarczy? – zapytał, kiedy zachwycona rzuciłam mu się w objęcia. – Mam nadzieję, że zbieram u ciebie punkty i Minotaur niebawem będzie mój – przekomarzał się.

– Ty interesowna bestio! – zawołałam. Wolałam myśleć, że żartuje.

Sprawa obrazu musiała jeszcze chwilę poczekać.

Kiedy stawialiśmy krzesła na zapleczu, Joachim zaproponował lunch.

– Nie mogę dzisiaj. Mamy sporo pracy… – próbowałam go zbyć.

Niezręcznie mi było zostawiać Agatę samą. Ta jednak wtrąciła się do rozmowy.

– Przecież sobie poradzę, szefowo.

Skoro dostałam przyzwolenie, czemu nie? Z przyjemnością wymknęłam się z księgarni na naleśnika z łososiem, szpinakiem i pleśniowym serem. Obowiązkowo bez sosu.

Naleśnikarnia mieściła się kilka kroków od nas, na Starym Rynku. Niestety, z uwagi na sezon turystyczny, niemal wszystkie miejsca w ogródku były zajęte. Usadowiliśmy się z Joachimem w kącie, w pobliżu płotka odgradzającego restaurację od chodnika, i w oczekiwaniu na realizację zamówienia oddaliśmy się towarzyskiej rozmowie. Musiałam przyznać, że konwersacja z moim towarzyszem dawała wytchnienie – ot, takie ploty i pogawędka bez zobowiązań i napinki. O galerii, którą prowadził, o jego malowaniu i udziale w różnych plastycznych przedsięwzięciach kolegów po fachu. O sprzedaży biżuterii koleżanek artystek, oprawie obrazów, o wieczornym towarzyskim życiu Torunia w piwnicznych zakątkach klimatycznych knajpek, któremu się oddawał.

Nie licząc Minotaura, nie miałam pojęcia, czym zasłużyłam sobie, by znaleźć się w gronie interesujących go osób. Oto pan artysta z kitką i papierosem w przedwojennej fifce siedział z szarą myszą w restauracji, czekając na naleśnika, i wydawał się zadowolony z tego faktu. A i ja czułam się dobrze w jego towarzystwie. Nie przymierzając, jak z – hm – koleżanką.

Rozmawialiśmy o wszystkim i o niczym. Obgadywaliśmy kręcących się wokół ludzi, omijając poważne sprawy. A gdy Joachim ujawnił swój talent komediowy i zarzucił mnie dowcipami, po raz pierwszy od dawna zdystansowałam się od problemów.

– Dzięki za wesoły lunch! – żegnałam się, żałując, że tak szybko minął czas.

– Wpadnij wieczorem do Ilonki, pobawimy się jeszcze – zaproponował.

– Nie dzisiaj. Ale wezmę to zaproszenie pod uwagę… – Puściłam oko i powędrowałam do pracy.

Mijając kancelarię Adama, dostrzegłam informację o jego urlopie.

Utwierdziłam się w przekonaniu, że ten pan mnie już nie interesuje. Ignorowałam jego telefony, nie odpowiadałam na esemesy, które w końcu przestały przychodzić. Wystarczy, że jeden facet oszukiwał mnie kiedyś przez kilka miesięcy, zanim przyznał się do romansu, myślałam.

Nie zamierzam zaczynać nowej znajomości od kłamstwa. Adam ma prawo spotykać się, z kim chce, ale nie powinien ściemniać, że wyjeżdża. Cholerny miglanc!

Ten tydzień należał do mnie. Michaś siedział z ojcem nad morzem, Zośka z Kamilem mościli sobie gniazdko w Manchesterze. Wieczorami rozmawiałyśmy na Skypie. Miałam poczucie, że w jakimś stopniu uczestniczę w jej życiu, i powoli przyzwyczajałam się do myśli o rocznym pobycie mojego dziecka w Wielkiej Brytanii, tym bardziej że wpływ na tę sytuację miałam raczej zerowy. Modliłam się w myślach o zdrowie dla Zośki i o kapkę rozumu.

W ostatnich dniach Agata drażniła mnie nieco tym swoim nadmiernym przeżywaniem spotkania autorskiego z Zawistowską. Nie tylko przymusiła mnie do zamówienia plakatów, które rozwiesiła na całej Starówce, ale również powiadomiła media i wszystkich świętych. Księgarnia lśniła czystością, pierniki czekały na wielkie *entrée*. Ja również cieszyłam się na ten piątek i nastawiałam na miły wieczór, jednak bez większego podniecenia. Bardziej czekałam na telefon od detektywa Kulczyńskiego, który nie odzywał się, niestety, od kilku dni.

– Chyba nie może jej odnaleźć – żaliłam się Marlenie, zdecydowawszy się w końcu podzielić z nią tajemnicą.

– Nie bądź taka niecierpliwa – uspokajała. – Doczekasz się wreszcie.

– Kiedy?

– Kiedy nadejdzie czas. A teraz zajmij się księgarnią. Zanim Michaś zjedzie do domu na dobre.

Miała rację.

W piątek zamknęłyśmy księgarnię o piętnastej i zabrałyśmy się do rozstawiania krzeseł i organizacji wnętrza. Na biurku ułożyłyśmy książki naszego gościa, postawiłyśmy wazon z bukietem. Filiżanki czekały na regale, na paterach spoczęły ciastka.

Pani Zawistowska przybyła kilka minut przed szóstą.

– Dagmara Rudzka. – Wyciągnęłam rękę. – Witamy w naszych progach.

Spojrzała na mnie dziwnie. Pewnie jest zmęczona podróżą, pomyślałam.

– Bożena Zawistowska – zrewanżowała się. – Ładnie tu u was. Witam. – Podała dłoń Agacie.

– To zaszczyt, że zgodziła się pani do nas przyjechać – powiedziałam, zapraszając ją do kącika ze stolikiem i fotelami. – Proszę się rozgościć. Mogę zaproponować kawę?

Była jakaś rozkojarzona i miałam wrażenie – cierpiąca, mimo dobrej miny. Ale gdy dopisali czytelnicy, dała z siebie wszystko. Rozmowa nie miała końca. Pani Bożena mnie zafascynowała – swoją osobowością, spokojem, dojrzałością i tym, jak potrafi rozmawiać z ludźmi. Podziwiałam jej ciepło, przyjazny stosunek do świata i szczerość. Siedziałam zauroczona w ostatnim rzędzie, nie myśląc wcale o korzyściach ze spotkania, a o niej i aurze, jaką roztaczała. Miałam wrażenie, że i ona mi się przygląda.

Urok spektaklu w wykonaniu pani Zawistowskiej przerwał telefon, którego dźwięk dotarł z mojej torebki. Dostrzegłszy numer Kulczyńskiego, chyłkiem usunęłam się z sali.

Wiadomość, którą mi przekazał, zwaliła mnie z nóg.

– A zatem chce pani znać personalia matki? – zapytał po przydługim wstępie, że trudno ją było namierzyć.

– Niech pan nie żartuje!

– Zatem... To Bożena Zawistowska. Pisarka. Rozwiedziona, dwie adoptowane córki, kontakt ma tylko z jedną – wyrecytował.

– Po resztę informacji zadzwonię do pana jutro. I jutro zapłacę. Przepraszam, alc jestem bardzo zajęta – zakończyłam szokującą rozmowę,

Zmobilizowałam się do powrotu na salę.

Zawistowska siedziała na swoim miejscu, czytelnicy również. A mimo to księgarnia wyglądała zupełnie inaczej niż wcześniej.

Widziałam wyłącznie moją matkę i nic wokół. Jak gdyby ktoś opuścił zasłonę.

– Kiedy wyjdzie pani następna książka? – Z letargu obudziło mnie ostatnie pytanie po zapowiedzi Agaty, że kończymy spotkanie.

– Przed świętami Bożego Narodzenia.

– A kolejna? Bo czekamy!

– Tego nie wiem – odparła. – Wszystko zależy od łaskawości losu...

Udzieliła kilku wywiadów, podpisała stosy książek czytelnikom. A potem jeszcze cztery Agacie, która nie zamierzała się wynieść.

– Agatko, jest już późno. Idź do domu, zajmę się wszystkim – poprosiłam, starając się zachować spokój.

Chyba zauważyła, że chcę zostać z naszym gościem sam na sam, bo pożegnała się i zamknęła za sobą drzwi.

Wreszcie nastąpił ten moment. Głęboko wciągnęłam powietrze.

– Wiem, kim pani jest – powiedziałam, patrząc jej prosto w oczy.

Nie opuściła wzroku. Patrzyła przenikliwie.

– Ja również wiem, kim jest pani – odparła.